D1277678

HOLLYWOOD LOVERS

CARRIE FISCHER

HOLLYWOOD LOVERS

ROMAN

Traduit de l'américain
par Anne Michel

Albin Michel

Édition originale américaine :
SURRENDER THE PINK

Traduction française :

22, rue Huyghens, 75014 Paris

ISBN 2-226-06859-7

Pour mes grands-parents
Ray et Maxene Reynolds
et pour mes parents

L'accouplement est une trêve amère plutôt qu'une étreinte désirée.

Charles DARWIN

L'amour est dans la vie de l'homme une chose à part. Il est toute l'existence d'une femme.

BYRON

L'amour dans sa réalité est une chose affreuse et effrayante comparé à l'amour rêvé.

Fiodor DOSTOÏEVSKI
Les Frères Karamazov

L'amour est un long, long chemin.

Tom PETTY

1

DINAH Kaufman perdit trois fois sa vertu. Non parce que son hymen était si résistant qu'il avait fallu trois assauts pour en venir à bout, mais parce que Dinah croyait que la virginité devait vraiment signifier quelque chose, et trois rounds avaient été nécessaires pour qu'elle se sente vaguement dans le coup. La sexualité, ce prétendu prélude à l'amour, semblait réveiller tous ses problèmes. Dans les autres situations, on remarquait à peine que quelque chose clochait — Dinah avait juste trop de caractère pour une seule personne et pas vraiment assez pour deux. Mais en amour — BOUM — ça vous sautait aux yeux.

Dinah ne se souvenait pas du moment où elle avait découvert la sexualité, seulement du jour où, rentrant de l'école — elle devait avoir environ sept ans —, elle avait raconté à sa mère que le mot *foutre* était écrit sur le terrain de handball. « Qu'est-ce que ça veut dire ? » avait-elle demandé alors que leur break familial blanc roulait vers la maison. Sa mère avait hésité et répondu : « Je te l'expliquerai plus tard, quand j'aurai de quoi faire des dessins. » Il n'y avait jamais eu de plus tard. Dinah avait moins regretté les explications que les dessins. Elle avait l'impression qu'ils auraient pu lui être drôlement utiles dans certaines occasions.

Quand elle eut dix ans, elle mit la main sur un livre intitulé *Réservé aux filles,* qui contenait, à côté de chapitres comme « Votre cycle menstruel », une description de la manière dont un homme et une femme font un enfant. L'homme met son pénis dans le vagin de la femme puis le fait rentrer et sortir jusqu'à ce qu'il lâche des milliards et des milliards de graines visqueuses. Dinah en déduisit que, pendant que la partie inférieure du corps se livrait à cet étrange rituel, la partie supérieure discutait du prénom à donner au bébé. « Que penses-tu de Robert ? » dit-il en la pénétrant doucement. « Et pourquoi pas Hélène ? » suggéra-t-elle en faisant une légère grimace. Dinah avait une camarade de classe, Laura Avchen, qui, après avoir découvert toute l'histoire « pénis dans le vagin », se demandait : « Est-ce que les boules attendent dehors ou rentrent avec le pénis ? »

En tout cas, Dinah se rappelait clairement que, dans son enfance, elle *savait* qu'elle allait grandir et qu'elle se débrouillerait, que les choses se mettraient en place d'une façon ou d'une autre, selon un rythme inné du code *Homo sapiens*. Elle avait observé les adultes discuter entre eux, un verre à la main, aux soirées de sa mère où ils échangeaient des rires satisfaits et avaient l'air de savoir parfaitement ce qu'ils faisaient, et pourquoi.

Dinah supporta beaucoup de choses pendant son enfance puis son adolescence parce qu'elle supposait qu'à la fin de ces épreuves elle serait récompensée par le calme et la confiance surnaturels qui lui seraient sûrement dévolus avec le passage à l'âge adulte. Elle sortirait de l'école, trouverait un travail, rencontrerait un homme, se marierait, aurait des enfants et vieillirait, tout cela avec aisance et facilité.

Elle avait en partie raison. Elle sortit bien de l'école.

Sa mère l'avait élevée à rester vierge, comme s'il s'agissait d'un travail bien payé. « Les hommes ne veulent qu'une seule chose. Une fois qu'ils ont mis la main dessus, ils foutent le camp en emportant ton amour-propre. » Dinah imaginait tous ces hommes qui la quittaient, son amour-propre à la main, bien emballé dans des petits sacs plastique. Ils le portaient délicatement à bout de bras comme si l'amour-propre puait légèrement ou avait fondu et coulait du sac.

Quand elle eut seize ans, sa mère lui offrit pour Noël un vibromasseur. « Quel charmant petit cadeau de Noël », remarqua Dinah en déballant son paquet devant sa mère. « J'en avais aussi acheté un pour ta grand-mère », commenta Mme Kaufman, « mais elle ne veut pas s'en servir. Elle dit qu'elle n'a jamais eu d'orgasme — et qu'elle peut aussi bien continuer comme ça. Et puis elle a peur de créer un court-circuit avec son pacemaker. »

Dinah avait essayé le vibromasseur. Elle s'était allongée sur le sol froid de sa salle de bains carrelée, porte fermée, lumières éteintes, en faisant couler l'eau pour que personne n'entende le bourdonnement révélateur. Et elle avait éprouvé du plaisir, vraiment. Un seul problème, cela lui rappelait sa mère. Sa mère qui appelait le pénis « l'arbre de vie » et les testicules « les fruits ».

Dinah essaya de faire une synthèse entre les propos qu'on lui avait tenus dans son enfance sur la sexualité et les relations humaines, et la version réactualisée qu'on lui avait servie à l'adolescence; elle se rendit compte qu'au mieux ces propos s'avéraient confus, contradictoires. Le sexe était réservé aux hommes et le mariage aux femmes et aux enfants, comme les canots de sauvetage. Hommes et femmes semblaient vivre sur un perpétuel malentendu.

Peu après l'épisode du vibromasseur, la mère de Dinah fut victime d'une légère attaque cardiaque et devint subitement terrifiée à l'idée de mourir. Cette pensée ne lui avait peut-être jamais traversé l'esprit auparavant, ou peut-être n'avait-elle fait que la *traverser*. En tout cas, cela l'obsédait désormais. Elle sombra dans une profonde dépression. « N'écoute pas ta vieille mère, gémissait-elle. Oh, Dinah, Dinah, la vie est si courte. Le temps passe si vite. Ne laisse pas la vie te filer entre les doigts. Regarde-moi : je n'ai presque rien fait. Je n'ai jamais vraiment vécu. J'ai eu deux amants. Je n'ai jamais quitté la vallée. Dinah, tu dois profiter de la vie. J'ai bien réfléchi et j'ai décidé que tu n'avais pas besoin de rester vierge pour ton mariage. Pour quoi faire? Ton père m'a quittée de toute façon. Alors, si tu veux coucher avec un type... fonce. Je te prendrai un rendez-vous avec le docteur Spermel et il te prescrira un diaphragme ou la pilule. » Elle avala théâtralement une gorgée de bière. Dinah était terrifiée. Elle tenta de raviver le sens de la chasteté chez sa mère.

« Ouah, m'man, attends, je n'ai pas dit que je voulais... coucher avec quelqu'un. Je suis très contente comme ça.

— Je ne veux pas que tu aies une vie comme la mienne. Quel intérêt ? J'ai eu la vie que j'ai eue et regarde-moi. J'ai vu les regards que tu lançais à ce Mickey pendant vos cours de jazz. Je pourrais tout arranger pour que vous couchiez ensemble et rester dans les parages pour superviser les opérations. »

Dinah se précipita dans sa chambre, en espérant que si elle allait assez vite, rien ne pourrait la rattraper. Elle claqua la porte derrière elle, ayant l'impression de surfer sur la peur, en déséquilibre sur la planche, au creux d'une vague qui refusait catégoriquement de toucher le sable. Dans ce genre de circonstances, elle essayait de se raccrocher aux moments passés où elle s'était sentie en super forme. La semaine dernière, en rentrant de l'école, dans la voiture, elle était dans un état euphorique. Elle avait eu 20 à un examen et se sentait prête à affronter n'importe quoi. Mais maintenant tous ses efforts pour ranimer cette sensation restaient vains. Elle avait passé la frontière, direction dépression et peur. Elle se rendit compte qu'ici, on ne pouvait pas payer la note avec de l'euphorie. Cette monnaie n'avait pas cours.

« Ne sois pas si dure avec toi-même, ma chérie, lui disait sa mère.

— Oh, O.K. ! Ne sois pas si dure ? Tu m'as dit que c'était bien d'être dur avec soi-même, et maintenant tu prétends le contraire. Et voilà. A chaque jour, une nouvelle vérité... ce qui signifie qu'on apprend trois cent soixante-cinq vérités par an, pas vraiment assez pour mon goût... aussi, entre deux vérités, pendant mes heures de loisir, je me détends en étant dure avec moi-même. Mais tu veux que j'arrête. Donc, très bien, O.K. Je ne le ferai plus. » Sa mère lui décocha un regard noir. Elle avait plusieurs regards en réserve et n'hésitait pas à les utiliser.

Quand elle ne comprenait pas les propos ou les comportements de Dinah, ses sautes d'humeur, elle mettait ça sur le compte de son père absent. « C'est ton côté juif, ma chérie. »

C'est pourquoi ça ne marchait pas entre les hommes et Dinah. Son père avait déserté le domicile conjugal quand elle était toute petite — elle avait à peine deux ans. Elle le vit peu par la suite, peut-être une fois par an. Vous comprenez, son père et sa mère ne s'entendaient pas et, en plus, il habitait au loin. Enfin bref, après son départ, elle attendait son retour. Elle se préparait de son mieux pour cette occasion. Et à chaque fois qu'elle le voyait, lors de sa visite annuelle, elle essayait d'être parfaite pour se faire aimer. Il était si peu présent qu'il occupait une place de plus en plus grande dans son imagination, l'image du père s'était greffée comme une tumeur dans son cerveau. Elle aimait — elle adorait — ce père construit de toutes pièces. Cet être imaginaire devenait chaque jour plus complexe, jusqu'à ce que finalement elle eût réussi à créer deux monstres : le père qu'elle n'avait jamais eu et la fille qu'il n'aurait jamais dû abandonner.

D'où ses expériences difficiles avec les hommes. Elle essaie désespérément de se faire aimer d'eux et n'arrive jamais à les connaître réellement à cause de tout ce qu'elle a besoin qu'ils soient, à cause de tout ce qu'elle imagine qu'ils sont quand elle ne les voit pas. En un mot, des monstres. Ces étrangers sont comme son père. Et s'ils ne partent pas, elle les pousse vers la porte pour pouvoir les récupérer. Et s'ils ne partent toujours pas, elle s'en va parce qu'elle ne sait pas comment vivre avec eux. Elle sait seulement les reconquérir. Elle les aime jusqu'à ce qu'ils l'aiment. Elle se consume d'amour pour eux. C'est pourquoi ça ne marchait pas entre Dinah et les hommes.

Dinah rencontra Rudy au cinquante-cinquième anniversaire de Charlotte, sa directrice, un mois après avoir commencé à travailler pour *Désir du cœur,* le nouveau soap opera qu'on avait lancé l'année dernière à New York. L'appartement de Charlotte était un énorme loft sur Hudson Street.

« Ne me quitte pas », supplia Dinah en s'accrochant au bras de Connie tandis qu'elles sortaient de l'ascenseur et pénétraient dans le hall aux lumières aveuglantes. Connie Sorkin avait trente-sept ans, un second mari et un grand fils, des cheveux striés de blond qui lui tombaient aux épaules et des yeux bleu foncé. C'était une femme brusque, loyale, très professionnelle et qui parlait sans arrêt de ses problèmes de règles. Derrière la porte, s'élevait, menaçant et tentateur, le brouhaha frénétique de la soirée qui battait son plein. Connie regarda Dinah avec amusement. « C'est inattendu, dit-elle en appuyant sur la sonnette. Nous nous connaissons à peine.

— Comparée aux étrangers de cette soirée, tu es ma meilleure amie, assura Dinah.

— Tu connais Charlotte, Nick, Ogden et Bob.

— J'ai travaillé un mois avec eux. Ça ne compte pas.

— Tu *me* connais depuis un mois. De toute façon, crois-moi, ces types ne vont pas très loin », continua Connie tandis qu'un homme à lunettes, mince et blond, leur ouvrait la porte, révélant une partie de la pièce. « Un mois suffit pour les sonder en profondeur.

— Bienvenue dans l'antre du Dragon ! » les salua le petit homme dans l'embrasure de la porte en brandissant son verre.

« Salut, Mel », dit Connie et elle déposa un baiser léger sur sa joue. « Voici notre nouvelle scénariste, Dinah Kaufman. Dinah, voici Mel Matcalf, chargé des affaires commerciales, les seules qu'on puisse lui confier avec la tête qu'il a.

— C'est toujours un plaisir de te voir, Connie », déclara doucement Mel. Il avait un long nez pointu qui semblait protéger le reste de son visage d'une attaque éventuelle. « Salut, donc, Dinah. Que vous êtes jolie ! Je croyais que tous les écrivains avaient l'air racornis et ternes comme notre Connie ici présente, ou ressemblaient à un char d'assaut comme notre hôtesse. » Il désigna Charlotte en pointant son nez vers l'autre bout de la pièce où la foule s'agglutinait.

Le loft de Charlotte était un grand espace nu, peuplé d'étranges plantes exotiques et éclairé par une douce lampe esseulée. Un acrobate grandeur nature en céramique pendait au bout d'une corde au-dessus de la pièce noire de monde et les Rolling Stones hurlaient dans des enceintes stratégiquement disposées, « *I been walkin' Central Park, singin' after dark. People think I'm craaazy.* »

Connie et Dinah se frayèrent lentement un passage parmi les joyeux drilles pour atteindre Charlotte et le bar. En chemin, Dinah décida qu'elle allait boire, ou plutôt elle se convainquit qu'elle devait boire. Elle n'avait jamais su tenir l'alcool, elle devenait ivre instantanément et avait même parfois perdu connaissance — ce qu'elle prenait au tragique car elle aurait adoré flotter dans un état second. Mais elle avait recours à l'alcool dans certaines situations d'urgence, supposant à tort que, pour une fois, les choses se passeraient différemment. Et cette soirée, pleine à craquer de gens qu'elle ne connaissait pas, semblait définitivement tomber dans la catégorie des situations d'urgence.

Charlotte discutait avec un homme ténébreux, vêtu d'un jean et d'un pull bleu foncé. Dinah fut immédiatement frappée par son regard. Ses yeux d'un bleu pâle et lointain. Ils lui rappelaient confusément ceux d'un aigle. Aux aguets. Froids. Une espèce pratiquement en voie de disparition. La couleur pastel délavé encerclait une pupille minuscule. C'étaient des yeux qui non seulement vous déshabillaient sans ciller, mais vous rasaient la tête, vous appelaient chez vos parents et refusaient de vous accorder un prêt immobilier. Et puis il y avait quelque chose en lui qui pour Dinah ressemblait à Dinah. Comme le regard indifférent qu'ont parfois certains parents éloignés. Attirant, d'une maigreur à faire peur, *terriblement sûr de lui.*

Charlotte avait une carrure imposante. Elle aurait pu faire une carrière de rugbyman si elle ne s'était pas lancée dans les soap operas. Quand leur directeur Nick voulait l'agacer, il l'appelait « pachyderme », ce qu'il avait fait à deux reprises la première semaine. Mais en dépit de sa stature, Charlotte semblait dominée par son interlocuteur.

Elle parlait avec animation tandis que l'homme brun l'observait attentivement, les bras croisés de manière protectrice, arborant une expression que seul un violoncelle aurait pu évoquer.

« Connie ! Dinah ! Vous voilà ! Connie, tu as déjà rencontré Rudy Gendler, je crois ?

— Je ne pense pas », dit Connie en tendant la main. « Je suis très heureuse de vous rencontrer, M. Gendler. Je suis une de vos grandes admiratrices. »

Rudy se tourna poliment vers Connie. « Pas si grande que ça, assurément », nota-t-il, et il esquissa un sourire. Charlotte éclata de rire. « C'est moi, la grande admiratrice », dit-elle en se tapant sur le ventre. « Connie est juste une admiratrice de taille normale. »

Rudy hocha la tête. « Connie », répéta-t-il. Il prononça son nom presque comme une question en plissant ses yeux bleus.

« Et voici Dinah Kaufman, notre plus jeune recrue dans l'équipe des scénaristes », dit Charlotte en la désignant fièrement. Dinah passa nerveusement sa main dans ses cheveux roux coupés ras, sa langue sur ses lèvres sèches. Elle sentait le regard intense de Rudy qui l'observait par-dessus un échiquier invisible, d'un air de dire : « A vous de jouer. » Il la dévisageait comme si elle ne correspondait pas du tout à la commande qu'il avait passée...

Ou se laissait-elle emporter par son imagination ?

Elle baissa la tête. « M. Gendler », dit-elle en écolière modèle. Rudy haussa légèrement les sourcils.

« Monsieur... Pourquoi tout le monde m'appelle-t-il monsieur ce soir ? » Il observait Dinah avec désinvolture. Elle avait chaud subitement et ses oreilles bourdonnaient.

« Mais par égard pour votre renommée de dramaturge adulé », assura Charlotte en entourant Dinah d'un bras protecteur. « N'est-ce pas, Dinah ?

— Hein, hein... il y a du monsieur en lui », affirma-t-elle à la cantonade, pendant qu'elle courait en hurlant dans les couloirs de son esprit cherchant quelque chose à dire, quelqu'un à être. Où est ce dossier ? pensait-elle frénétiquement. Le dossier soirée ? Rencontre ? Il devrait bien y avoir quelque chose sur les hommes, pour l'amour du ciel ! Les invités naviguaient autour d'eux en riant.

Rudy la regardait fixement. « Merci », dit-il. Puis il ajouta : « Je crois. » Il porta pensivement son verre à ses lèvres sans la quitter des yeux.

« Allons vous chercher à boire », proposa Charlotte et elle entraîna Dinah et Connie vers le bar.

« Ravie de vous avoir rencontré », lança Dinah à l'attention de Rudy pour clore leur premier entretien qui brillait par sa banalité.

« Ouais », dut-il répondre.

Quand elle fut au bar, elle se commanda de quoi s'administrer un coup de massue sur la tête.

Elle était étendue sur les manteaux dans la chambre de Charlotte, en attendant d'avoir envie de retourner à la soirée. Mais elle se sentait si bien allongée, portée par la musique et le brouhaha derrière la cloison, comme lorsqu'elle s'assoupissait à l'arrière de la voiture, bercée par la voix de sa mère et de son beau-père en rentrant tard le soir à la maison. Elle imaginait que tous ces gens dans la pièce à côté avaient des vies passionnantes. C'était une pensée réconfortante et déconcertante. Elle sourit et se retourna.

Les manteaux sentaient la poussière et le parfum, une odeur chaude, agréable. Quelqu'un s'assit près d'elle. Elle ouvrit les yeux à contrecœur.

« M. Gendler, murmura-t-elle.

— Ne vous levez pas, ordonna Rudy.

— Je n'en ferai rien, assura-t-elle en souriant. Est-ce qu'ils ont déjà brisé la piñata ?

— Je ne crois pas », répondit Rudy sur un ton patient en croisant les jambes. « Qu'est-ce qu'une piñata ?

— Ce truc mexicain qu'on casse avec un bâton et dont sortent des bonbons et des jouets. J'ai toujours aimé imaginer que ma tête était une piñata ; brisez-la et...

— ... il en jaillira des bonbons et des jouets », compléta Rudy avec un léger hochement de tête. « Vous n'êtes pas de New York. D'où venez-vous ?

— Eh bien, pas seulement des bonbons et des jouets », précisa-t-elle, légèrement sur la défensive. « Mais... elle soupira, Los Angeles.

— Ah oui. Cela explique le truc mexicain... l'allusion, dit Rudy. L'allusion mexicaine », répéta-t-il pensivement comme pour lui-même. A l'intention de Dinah : « Ça pourrait être un bon titre. »

Il y avait de la musique. Les Bee Gees chantaient quelque part. Rudy toussa.

« Qu'est-ce qui sortira de votre tête ? » demanda Dinah. Elle s'appuya sur un coude, la tête penchée, l'observant avec ce qui lui restait de vision.

« Quand ?

— Quand je la casserai.

— Cette conversation est délicieuse. » Rudy fixa le mur. « Eh bien, cela dépend de quel côté vous frappez. A gauche, des maths ; à droite, un gros lapin blanc. Combien de verres avez-vous bu ? continua-t-il.

— Je répondrai à vos questions si vous répondez aux miennes. »

Rudy la regarda. « Mais je viens de le faire. »

Dinah soupira. « Avec moi, presque n'importe quelle dose est toujours trop.

— Alors, pourquoi...

— Ça semble généralement une bonne idée sur le moment.

— Venez, je vous ramène chez vous », dit-il en la mettant sur ses pieds qui semblaient beaucoup plus loin de son corps qu'elle n'en avait gardé le souvenir.

« Vous ne savez pas où j'habite.

— Vous allez me le dire. » Rudy la guidait poliment mais fermement, comme une convalescente réticente. Elle essaya de repérer Connie ou Charlotte pour leur faire un signe d'adieu tandis qu'ils traversaient la pièce pour atteindre la porte, mais elle se retrouva devant l'ascenseur sans avoir dit au revoir à quiconque. Elle suivit Rudy dans la rue comme une bonne petite squaw jusqu'au moment où s'ouvrit la portière d'une limousine.

« Vous avez une limousine, constata-t-elle.

— J'en ai bien peur », dit-il en l'installant dans la voiture.

Elle donna son adresse à Rudy qui l'indiqua au chauffeur. Ils s'enfoncèrent dans leurs sièges tandis que la voiture remontait uptown.

« Quel âge avez-vous ? interrogea Rudy.

— Vingt ans.

— Vous ne devriez pas boire si vous ne tenez pas l'alcool.

— Vous pouvez deviner tout ça d'après mon âge ? » demanda-t-elle. Puis elle croisa les jambes et tira sa jupe sur ses genoux. « Je me suis juste dit que c'était une soirée...

— Une soirée avec vos nouveaux collègues...

— Ouais... » admit-elle, à présent extrêmement gênée et un peu plus éveillée. Sa bouche était sèche, ses sourcils froncés. « Mais je n'ai rien fait de particulièrement ridicule, si ? » Elle se sentit submergée par la panique en réalisant qu'elle avait peut-être commis des énormités qu'elle avait complètement oubliées.

Rudy s'éclaircit la gorge, en mettant son poing devant sa bouche. « J'ai simplement dit que vous devriez être plus prudente.

— Je le serai », promit-elle. Rudy semblait si sûr de lui que cela prenait une autre dimension. Un au-delà de l'assurance que Dinah ne pourrait jamais espérer posséder.

Ils restèrent un moment silencieux. Rudy s'éclaircit une seconde fois la gorge.

« Quel âge avez-*vous ?* » demanda-t-elle finalement.

Rudy la regarda : « Trente-quatre ans.

— Trente-quatre ans », dit-elle comme si cela expliquait quelque chose une fois pour toutes. Elle répéta ce chiffre, cette fois plus doucement, en regardant la vitre tandis que la limousine fonçait dans Central Park.

« J'aime vos pièces. J'ai joué dans *Aspects d'Ezra ou le Désespoir de la possibilité,* à l'école.

— Ce n'est pas une de mes préférées. Quel rôle aviez-vous ?

— Celui du fantôme.

— Vraiment ? Le fantôme ? Ce n'est pas le rôle que j'aurais choisi pour vous », dit-il pensivement ; sa main avait glissé le long de la banquette et reposait maintenant derrière elle, il regardait droit devant lui, en hochant légèrement la tête. Ses yeux étaient froids et lointains, ils brillaient d'un éclat magnétique. Dinah était fascinée plutôt que séduite, fascinée par son apparente incapacité à le séduire. Il lui jeta un coup d'œil et elle tourna timidement la tête.

« Eh bien, je n'étais pas censée jouer au départ, expliqua-t-elle très vite. Je travaillais sur les décors dans le département d'arts plastiques et la fille qui devait jouer le sofa est tombée malade, alors... » Elle haussa les épaules. « Ce n'est pas très intéressant. Ils avaient absolument besoin de quelqu'un et j'ai été très mauvaise. Enfin, pas très mauvaise car on ne peut pas être vraiment nul dans une bonne pièce. Mais...

— Je suis sûr que vous étiez meilleure que vous ne le pensez. »

Elle le regarda. « N'en soyez pas si sûr, lança-t-elle.

— Désolé. C'est une habitude.

— L'assurance ?

— Assurément. »

Ils sourirent tous les deux. Un éclair, comme une bouffée d'émotion ou l'évocation d'un souvenir, illumina le regard de Rudy. Dinah se tourna vers la vitre, le cœur battant. Il mit la radio. Steve Martin chantait *King Tut.* Ils avaient presque atteint son appartement.

« *Le Sauvage innocent* est ma pièce favorite. Je l'ai vraiment *aimée.* »

Rudy fit un signe de tête poli pour répondre au compliment.

« Charlotte m'a dit que vous étiez un bon écrivain.

— Oh, oui. Mes scénarios de soap vont être publiés dans le *New Yorker.*

— Non, elle m'a dit que vous écriviez autre chose à propos de vos états d'âme.

— Elle vous a raconté ça ? » Dinah rougit. Pourquoi ? « Qu'a-t-elle dit ?

— Je lui ai posé des questions sur vous et elle m'en a parlé, répondit-il simplement.

— Vous lui avez posé des questions sur moi ?

— Elle m'a dit que vous donniez des noms à vos états d'âme. Pam ? Pam et...

— Roy, coupa-t-elle. Pam et Roy. Roy le rigolo, l'état de chevauchée fantastique, et Pam la sédimentaire qui reste sur le sable et sanglote. Le premier serait un bon repas, la seconde l'addition à payer. » Elle récitait, très vite, en regardant ses mains croisées sur ses genoux. « Parfois, je suis si déprimée que je n'arrive pas à me souvenir des gens que je connais », avoua-t-elle doucement en tournant son regard vers la vitre. Quelque part dans la nuit une sirène se mit à gémir. Dinah se laissa envahir par ce gémissement qui occupa son esprit un moment.

Cela se produisait de temps en temps, pas tout le temps. Quand Pam, son état triste dominait, tout semblait trop compliqué et sans intérêt. Avec Pam, elle attrapait une sorte de grippe émotionnelle. Les eaux de sa confiance entraient à marée basse, puis se desséchaient. La classe de désolation commençait et elle n'avait plus qu'à attendre l'heure de la sortie. Cette fois-ci, elle *apprendrait* peut-être quelque chose, lui persiflait son humeur moralisatrice, et elle ne voyait pas comment elle pourrait s'en sortir, jamais. Les événements de sa vie restaient les mêmes, c'était simplement l'histoire qu'elle construisait à leur sujet qui changeait. Dans l'histoire Pam, rien n'était possible ; dans l'histoire Roy, elle pouvait tout accomplir (et ce qui était hors d'atteinte avait au moins de *l'intérêt*). Dans l'histoire Pam, non seulement les choses étaient irréalisables mais elles étaient effrayantes, aliénantes, *étranges*. Elle raterait sa chance et bientôt ses yeux seraient marqués de Rides, Poches et Taches (trois des sept nains de la vieillesse). L'histoire Pam était celle de la souffrance existentielle et de l'horreur, l'histoire Roy se lisait le cœur léger, un livre intitulé *Que c'est merveilleux d'être humain — que c'est exaltant d'être en vie !* Des deux histoires, elle préférait évidemment Roy, l'état beau fixe. Mais elle supportait la classe de Pam en élève soumise, attendant la sonnerie, l'appel de Roy, alors elle claquait la porte de son esprit et courait dans le vestibule, prête à rencontrer les événements, blindée par son histoire préférée.

« Roy a probablement dominé cette soirée », remarqua-t-elle en riant, penaude. « Mais Pam risque de prendre la relève demain.

— Et pourquoi ? » Rudy se tourna pour la regarder à nouveau.

Dinah passa nerveusement sa main sur sa tête, sur ce qui lui restait de ses cheveux, récemment tondus. « Oh, parce que j'aurai probablement la gueule de bois, et que je me dirai que je me suis rendue ridicule, expliqua-t-elle, en riant. Et que j'aurai raison. » La voiture s'arrêta devant son immeuble.

« Vous croyez que vous étiez ridicule ce soir ?

— Eh bien, oui, vous savez, allongée sur les manteaux et tout le reste. » La peau de Dinah rosissait sous la lumière du réverbère qui éclairait la voiture. Rudy sourit.

« C'était moins ridicule que déplacé.

— Comment faites-vous la différence ? »

Rudy se tourna et lui fit face. Ses yeux semblaient graves et préoccupés, une lueur d'amusement y brillait cependant, comme un rai de lumière prometteur sous une porte. Il se pencha vers elle, tout près de son visage.

« On va en parler dans la voiture », dit-il doucement et puis il l'embrassa, un grand baiser du samedi soir, en lui écrasant la tête contre le velours rugueux bleu foncé de la banquette. Ce baiser irradia tout son corps, comme une grosse bougie brillante. Il recula un tout petit peu. Elle sentit son haleine sur son visage, ses mains sur ses épaules. Elle regarda ses yeux, si près des siens.

« Vous *êtes* vraiment un bon écrivain », reprit-elle en souriant avec douceur, complètement sous son charme.

« Vous dites ça comme ça », répondit-il.

Dinah tira sur sa jupe et réajusta la bretelle de son sac sur son épaule. « Non, je le pense sincèrement mais... oui, je l'ai dit quand même. » Elle ouvrit la portière. Rudy voulut l'aider à sortir, mais n'en eut pas le temps.

Ils étaient maintenant face à face, debout dans la rue. Le chauffeur de Rudy se tenait à l'arrière de la voiture, regardant discrètement le trottoir d'en face.

« Eh bien..., commença-t-elle, bonne chance avec l'allusion mexicaine. »

Rudy eut l'air perplexe. « La quoi ?

— Votre nouvelle pièce, lui rappela-t-elle.

— Oh oui », dit-il en hochant la tête sans conviction. « Bonne chance avec vos états d'âme. Avec Roy et Pam. » Elle se rendit compte qu'elle attendait qu'il lui demande son numéro de téléphone et qu'il n'en ferait rien. Elle recula vers la porte de son immeuble. Rudy ne bougea pas ; la portière de la limousine était ouverte derrière lui. Il avait jeté le gant de l'indifférence et Dinah le ramassa à son tour. Elle fit un signe d'adieu.

« Ne jouez pas à l'*Outsider* », lança-t-elle avec une gaieté moqueuse. « Ne soyez pas Albert Camus. »

Rudy sourit. « *L'Etranger* », corrigea-t-il. Dinah rougit.

« Ne soyez ni l'un ni l'autre. Ne soyez personne si vous en êtes capable », conclut-elle en s'enfonçant dans son immeuble. Soudain sa tête réapparut. « En fait, on peut dire l'un ou l'autre, dit-elle très vite. Ça dépend si on lit l'original ou la traduction. » Elle arbora son sourire le plus énigmatique et disparut. Rudy regarda un instant l'endroit où elle s'était tenue, sourit, puis monta dans sa voiture.

Chez la plupart des espèces de poissons, le mâle et la femelle ne se touchent pratiquement pas. Le mâle se contente de déposer sa semence sur les œufs après qu'ils ont été pondus par la femelle. A la suite de ce bref intermède, les amants reprennent chacun leur chemin, sans jamais plus se rencontrer.

2

SOUVENT le matin, Dinah se réveillait complètement désorientée, se demandant : « Où suis-je ? », mais aussi : « Qui, quoi ? » et même parfois : « Qui suis-je ? » tout court. Soudain déferlait la vague des souvenirs qui l'écrasait sous son poids extraordinaire. « Oh, ouais », pensait-elle en retrouvant ses esprits. Elle invoquait alors une résignation désinvolte pour se sortir du lit. Eh oui, se disait-elle, on recommence. Et puis, elle ajoutait « Oh, mon Dieu. »

Elle avait l'impression d'être une sorte de renégate du gang *Homo sapiens*. Ils étaient tous serrés les uns contre les autres tandis que le monde les poussait doucement vers la mort. Une énorme boule de mourants rebondissait tandis qu'elle gisait sur le côté comme une feuille de salade abandonnée. D'une certaine manière, son existence ne semblait pas lui appartenir. Elle essayait bien de se rapprocher des autres en racontant sans pudeur les détails les plus intimes de sa vie comme pour les troquer contre quelque chose. Contre une alliance dans la guerre qu'elle menait pour avoir une image positive d'elle-même. Il ne fallait pas beaucoup d'astuce ou de talent pour s'introduire dans sa vie. Les gens semblaient y entrer constamment et y tourner en rond. On pouvait facilement patauger dans la petite flaque d'eau qu'elle présentait comme sa personnalité. La difficulté était de mettre la tête sous l'eau... qu'elle se mette la tête sous l'eau.

Parfois, elle se promenait seule dans la ville. Elle regardait les gens, respirait les odeurs de nourriture, de pots d'échappement, de la fumée qui montait de l'asphalte. Elle avait l'impression d'être protégée, d'appartenir à cette masse trépidante. Et puis, la minute suivante, elle se sentait incapable d'être dans le coup, d'attraper la balle au bond, de maintenir le rythme. Ces chaussées défoncées, cette circulation et ces clochards, quelle horreur ! L'épaisseur vivante, haletante du bruit l'encerclait doucement avec ses coups de klaxon, son brouhaha mouvementé. Le grand ronronnement du chat Métropolitain devenait un absurde rugissement. Elle se sentait muette intérieurement, sa tête aussi calme qu'un banc de sable, qu'une cathédrale vénérant silencieusement la vie qui l'entourait. Elle accumulait tout cela pour plus tard, pour le moment où elle aurait besoin d'utiliser ce « trop, c'est trop ».

Sa coupe crânienne était pleine.

L'automne à New York avait été magnifique. Puis arriva l'hiver et le choc fut brutal. Ingrid, qui partageait l'appartement de Dinah, entra dans sa chambre un matin et la secoua doucement pour la ramener dans le présent. « M. Blizzard est au rancard », dit-elle. Dinah se traîna hors de son lit et suivit Ingrid dans la salle à manger. Sur leur petite terrasse il y avait plus de neige qu'elle n'en avait jamais vu. Tout était recouvert d'un linceul blanc : leurs deux chaises, la petite table et leur arbre solitaire et nu.

« Tu vois », souligna fièrement Ingrid, comme si elle était d'une certaine manière responsable, comme si elle était la Reine des Neiges et qu'il s'agissait de son nouveau domaine. Le vent fouettait les fenêtres de leur appartement d'angle, avec un son étrange, déchirant. C'était un vent qui avait parcouru le monde et hurlait maintenant, à la recherche de son antre ancestral.

« Ouah », dit Dinah. Sa première parole de la journée. Elle était profondément impressionnée. La neige ne cesserait jamais de l'étonner. Pour elle, c'était le tour le plus intéressant que pouvait vous jouer la météo. Quand on grandit en Californie, le temps semble plutôt unidimensionnel, mais avec la neige, Dinah se sentait pénétrer dans un monde historique en trois dimensions. « Ça, c'est ce que j'appelle un temps. » Elle s'approcha de la fenêtre avec Ingrid et elles restèrent silencieuses un moment à contempler la neige.

« A la radio, ils conseillent de ne pas sortir sauf en cas d'urgence. » Ingrid regarda Dinah et ajouta : « Et surtout de ne pas conduire. »

Dinah sourit et répondit : « Allons-y. »

Dehors, tout était magnifique et blanc, silencieux et accueillant quand elles émergèrent de leur immeuble, luttant contre le vent pour atteindre la voiture de Dinah. Elles portaient tellement de pull-overs sous leurs manteaux, tellement de T-shirts sous leurs pull-overs que leurs bras semblaient légèrement décollés de leurs corps comme ceux des poupées de pain d'épice. Leur haleine faisait de longues traînées blanches qui étaient instantanément balayées par le vent.

Les filles se serraient l'une contre l'autre, le froid et leurs fous rires partagés leur faisaient monter les larmes aux yeux. Aucune voiture dans les rues, juste quelques rares passants emmitouflés. Elles s'arrêtèrent sur Broadway, le souffle coupé, aveuglées par le vent. « Ça devait avoir cette allure-là au début du siècle », murmura Dinah.

Broadway était couvert à perte de vue d'un tapis de neige blanc et brillant. Les rires des enfants brisaient le silence comme des cris d'oiseaux sauvages. « Le monde merveilleux de l'hiver », soupira Ingrid. Elles regardèrent son soupir s'évanouir dans le vent et échangèrent un sourire.

Elles sortirent la voiture du parking de la quarante-quatrième rue, après avoir expliqué au gardien qu'il s'agissait d'un cas d'urgence. « Il faut absolument qu'on lui injecte un fluide dans le cerveau », dit Dinah solennellement. Le gardien leur amena la voiture. « On vous ramènera un peu de fluide s'il en reste », cria gaiement Ingrid tandis qu'elles empruntaient la rampe d'accès et s'enfonçaient dans un mur de neige. « C'est super d'être sur la glace ! » dit-elle en fronçant les sourcils pour mieux voir la route à travers le pare-brise qui s'était déjà couvert de givre. « Youhou », continua-t-elle prudemment : elles approchaient du coin de la rue dans des glissements et des crissements de pneus.

« Tu es la seule personne qui prononce " Youhou " " uh-oh ", observa Dinah avec un sourire.

— On ne risque pas de mourir, hein ? s'inquiéta Ingrid. J'ai un show demain.

— Alors, c'est réglé. On serait peut-être mortes si tu avais été libre demain, mais... » La voiture fit une embardée. Ingrid poussa un cri tandis que Dinah manœuvrait son volant en silence. Quand elle eut retrouvé le contrôle du véhicule, elle remarqua : « Hé, c'était ton idée.

— Vraiment ? » Ingrid ne paraissait pas très convaincue. Dinah tourna avec prudence en bas de Broadway. « Ouahou », continua-t-elle alors qu'elles faisaient une longue embardée au milieu de la rue vide.

« Tu te souviens du grand chemin blanc ? » fit Dinah en souriant.

Les immeubles se dressaient de chaque côté d'un mur de neige qui descendait vers le bas de la ville. Les gens déblayaient à la pelle les trottoirs devant leurs boutiques, leurs maisons, leurs voitures ; un chasse-neige vrombissait quelque part dans le lointain. Le vent sifflait sur la voiture, traînant avec lui une neige légère, glacée et piquante. « Pas de ciel gris sur le grand chemin blanc, chanta Ingrid. C'est *La Mélodie de Broadway*. »

Dinah reprit avec elle, « Même si vous naviguez sur de lointains rivages, votre cœur est toujours chez lui sur Broadway. Toutes les nuits, je rêve que j'y suis encore... » Elles n'avaient plus les paroles en tête mais continuèrent de chanter, inventant les parties qu'elles avaient oubliées, entonnant fièrement les couplets dont elles se souvenaient tandis qu'elles haletaient et soufflaient en descendant vers le Lincoln Center.

Elles étaient parmi les cinq voitures qu'elles dénombrèrent en chemin, dérapant un peu et butant contre la neige fraîche. Deux garçons d'environ neuf ans s'approchèrent de la voiture et réclamèrent une balade en s'installant sur le capot. Ils s'accrochèrent quelques centaines de mètres avant qu'Ingrid n'arrête la voiture et ne leur ordonne de descendre. « Nous ne sommes *pas* un taxi », cria Ingrid en baissant sa vitre, puis elle la remonta et elles reprirent leur petit bonhomme de chemin. BLAM — une boule de neige s'abattit sur leur vitre arrière.

« Et si nous *étions* réellement un taxi ? » suggéra Dinah, le feu du bon Samaritain brûlant dans son sein. Ingrid la dévisagea. « Nous sommes l'une des rares voitures en circulation, continua Dinah. Nous pourrions aider les gens. Nous deviendrions mondialement connues. Les Vierges de glace — celles qui ramassent les gens dans la neige, offrent un refuge temporaire et un service de navette aux gens frappés par le vent et sinistrés par le froid. »

Ingrid, séduite, pesait le pour et le contre. Elle accepta finalement : « D'accord... mais seulement les personnes âgées. Nous devons ramasser les plus de cinquante ans qui luttent vraiment contre la neige. »

Dinah frappa son volant avec enthousiasme. « Oui, dit-elle joyeusement. Oh oui. » Et elles continuèrent leur route en écoutant à plein volume *Blue Christmas.*

« Mais si nous mourons », prévint Ingrid en hurlant pour couvrir la musique, « je te tuerai.

— Logique », répliqua Dinah. Et la patrouille des Vierges de glace poursuivit lentement son chemin vers le bas de la ville. Les enfants leur faisaient de grands signes et leur jetaient des boules de neige en poussant des cris de joie.

« On a l'impression qu'ils n'ont jamais vu une voiture, commenta Ingrid.

— L'Afrique sous la neige, murmura Dinah.

— Quoi ? » dit Ingrid. Mais avant que Dinah ait pu s'expliquer, elle fit un geste de la main. « Regarde ! Une personne âgée à trois heures. » Le père d'Ingrid était dans l'armée.

« Où est trois heures ? Parle clairement.

— Là-bas. » Ingrid montrait un vieux monsieur qui se traînait avec une canne sur la chaussée verglacée. Elle baissa sa vitre. « Hello ! appela-t-elle. Monsieur ? » L'homme tourna lentement sa tête blanche et chercha prudemment l'origine de cet appel. « Ici ! cria Ingrid. Dans la voiture ! » L'homme les vit et sembla surpris, inquiet. Il se désigna du doigt avec sa main libre. Dinah baissa alors sa vitre et une bouffée de vent glacé et piquant s'engouffra dans la voiture.

« Est-ce qu'on peut vous emmener ? » dit-elle, la neige s'accrochait déjà à ses cheveux et à ses cils. L'homme s'approcha timidement de la voiture. « Nous allons vers le bas de la ville en offrant une navette d'urgence aux gens dans votre situation. » Il se tenait maintenant gauchement près de la portière. « Vous n'êtes pas un meurtrier ? » demanda Ingrid par-dessus l'épaule de Dinah.

« Hein ? » dit-il en retirant ses lunettes et en essuyant ses verres avec sa manche. C'était un homme tout petit et certainement maigre sous son grand manteau noir. Il avait noué un foulard gris sur sa tête et tenait son journal du dimanche dans une de ses mains gantées de noir. « Jeunes filles », commença-t-il comme s'il identifiait un type d'amibes sous un microscope, « ce n'est pas un jour pour conduire.

— Ce n'est pas non plus un jour pour marcher, répliqua Dinah. Est-ce qu'on peut vous déposer quelque part ?

— Nous sommes les Vierges de glace », ajouta Ingrid. Dinah sortit de la voiture et lui ouvrit la portière, jouant au valet de pied, faisant force courbettes pour l'inciter à monter.

« A votre service, monsieur, dit-elle fièrement. Elle est froide, mais mobile. » Le vieil homme hésita, puis se pencha et pénétra avec raideur dans la voiture. « Nous offrons nos services pendant la pénurie de taxis, conclut Dinah.

— Je rentrais simplement chez moi, expliqua-t-il presque tristement.

— Eh bien, on vous emmène, dit Ingrid. Bienvenue dans notre aventure. Dinah monta à son tour.

— Ce n'est pas de refus, jeunes filles, ce n'est pas de refus. » Son nez rouge semblait presque briller tandis qu'il s'installait à l'arrière. Elles recommencèrent à chanter *La Mélodie de Broadway* en emmenant leur passager à destination, deux cents longs mètres plus bas.

« Au revoir ! » crièrent les filles tandis qu'il se dirigeait lentement vers son immeuble.

« Au revoir, au revoir », répétèrent-elles tristement comme il passait la porte cochère, une bouteille enfoncée dans la poche de son manteau. Elles restèrent pensives un moment. « Ce type va me manquer, commenta Dinah.

— En tout cas, il ne nous a pas assassinées, marmonna Ingrid.

— Parle pour toi ! » dit Dinah en s'apprêtant à démarrer.

On frappa à la vitre. Ingrid donna un coup de coude à Dinah

qui leva les yeux et aperçut Rudy Gendler dans un nuage de neige légère et scintillante. « Vous vous souvenez de moi ? » cria-t-il à travers la vitre.

Il y avait quelque chose dans le visage de Rudy, dans sa présence même, qui éveilla chez Dinah un désir ardent et une sorte d'espoir. Son assurance resplendissait sous la neige. Aucun homme n'est une île sans doute, mais certains y ressemblent bien. Une île protectrice et chaude à l'horizon. Si seulement *elle* pouvait être aussi sûre d'elle, aussi cuirassée, aussi *distante,* pensait-elle en baissant sa vitre. A cet instant, il ne devint pas tant son partenaire idéal que son idéal. Elle voulait devenir comme lui. Si seulement elle pouvait lier son existence à la sienne et un jour trouver leurs deux destins inextricablement mêlés. Dinah Kaufman *est* Rudy Gendler. Elle lui sourit en regrettant de ne pas être plus maquillée, remerciant le ciel d'avoir une peau à peu près présentable. Elle hocha la tête : bien sûr qu'elle se souvenait de lui, comment aurait-elle pu oublier l'Outsider, l'Etranger, l'Homme à la Limousine ? Elle aimerait cet homme, pensait-elle. Il la sauverait d'elle-même. Mais elle ne se posa pas la question de savoir qui la sauverait alors de son sauveur.

Il demanda à Dinah son numéro de téléphone. Elle l'inscrivit sur un vieux ticket de caisse avec le crayon à yeux d'Ingrid et le lui tendit. Des flocons de neige plus épais tombaient maintenant, lentement. Rudy glissa le numéro dans la poche de son pantalon, fit un signe d'adieu à Dinah et à Ingrid, puis reprit son chemin dans la neige tourbillonnante. Un explorateur dans la jungle métropolitaine. Il avait fallu un blizzard pour que Rudy rentre à nouveau dans la vie de Dinah, Dieu seul savait ce qu'il faudrait pour l'en extirper.

Quand l'éléphant femelle entre dans sa période de fécondation, elle choisit un partenaire. Commence alors une relation extrêmement intime et affectueuse. Au début, la femelle alterne réserve et coquetterie, elle encourage les avances du mâle, puis s'enfuit à son approche. Durant cette cour amoureuse de plusieurs mois, le couple est inséparable. Ils passent leur temps à jouer, à se caresser et se câliner en poussant des barrissements. Le mâle fait preuve d'un sang-froid remarquable et c'est seulement après cette longue cour — et à l'invitation de la femelle — que cette relation aboutit à la copulation.

3

RUDY et Dinah étaient en tête à tête dans un restaurant italien de Soho, entourés par le feuillage en plastique qui décorait le haut des murs scintillants de décorations de Noël. Rudy était habillé une fois de plus en bleu foncé. La poitrine de Dinah était serrée par tout ce qu'elle avait à dire, ce qu'elle était en train de dire.

« J'ai trop d'énergie. »

Rudy sourit en faisant un signe au serveur. Dinah mordit dans un biscuit apéritif. « Vous avez peut-être une partie de la mienne », rétorqua-t-il.

Dinah éclata de rire. Elle grattait frénétiquement son pouce gauche avec son index, son pouce droit arborait un frais sparadrap. « Si jamais vous voulez la récupérer, n'hésitez pas », proposa-t-elle avec un sourire.

On ne servait pas d'alcool dans le restaurant et bien qu'ils eussent tous les deux affirmé que c'était aussi bien comme ça, Rudy courut acheter une bouteille de l'autre côté de la rue. Il revint les joues rouges, les yeux brillants et se rassit en face d'elle, légèrement essoufflé. « Pourquoi êtes-vous si spirituelle ? » demanda-t-il tandis qu'on débouchait le vin, lubrifiant approprié pour le mécanisme qui les dirigerait l'un vers l'autre, les pousserait progressivement l'un contre l'autre et finalement les réduirait à néant.

Dinah haussa les épaules et tint son verre pendant qu'il se remplissait d'un liquide rouge. « Ma mère était jolie et je savais que je ne lui ressemblais pas — je me souviens, je pensais que j'avais l'air d'un gros orteil —, alors je me suis dit que je ferais mieux de compenser par un autre talent. Alors je... Je ne sais pas... » Elle haussa les épaules. « Je me suis affûté l'esprit, je suppose. Pourquoi êtes-*vous* si spirituel ? » rétorqua-t-elle, en avalant le dernier morceau de son biscuit.

Rudy but une gorgée de vin, l'air pensif. « Parce que votre mère était jolie, conclut-il.

— Quelle coïncidence ! » s'exclama Dinah en riant.

Rudy leva son verre et Dinah trinqua avec lui. « A votre mère. » Ils burent tous les deux. « Et aux bonnes hérédités ! » ajouta-t-il.

Ils vidèrent leurs verres et Rudy les remplit à nouveau. Le serveur apporta leurs entrées et les servit avec une certaine prétention. Ils mangèrent peu tous les deux, échauffés par le vin et par les possibilités de la soirée — Dinah rêvait au tour que pouvait prendre sa vie, Rudy au tour que pouvait prendre sa nuit. Ils s'épanouissaient à la chaleur de la conclusion à venir, de leur attirance mutuelle, de leur contact possible.

« Je pense que je suis au fond une introvertie », lui disait Dinah. Elle lui disait tout maintenant, extirpant l'or caché dans les mines de son cerveau et l'exposant à la lumière de cet homme neuf, intéressant. « Mon côté extraverti est un moyen de gérer mon introversion mais je suis en quelque sorte derrière tout ça, à attendre que s'arrête mon moi apparent et que commence mon moi profond.

— Répétez-moi ça », demanda-t-il en tenant son verre à deux mains devant lui.

Dinah s'enfonça dans son fauteuil et éclata de rire. « Si vous me prévenez assez tôt, j'apporterai mon " Profil d'une œuvre " la prochaine fois. »

Rudy sourit et vida le reste de la bouteille dans son verre. « Je m'en souviendrai. » Dinah posa ses coudes sur la table et se pencha en avant, radieuse, légèrement ivre.

« Nous n'avons pas touché à nos plats, constata-t-elle d'un air penaud.

— N'y pensez plus. Je veux bien y toucher mais pas en manger. »

Ils enfilèrent leur manteau, Dinah faillit perdre l'équilibre. « J'ai peut-être une partie de votre énergie, remarqua-t-elle joyeusement, mais je pense que vous avez toute ma... comment dites-vous ça... ma *prestance.*

— C'est un mot que je n'utilise jamais. » Rudy posa l'argent du dîner sur la table. « Allons-y. » Il se dirigea vers la porte qui était elle aussi ornée de houx et d'ampoules lumineuses.

« Je suis votre geisha », annonça Dinah en lui emboîtant le pas dans la nuit froide. C'était une promesse qu'inévitablement elle ne pourrait pas tenir.

« Où allons-nous, monsieur ? » demanda le chauffeur dans la voiture. Rudy regarda Dinah. Elle rougit et donna son adresse. Ils restèrent silencieux un moment, envisageant l'énormité de ce qui allait suivre. Finalement, elle prit la parole en triturant de sa main gantée un fil invisible accroché à son manteau noir.

« Pourquoi ne m'avez-vous pas demandé mon numéro de téléphone le premier soir ? » demanda-t-elle d'un air décontracté, les yeux fixés sur son manteau.

Rudy s'éclaircit la gorge, contempla la vitre puis se tourna vers elle. « Je vivais avec quelqu'un à l'époque. Nous en étions aux derniers... comment appelle-t-on ça... soubresauts et la soirée où je vous ai rencontrée a fait déborder le vase. Je veux dire, le fait que je ne lui ai pas demandé de m'accompagner. » Il se tut abruptement. Dinah le regarda, attendant la suite. New York défilait à toute allure derrière la vitre. La voiture s'arrêta à un feu rouge, et le profil de Rudy se découpa un bref instant sur la façade d'un immeuble. Les passants traversaient la rue, emmitouflés contre le froid.

« Ne recommencez jamais », insista Dinah avec une gravité feinte.

« Et vous ?

— Moi ?

— Pourquoi êtes-vous seule ? »

Elle faillit dire : « Je suis avec vous », mais se retint et soupira en faisant cet effort de censure. « J'allais épouser quelqu'un, mais... » Le feu passa au vert et la voiture redémarra. Rudy continuait à la regarder, alors elle poursuivit : « Il voulait que je m'habitue à sa manière de se brosser les dents.

— Quelle horreur.

— Non, vous comprenez ce que je veux dire. Il était...

— Ennuyeux... »

Dinah pencha la tête, réfléchit un instant et puis acquiesça lentement, l'air triste. « Mais il était si gentil.

— Trop gentil ?

— Est-ce que c'est possible ? »

Rudy haussa les épaules. « *Je* n'en sais rien. C'était *votre* fiancé. »

Dinah se remit à épousseter son manteau. « Quel était le problème avec votre amie ? »

Rudy croisa les bras et fronça les sourcils. « Vicki était très... Je ne sais pas comment dire. Elle était très attirante et sans aucun doute... charmante. Mais je me sentais complètement *enfermé*.

— Hein, hein.

— Et puis elle était actrice et quand elle n'avait pas de rôle dans une de mes pièces, elle en faisait une maladie. » Il s'éclaircit la gorge. « Et elle passait son temps à faire du shopping.

— Qu'est-ce qu'elle achetait ?

— Des chaussures.

— Eh bien, cela explique tout. »

Ils restèrent silencieux un long moment. La lumière des réverbères éclairait par instants leurs visages, puis ils replongeaient dans l'obscurité. Rudy se pencha pour allumer la radio. Peter Gabriel chantait *Solsbury Hill.* Il se renfonça dans son siège.

« Et puis, à la fin, elle me cassait un peu les pieds. »

Dinah se mit à rire. « Mon amie Connie dit que les casseurs de pieds n'existent pas, qu'il y a seulement des pieds qu'on peut casser. »

La voiture prit un virage serré et Dinah fut projetée contre Rudy qui se retrouva collé contre la portière. Rudy enlaça Dinah et celle-ci posa sa main gantée sur sa poitrine tandis que la voiture se redressait. Ils étaient presque nez à nez, yeux grands ouverts, bouches fermées. Dinah eut un petit rire nerveux et se recula légèrement.

« Bien sûr, continua-t-elle, de la même façon, on pourrait dire qu'il n'y a pas de briseurs de cœurs, seulement des cœurs à briser, pas de briseurs de ménage...

« Est-ce que vous vous taisez parfois ? » demanda-t-il doucement, en se penchant vers elle. Leurs visages étaient à nouveau éclairés par les réverbères tandis qu'ils ralentissaient dans une file de voitures qui traversaient Central Park South.

« Bien sûr, dit-elle en souriant.

— Quand ? »

Dinah le regarda, plus près, encore plus près. « Bientôt, je crois », murmura-t-elle. Leurs bouches se rejoignirent dans un baiser.

Un frisson courut le long de sa colonne vertébrale à petits pas légers. On a construit des villes sur moins que ça, pensa-t-elle en sentant son monde à *lui*, juste derrière le mur, la corde légère, fantomatique de sa voix qui montait de sa gorge et s'enroulait autour des mots. De quel monde s'agit-il ? Quel langage y parle-t-on ?

Le baiser prit fin. Ils se dévisagèrent, haletants. L'expression de Dinah était solennelle. « J'ai beaucoup réfléchi, déclara-t-elle, et je pense que nous devrions commencer à avoir d'autres liaisons. »

Chez les corbeaux, la hiérarchie est d'une grande importance. Si une femelle dominante, bien située dans l'ordre du groupe, s'accouple avec un mâle passif d'un rang inférieur, elle adopte le comportement du mâle... allant même jusqu'à occuper la position supérieure pendant la copulation. Dans une telle relation, le mâle accepte de tenir le rôle subalterne et assume les comportements typiques de la femelle.

4

DINAH rentrait à son bureau après un rendez-vous avec son gynécologue. Elle marchait plus lentement qu'à son habitude — le Pyridium et le Rufol qu'elle venait de prendre pour conjurer sa dernière crise de cystite n'avaient pas encore fait leur effet. Charlotte l'accosta dans le hall d'entrée.

« Eh bien, ma petite dame, tu es justement celle que je cherchais », dit-elle ; ses yeux bleus brillaient quelque part dans son gros visage. « Comment te sens-tu ? » Elle la prit par les épaules, en la conduisant jusqu'à son bureau.

« Beaucoup mieux, affirma bravement Dinah. J'irai beaucoup mieux dans un moment. »

Charlotte lui donna une petite tape affectueuse sur le bras tandis qu'elles se serraient pour passer côte à côte la porte de son bureau, une opération difficile. Elle aida Dinah à s'asseoir en face d'elle. « Connie m'a dit que tu avais des problèmes féminins », confia-t-elle en se carrant dans son fauteuil. Dinah, pâle comme un linge, se tenait raide sur sa chaise.

Celle-ci haussa les épaules et changea péniblement de position, en contemplant la bibliothèque bourrée de scripts et de vidéos.

Charlotte s'enfonça dans son fauteuil et croisa ses grosses jambes. « La cystite, déclara-t-elle d'un air désapprobateur. Aucune excuse. Je suis sortie avec un type qui me l'a refilée volontairement, j'en suis sûre. C'était comme une preuve de sa virilité. Le docteur a dit qu'il n'avait jamais vu un cas aussi grave. Et quand j'ai raconté ça à Doc — mon copain s'appelait

Doc, Dieu sait pourquoi — je te jure qu'il était *fier*. C'était comme si on lui décernait une médaille ou une décoration pour...

— Charlotte, je te remercie de ton intérêt, mais j'espère que tout le monde n'est pas au courant de mon... problème. »

Charlotte balaya l'inquiétude de Dinah d'un large geste de sa main rose et potelée. « Non, non, non... Je te cherchais tout à l'heure et Connie m'a dit où tu étais. Indiscrète comme je suis, je lui ai demandé pourquoi. Ça s'arrête là. »

Dinah lui jeta un regard reconnaissant. « Désolée. Je voulais juste...

— Ne t'en fais pas, ne t'en fais pas... Rappelle-toi d'utiliser plus de lubrifiant la prochaine fois et bois du jus d'airelles. Maintenant, voilà pourquoi je te cherchais. J'ai lu tes synopsis pour tes deux nouveaux personnages, Blaine et... heu...

— Rose, lui souffla Dinah.

— Rose, c'est ça. Et je dois te dire que c'est bien. Vraiment très bien. En fait, j'aimerais que tu les développes un peu plus. Que tu les approfondisses. Travaille avec Connie au besoin. J'aimerais les faire passer aux producteurs le plus vite possible. »

Dinah était abasourdie. « Oh, Charlotte, c'est formidable... »

Charlotte se leva, apparemment l'entretien était terminé. « Bon travail, bon travail », disait-elle en faisant le tour de son bureau et en poussant Dinah vers la porte. « Spécialement le passage sur la différence entre stupide et déplacé. Oh, et puis l'histoire avec Camus. Ce sera peut-être un peu trop sophistiqué pour les sponsors, mais je me battrai pour l'imposer. »

Elles étaient face à face dans le couloir. Charlotte avait la taille de plusieurs personnes réunies et elle doublait encore de volume quand elle rayonnait de plaisir. « Bon travail, ma petite dame », dit-elle dans l'encadrement de sa porte. « Tu deviendras vite chef scénariste si tu continues comme ça. Et, qui sait, un jour tu peux même te retrouver à ma place. Maintenant, fonce et mets-toi au travail. Et n'oublie pas le lubrifiant. »

Elle donna une tape vigoureuse dans le dos de Dinah, puis rentra dans son bureau.

Deux femmes se tiennent devant une porte. On entend le brouhaha d'une soirée. La plus jolie des deux s'agrippe au bras de l'autre, plus petite et plus brune. « Ne me laisse pas, Margie. »

Margie lui jette un regard de reproche. « Oh, Rose, ce n'est qu'une soirée. Du calme. »

Rose fouille dans son sac à main et sort son poudrier. Elle l'ouvre, se poudre le nez et le menton puis examine gravement son visage.

Margie se met à rire. « Tu ne trouves pas que c'est merveilleux les têtes complètement ridicules que nous faisons quand nous nous regardons dans un miroir ? Si j'étais intelligente, j'arriverais à parler tout en m'appliquant mes peintures de guerre. »

La porte s'ouvre, révélant la soirée.

« Sus à l'ennemi », dit Rose d'une voix faible. Elle ferme d'un coup sec son poudrier et le range dans son sac.

« Bienvenue, mesdames », salue un grand homme maigre au visage de bébé faucon. « Kenneth O'Connor.

— Rose Chassay. »

Kenneth dévisage Rose. « Chassay. Quel nom ravissant. Ça vous donne envie de danser.

— Ouais », rétorque Margie en entraînant Rose. « Deux pas sur la gauche et changez de partenaire.

— Trois petits tours et puis s'en vont », répond Rose automatiquement.

Les deux femmes se fraient un chemin jusqu'au bar. « Deux margaritas, s'il vous plaît », dit Margie. Rose jette un coup d'œil autour d'elle. Les invités bavardent, boivent et dansent. Soudain elle aperçoit un homme au fond de la pièce, qui discute avec une grosse femme. Rose donne un coup de coude à Margie.

« Hé... qui est avec Ruth ? » Margie regarde dans la direction indiquée. « Sois discrète, dit Rose en se détournant.

— Désolée, assure Margie. C'est un tic de famille. »

Elle repère l'homme, un beau blond avec des yeux bleus, qui porte des lunettes cerclées d'or. « Lui ? » Margie s'empare avec gratitude du verre que lui tend le barman. « Mais tout le monde le connaît. Oh, j'oubliais que tu viens d'arriver. C'est Blaine MacDonald, l'avocat le plus célèbre de la ville. »

Rose se retourne et l'observe discrètement derrière son verre. « MacDonald, dit-elle pensivement. Est-ce que... ?

— Eh oui. Les industries MacDonald. C'est bien ça. Riche comme Crésus. »

Soudain la musique passe du rock au slow : *Solsbury Hill* de Peter Gabriel. Une boule de verre scintillante tourne au milieu de la pièce, occupant l'espace qui sépare Blaine et Rose. « Ne lève pas les yeux, chuchote Margie, il te regarde.

— Vraiment ? » dit Rose en lissant ses cheveux plats.

Margie fait une grimace. « Prends garde, Rose, il ne t'attirera que des ennuis, prévient-elle. De toute façon, il est pratiquement fiancé avec Avery Saint-Claire.

— Pas... ? » commence Rose.

Margie fait signe que oui. « Les transports Saint-Claire.

— Qu'est-ce qu'elle fait ?

— *Fait?* Elle épouse Blaine MacDonald ; voilà ce qu'elle fait. »

Rose serre le bras de Margie. « Il s'approche », souffle-t-elle. Tandis que Blaine s'avance vers elle, le décor se brouille et la caméra fait un gros plan sur eux. Rose ne prête plus attention à la musique, à la boule de verre qui tournoie. Ils sont face à face, silencieux, frappés par la foudre.

« Je m'appelle Blaine, dit-il finalement.

— Et moi, Rose », répond-elle.

Fondu-enchaîné sur la publicité.

Le serpent mâle darde rapidement sa langue tandis qu'il poursuit la femelle et essaie de la chevaucher. Chez la plupart des espèces de serpents, le comportement reproducteur est régi par les phéromones que produit une glande située sur le dos de la femelle. Grâce à son odeur, le mâle sait si la femelle est un bon partenaire. Le mâle a un pénis dédoublé. Chaque partie est active et munie de barbes ; le mâle cependant n'introduit pas simultanément les deux moitiés.

5

DINAH avait presque dix-huit ans quand elle perdit sa virginité la première fois. C'était avec son copain Bud. Cette fois-là seulement.

Elle avait quatorze ans quand elle le rencontra. Il habitait à deux cents mètres de chez elle sur Hollywood North. C'était un beau garçon au visage taillé à la serpe, aux yeux et aux cheveux noir de jais. Il était extrêmement tendu, toujours en train de ronger son frein comme si quelque chose derrière lui le poussait en avant. Il avait souvent l'air malicieux ou rusé de quelqu'un qui vient de faire une bêtise. C'était le roi des farces et attrapes, le génie du coussin péteur. Une atmosphère de lit en portefeuille, de coups de fil anonymes et de fluide glacial flottait dans son sillage. Dinah et Bud formèrent une petite bande avec le meilleur copain de Bud, Mickey, quatorze ans lui aussi, un adolescent trapu, au visage grêlé et aux yeux bleus suppliants. Ils erraient tous les trois dans les rues de leur quartier tentaculaire, puis, plus tard, ils arpentaient Ventura Boulevard à la recherche d'aventures. Dinah essayait désespérément d'être un garçon manqué, d'être acceptée, de faire partie de la bande, d'être un mousquetaire ou une mousquetairette. Pendant trois ans, elle nourrit une passion secrète pour Bud, et Mickey nourrit une passion secrète pour elle. Mais Bud aimait une intruse, il tombait amoureux de pratiquement toutes les filles qui étaient dégingandées et plus vieilles que lui. Il avait déjà eu une liaison avec Suki — une fille plus âgée, qui avait un oiseau bleu tatoué sur la cheville et ne portait pas de soutien-gorge pour contenir ses gros seins — et il en pinçait toujours pour elle. Peu à peu, la passion de Dinah fut absorbée dans l'énergie semi-tragique qui caractérise la fin de l'adolescence.

Tous les trois poursuivaient ensemble leur bonhomme de chemin. Chacun tourmenté par ses frustrations. Surexcités, presque adultes, démangés par une envie, par toutes les envies ensemble.

Puis, finalement, après trois ans d'amitié, ils avaient emprunté la familiale BCBG de la mère de Bud et roulé jusqu'à Las Vegas, munis de fausses cartes d'identité, en faisant hurler la radio pendant les six heures de route. Ils suivaient le flot des feux arrière rouges en direction du Nevada tandis que le flot des phares jaunes s'écoulait doucement sur leur gauche. Ils avaient presque dix-huit ans. Ils étaient prêts pour l'aventure.

« Quel trip ! » s'exclama Dinah. Les lumières de Vegas scintillaient à l'horizon et le soleil se couchait derrière eux dans le ciel déjà sombre du désert. « Un trip à la mode », chanta-t-elle, une expression qu'elle avait concoctée l'année précédente. « Un trip à la mode ! » entonnèrent-ils en chœur tandis que leur voiture s'enfonçait dans le Strip qui vibrait et rougeoyait à perte de vue devant eux. Les œillades électriques des enseignes au néon, sinistrement racoleuses, les attiraient dans l'enceinte de ce monde réservé aux adultes. Ils poussèrent des cris d'enthousiasme. Vegas ! Ouahou !

Ouahou.

Ils exultaient de joie en descendant le Strip à une vitesse de croisière, décidés à tout voir et à tout absorber. « Des putes ! » cria Bud avec allégresse, le regard brillant. Mickey se tordait de rire, donnait des tapes sonores dans le dos de Bud. Car le plan, c'était ça. Des putes. Enfin, au moins une !

Il fallait trouver une pute pour que Mickey perde une fois pour toutes sa virginité. Bud n'était plus vierge depuis des lustres à l'en croire. Et maintenant, il avait décidé que c'était le tour de Mickey. L'heure de son rite de passage. Bien sûr, Dinah était encore vierge, mais ça c'était différent. Pour une fille, c'était normal, pas stupide.

Alors ils avaient tous les trois rassemblé leurs fortunes, volé leurs parents et foncé pour décapiter le pucelage de Mickey.

« Hé, les filles ! » cria Bud à deux femmes qui marchaient

dans la rue. Le Strip. Des femmes seules. Eux. Elles éclatèrent de rire toutes les deux, l'une dit : « Hé, les gosses, où sont vos parents ?

— Dans mon pantalon, répliqua Bud. Tu veux les voir ? »

Et ils accélérèrent dans la nuit. Mickey et Dinah se tordaient de rire sur leurs sièges.

« O.K., voilà le plan », dit Bud d'une voix étouffée. Ils étaient descendus à l'hôtel dans deux petites chambres bon marché, les moins chères que pouvait offrir le *Desert Sun*. Il leur restait juste assez d'argent pour le pourboire et une pute à cent dollars. « Pourquoi parles-tu comme ça ? » demanda Dinah en imitant son chuchotement. « Est-ce que la chambre est truffée de micros ? » Elle lui fit un sourire gentil, moqueur.

« Nous sommes mineurs », répliqua Bud sur son ton de conspirateur. « Nous sommes mineurs. Et c'est comme ça qu'on parle quand on est mineur. Maintenant je vais appeler le directeur et demander une fille pour la soirée. Mickey... va te préparer.

— D'accord », répondit celui-ci. Il regarda Dinah, haussa les épaules, puis se dirigea vers la salle de bains, l'air nerveux et préoccupé. Dinah se tenait gauchement à côté de Bud qui, assis sur le lit, téléphonait. « J'attends », dit-il au téléphone avec une voix profonde. « Qu'est-ce que je dois faire ? » murmura Dinah, consciente qu'elle occupait une position privilégiée dans ce rituel essentiellement masculin, dans ce monde de mecs. Bud posa sa main sur le combiné. « Tu peux vérifier que le magnéto marche. » Dinah approuva d'un air solennel et sortit l'appareil d'un des sacs. Elle hésita un instant. « Je ne comprends toujours pas pourquoi on doit enregistrer, dit-elle, les sourcils froncés.

— Pour *plus tard* », chuchota Bud. Il retira sa main du combiné et dit au téléphone : « Oui, je reste en ligne. »

Comment Bud savait-il tout ça ? se demandait Dinah. Elle se rendait compte instinctivement que c'était son rôle de savoir. Ils étaient dans le domaine de Bud, faisaient partie des plans de Bud.

Dinah vérifia l'état de marche du magnéto. « Test de contrôle », dit-elle en parlant dans l'appareil. « Un, deux, trois. » Puis elle corrigea, sans raison particulière, pour plus tard : « Putain... un, deux, trois. » Elle rembobina la bande et la repassa, contente du résultat. Mickey sortit de la salle de bains, les cheveux plaqués en arrière, arborant une cravate chiffonnée. Bud raccrocha le téléphone. « Tout est prêt ! » annonça-t-il gaiement, puis il aperçut son ami et éclata de rire. « Qu'est-ce que tu... tu vas au bal ou quoi ? » Il attrapa Mickey en riant et fit mine de lui arracher sa cravate. Celui-ci se dégagea, rouge et embarrassé. « Tu m'as dit de me préparer », marmonna-t-il en matière d'explication. Bud sauta sur le lit et rebondit plusieurs fois pour bien montrer son excitation.

« Pas pour un *rendez-vous*, crétin », dit-il en sautant sur le dessus-de-lit à fleurs. « Pour une *pipe.* »

Mickey prit un air boudeur et tint absolument à garder sa cravate. Dinah tira les rideaux et ouvrit la fenêtre coulissante qui donnait sur un balcon minuscule d'où l'on pouvait apercevoir une piscine derrière un arbre. Elle inspira profondément l'air de la nuit du désert et s'appuya à la balustrade. Elle sentait qu'elle avait réussi, elle était vraiment l'un des garçons. Elle rentra dans la pièce, dans l'atmosphère confinée de ce sanctuaire intime et se roula en boule comme un chat sur un fauteuil en peluche bleu. Bud sauta du lit et s'approcha du pauvre Mickey, il lui boxa les oreilles et ébouriffa ses cheveux blonds. « Prêt, mon vieux ? » entonna-t-il d'une voix tentatrice. « C'est le jour J, monsieur Robinet. Le jour de la défloration, capitaine Rentre-dedans. L'heure de forcer la chose !

— Laisse tomber », supplia Mickey en le repoussant ; il rentra sa chemise dans son pantalon.

On frappa à la porte. Ils s'immobilisèrent, paralysés, un tableau postpubère. Bud se reprit le premier. « Qui est-ce ? » demanda-t-il. Mickey fut pris de panique et courut dans la salle de bains s'asperger à nouveau d'after-shave. « Qu'est-ce que tu *fous* ? » siffla Bud en le voyant tourner les talons.

« C'est Carol », dit la voix de l'autre côté de la porte. « Le garçon d'étage m'a dit de monter. »

Mickey était verdâtre, debout dans l'embrasure de la porte de la salle de bains, le regard vague, les bras ballants, empestant l'after-shave Mennen.

« Un instant ! » cria Bud ; il attrapa le magnéto. Dinah, le cœur battant, s'approcha de Mickey et lui prit le bras. Il lui jeta un regard faible.

« Fais-le pour nous, implora doucement Dinah.

— J'espère pouvoir le faire pour moi », rétorqua-t-il.

Bud mit la clé de la chambre et un préservatif dans la main de Mickey. Il avait caché le magnéto dans les plis d'une veste. « Ça tourne, mec. » Il lui donna une claque dans le dos. « Nous sommes à côté. On ne bouge pas. » Mickey essaya d'avoir l'air reconnaissant, mais réussit seulement à avoir l'air malade. « Allez, fonce et rentre-lui dans la chatte, mec. »

Dinah fit la grimace. « Bud... dit-elle, essaie de ne pas ôter *tout* romantisme à la chose.

— Hello ? » reprit Carol derrière la porte. « J'arrive ! » cria Bud, le regard noir et brillant. « T'es prêt, mon pote ? J'arrive ! Maintenant tirons-nous. Allez ! Rends-moi heureux ! Rends-la folle ! »

Bud poussa Mickey vers la porte, celui-ci fit un pas en avant avec une tête de condamné à mort. Il essaya de reprendre contenance et ouvrit la porte.

Dinah se précipita dans la salle de bains, une main sur la bouche, retenant son souffle. Elle ne voulait pas voir cette fille, cette femme, elle ne voulait pas être vue par cette prostituée.

Elle attendit dans la salle de bains éclairée au néon, le film protecteur des toilettes n'avait pas été retiré, l'after-shave de Mickey, débouché sur l'étagère du lavabo, empestait la pièce. Elle reboucha la bouteille et observa son visage dans le miroir, en passant sa main dans ses cheveux. Les yeux noisette de son père la dévisageaient. Un visage pas trop mal, conclut-elle finalement. Elle en aurait préféré un autre mais elle pouvait se contenter de celui-ci. Sans aucun doute, on pouvait trouver pire, non ? Elle se demandait à quoi ressemblait la prostituée. Elle se demandait comment on devient prostituée. Elle aurait voulu être un garçon pour perdre sa virginité en toute impunité, en puant l'after-shave et en portant une cravate. Bud gratta à la porte. « La voie est libre », l'informa-t-il de sa voix étouffée de mineur. Dinah sortit. Debout dans le noir, Bud collait son oreille contre le mur. Il avait éteint les lumières. Il fit signe à Dinah de s'approcher. Elle se mit devant lui et appuya son oreille contre le mur. Celui-ci était froid. Elle n'entendait rien. Elle retint son souffle. « Ce n'est pas un boudin », murmura Bud, son haleine chaude sentait légèrement la bière qu'ils avaient demandé à quelqu'un de leur acheter à l'extérieur de la ville. « Je leur avais réclamé une fille avec une belle peau », ajouta-t-il en soulignant l'importance de ce détail par un vigoureux hochement de tête. Dinah approuva. On n'entendait toujours rien. Elle se retourna et regarda Bud debout derrière elle. Ils distinguaient maintenant des bruits étouffés. Un lit grinça.

Bud posa sa main sur l'épaule de Dinah et lui fit signe de s'accroupir. Ils étaient nez à nez, l'oreille collée contre le mur froid, les yeux rivés l'un sur l'autre. Accroupis, immobiles, des petits chiots dans un panier, des orphelins dans la tempête qui allait déferler sur Mickey. Un gémissement monta de la chambre à côté. Leurs yeux s'agrandirent de surprise puis se rétrécirent tandis qu'ils éclataient de rire. Bud posa un doigt sur ses lèvres mais elle continua de pouffer, renversée sur la moquette blanche, les yeux pleins de larmes. Puis, à nouveau, un bruit de l'autre côté du mur. D'une voix pénétrante, Carol poussa un gémissement plein de sensualité : « Oooh. » Ouahou. Comme si Mickey lui faisait quelque chose d'inimaginable, quelque chose de complètement original. Dinah rit de plus belle. Bud hocha la tête, se gratta le nez et fit un petit bruit de reniflement ou de pet. Ils riaient maintenant tous les deux silencieusement, à perdre haleine, le visage cramoisi dans la chambre sombre, les yeux brouillés par les larmes. « Chut ! » insista Bud quand il put finalement reprendre son souffle pour articuler un mot. Il s'approcha de Dinah et s'assit sur son ventre en lui mettant sa main sur la bouche. « Chut », répéta-t-il, entre deux hoquets. Derrière le mur, un nouveau gémissement. « Oooh », encore une fois. « Oooh », imita Dinah. Bud s'effondra sur elle et cela déclencha une nouvelle crise de rire. « Qu'est-ce qu'il lui fait ? » dit Bud en s'esclaffant. Ils étaient tous les deux essoufflés, le poids de Bud pesait sur Dinah, la clouait au sol. Elle le repoussa. Alors, s'appuyant sur les coudes, il approcha son visage de celui de Dinah, de son visage souriant, couvert de larmes. Son haleine de bière était chaude sur sa joue. Elle sentait la chaleur et la pulsation de son corps, de leurs corps. Bud, le sourire aux lèvres, l'embrassa. Le baiser devint plus profond. Elle le reçut, reçut Bud. Des baisers de gros mollusques. Les mains de Bud se posèrent sur les siennes. Il lui écarta les jambes. Le fantôme de la sexualité, venu tout droit de l'Arctique, gambada dans les corridors de l'esprit de Dinah en faisant grincer ses chaînes.

Des gémissements montent de la pièce à côté. Ni l'un ni l'autre ne les entendent maintenant, ils ont cessé de rire. La bouche de Bud glisse sur son cou tandis qu'il lui retire son sweater ; sa langue caresse ses seins. Puis il les pince. Les yeux de Dinah se ferment, elle renverse la tête, une main posée sur la hanche de Bud, l'autre repliée sous sa nuque. Les hanches de Bud se frottent contre les siennes. Il relève sa jupe. Elle se demande ce qu'ils sont en train de faire. Le moment se referme sur eux, les entraînant plus loin. Bud tire sans ménagement sur sa culotte. Il la caresse et la pénètre de la main. Ils respirent tous les deux violemment. Maintenant il pose ses mains sur ses épaules, bouche contre bouche. Il défait son ceinturon, son jean, déchire le paquet supplémentaire de capotes. Elle a les jambes écartées, la jupe remontée à la taille, il a son pantalon roulé sur les genoux et son pénis durci se dresse contre elle. Non ! pense-t-elle, pas... pas maintenant... non. Il la pénètre violemment. Elle piaille, un cri primal ; il lui met la main devant la bouche. Il s'agite sporadiquement, brutalement. Les yeux de Dinah sont révulsés au-dessus de la main de Bud. Un gémissement retentit derrière le mur, fantomatique, lointain. Dinah a les mains crispées sur les bras de Bud, elle les déchire de ses ongles. Il a une expression concentrée, une grimace de plaisir, dans l'attente de ce qui va venir. Pas comme ça, pense-t-elle. Il a des mouvements plus réguliers maintenant. Elle ferme les yeux, s'abandonne à ce qui est. L'allure de Bud s'accélère. Son visage change. Elle flotte au-dessus de la scène en observateur. Que ce soit fini. Elle réintègre son corps tandis qu'il s'immobilise soudain, gémit d'un petit gémissement. « Oh... oh, mon Dieu », supplie-t-il. Sa prière plonge en elle ; Bud, le corps du Christ, le sang de Dinah, cette communion des créatures. « Je jouis... je jouis. » Il retombe sur elle, trempé de sueur, recroquevillé. Comment est-ce que ça a pu la pénétrer ? Elle peut à peine se contenir elle-même, mais elle plus un pénis... Impensable... Mais... c'est pourtant arrivé. Ce sexe sorti de nulle part est retourné au même endroit.

Bud soupire. Elle ferme les yeux, clouée... écartelée, le cœur battant, la bouche sèche, déçue, désorientée. Une porte derrière le mur s'ouvre et se ferme.

Bud revient à la vie. « Mon Dieu », jure-t-il. Il se relève en un clin d'œil. Elle fait une grimace. Elle sent ses cheveux mouillés, emmêlés, son front trempé de sueur. « Désolé », s'excuse-t-il en remontant son pantalon. « Ils arrivent. » Elle s'assied, voit sa culotte enroulée sur sa cuisse, la remonte, tire sur sa jupe, dégoûtée du monde, dégoûtée de la féminité. Elle enfile son pull, passe la main dans ses cheveux. Ils entendent deux voix derrière la porte. Mickey et la pute, la prostituée, cette femme, qu'il raccompagne rapidement. Bud et Dinah évitent de se regarder. Elle se balance d'un pied sur l'autre, mal à l'aise, l'entrejambe mouillé. Pas d'endroit où se cacher. C'est à ça que ça ressemble ? « Est-ce que ça va ? » dit-il maintenant. Ce n'est pas une question, ne réclame pas de réponse. Elle hoche la tête en silence pendant qu'il remet son ceinturon. « On ne peut pas en parler à Mickey, ajoute-t-il, la tête baissée, les yeux fixés sur son ceinturon. Il t'aime, tu sais. Ça lui ferait de la peine. » Enfin, il regarde Dinah, des yeux d'épagneul, un chiot. « Tu verras, ça s'améliore », il a un sourire qui lui ressemble davantage. Dinah, elle, est encore loin de ce qu'elle a été, plus tôt, il y a longtemps.

Il était deux heures du matin cette nuit-là quand ils s'entassèrent tous les trois dans la familiale BCBG de la mère de Bud, pour regagner le Sud. Ils ne pouvaient fermer l'œil, agités, troublés bien qu'ils aient accompli ce qu'ils avaient prévu de faire. Ils rentraient chez eux. Un Mickey fraîchement dépucelé, posé, conduisait, prêt pour le reste de sa vie. Dinah était assise à l'arrière près de la fenêtre ouverte — le vent dans la figure, ses yeux comme montés sur des roulements à billes, effrayée de penser au reste d'elle-même. Les têtes de ses deux amis s'agitaient devant elle, elle les regardait, jambes croisées, dessous mouillés. « Repasse encore la dernière partie », disait Mickey à Bud qui tenait le magnéto sur ses genoux. « Mickey, on l'a déjà entendue cent fois », gémit Bud en regardant Dinah du coin de l'œil. « Tu plaisantes », lança Mickey, l'homme nouveau, son visage grêlé brillant de fierté. « *Deux fois,* on l'a entendue *deux fois*. Bon Dieu, qu'est-ce que t'as ? C'est toi qui as insisté, bon sang... tu voulais enregistrer. Qu'est-ce qui vous prend ? D'un seul coup, vous êtes foutrement silencieux. Depuis qu'on a quitté l'hôtel. *Avant,* corrigea-t-il, même *avant* qu'on soit partis. »

Cet accès de colère fut suivi par un silence. Dinah se pencha et lui caressa l'épaule. « Nous sommes fiers de toi, Mickey. » Bud jeta un bref regard à Dinah sans mot dire, puis à Mickey. « Ouais », dit-il d'une voix caverneuse. « Ouais », répéta-t-il. « Eh bien, ça ne se voit pas », marmonna Mickey boudeur. « Si j'avais su que vous alliez réagir comme ça, je ne l'aurais jamais fait. » Bud rembobina la bande. « Allez, on la réécoute », proposa-t-il vaillamment en se tortillant sur son siège, sans regarder Dinah. « Laisse tomber, répliqua Mickey. Ne me fais pas de fleur. » Il était maintenant en pleine bouderie post-coïtale. Bud appuya sur le bouton. « Continue », dit une voix de femme dans le magnéto. « C'est vraiment bon. Oui », croassa Carol, et Mickey gémit « hein ». « Arrête ça », s'écria Mickey brusquement en changeant de file. Un panneau annonçait : Los Angeles 74 miles. « Non, on l'écoute », insista Bud. Ils roulaient silencieusement dans la nuit vers Los Angeles, en écoutant les ébats amoureux qui avaient eu lieu quelques heures plus tôt. Carol disait « Oui, oh, oui. C'est vraiment bon, hein ? » « Oui, répondait Mickey. Bon Dieu. »

Ils déposèrent Dinah chez elle à l'aube. Elle leur fit un signe d'adieu. Elle les verrait bientôt. Elle ouvrit doucement la porte, la referma et se rendit dans la salle de bains. Elle alluma les lumières. Dans le miroir, un visage la regardait, le même que celui de Las Vegas. Mais en observant plus attentivement ses yeux, elle s'aperçut qu'ils étaient devenus sinistres et vulgaires. C'était donc vrai, conclut-elle ; elle avait l'air différente. Elle était différente... Est-ce que tout le monde s'en rendrait compte ? Serait-elle exposée au grand jour comme une déflorée, une Marie-couche-toi-là ? Bud devrait jurer de ne rien dire, ça, c'était clair. S'ils ne recommençaient jamais, peut-être serait-elle pardonnée... Toutes les fois sans l'emporteraient sur cette fois avec et elle serait à nouveau pure, prête pour une parfaite initiation, une promesse pleine d'allant et de gaieté, une lettre recachetée au lieu du prospectus bon marché qu'elle était devenue en une nuit. Elle ne pouvait pas faire de cet épisode un moment romantique où Bud, à ses pieds, l'implorait de l'épouser et lui jurait une foi éternelle. Impossible.

Eh bien alors, elle n'y penserait plus. Plus jamais. Elle retira ses vêtements, enfila sa chemise de nuit, sentit une drôle de brûlure et un tiraillement dans le bas-ventre. Elle n'avait pas vraiment saigné, alors quel était le problème ? Elle s'assit sur les toilettes et une brûlure violente, mordante, lui laboura le ventre. Aïe. Dinah baissa la tête, les sourcils froncés, les genoux serrés. Oh non ! Un châtiment de feu. Les flammes, la damnation, un châtiment envoyé par Dieu expressément pour ses... ses quoi ? Pour ses transgressions... comment appelait-on ça ? Pour ses mœurs relâchées, sa morale relâchée. Oh, non. Elle n'avait pas vraiment cru en Dieu avant ce moment qui la laissait à genoux, les mains jointes, la tête renversée, les yeux tournés vers les cieux. « Je vous en supplie, je suis désolée. Je ne voulais pas faire le mal. J'ai essayé de l'arrêter. Je le jure. Oh, je vous en prie. » La brûlure persistait. Elle fit couler l'eau, s'assit dans la baignoire avec la sensation qu'elle devait uriner, mais non, c'était simplement la douleur, la chaude brûlure sombre plombée entre ses jambes. Sa honte, un H écarlate dessiné sur ses entrailles avec un couteau invisible, émoussé.

Elle s'endormit finalement, mais quand elle se réveilla, la douleur était toujours là. Elle garda une serviette mouillée dans sa culotte tout le dimanche. En écoutant la morsure, son corps chantait intérieurement : « Oh, quelle honte, quelle honte. » Elle évita Bud et Mickey pendant plusieurs jours. Elle craignait d'avoir le cancer en châtiment divin et n'osait demander l'aide de personne. Comment guérir ? Pouvait-elle guérir ? Mourrait-elle avec la sensation terrifiante d'avoir causé sa propre perte parce qu'elle n'avait pas su dire non à Bud, n'avait pas pu risquer son rejet, sa désapprobation ? Elle voulait tellement faire partie de la bande qu'elle l'avait même laissé faire et maintenant elle n'avait plus rien à donner. Elle se rendait à l'école en portant le cancer secret de Dieu et une serviette mouillée, désemparée et morte de honte. Pendant la semaine, la morsure disparut graduellement. Elle n'avait plus à se précipiter dans la salle de bains ou à supplier un Dieu courroucé, vengeur. Mais son amitié avec Bud et Mickey avait reçu un coup mortel. Elle s'effrita progressivement et se désintégra. Elle soutira à Bud la promesse qu'il n'en parlerait à personne. « Jamais », insista-t-elle. « Jamais », jura-t-il, ennuyé, en regardant le bout de ses chaussures éraflées.

Des années plus tard, quand elle découvrit qu'elle avait eu une cystite — « la cystite de la lune de miel », comme l'appelait son amie —, elle repensa à cette période où elle avait porté son cancer de l'entrejambe, et sourit intérieurement, incrédule. « Mon Dieu », se dit-elle. Elle découvrit qu'il y avait des médicaments pour soigner ce type d'infection urinaire causée par de brusques rapports sexuels, après une longue période d'abstinence — pour elle, une vie entière — ou par des rapports trop longs pratiqués sans lubrifiant ou sans préliminaire. Elle revit Bud et Mickey, l'un était devenu agent, l'autre restaurateur. Mais, après sa cystite ou son cancer écarlate, Dinah qui avait presque dix-huit ans, devrait attendre un moment avant de perdre à nouveau sa vertu.

La seconde fois que Dinah perdit sa virginité, c'était avec Henry Stark, professeur adjoint dans le département d'arts plastiques. Elle n'avait pas concédé d'autre partie de sa virginité depuis l'épisode Bud. Elle avait maintenant dix-huit ans et songeait sérieusement, comme toutes ses amies, à avoir une liaison. Elle avait flirté avec des hommes dans des voitures et sur des canapés, mais avait toujours défendu l'accès de son lagon mystérieux, comme elle aimait à l'appeler. Son compte V. Les économies de son compte V.

Un des étudiants de son cours de cinéma était amoureux d'elle, mais il y avait quelque chose d'effrayant dans la possibilité de faire aboutir cette relation. Elle n'avait pas besoin de se donner du mal. De plus, elle se sentait assez à l'aise avec lui et nourrissait secrètement l'illusion que l'amour devait être une chose compliquée, exaspérante et déstabilisante. Elle pensait qu'on aimait quelqu'un quand on ne savait pas quoi lui dire.

Dinah croisait Henry dans les couloirs de l'école ou sur le parking. C'est là qu'elle le rencontra finalement. Elle avait laissé ses clés à l'intérieur de sa voiture et se livrait à une manœuvre infructueuse et ridicule pour les récupérer. Il s'approcha et l'observa en train d'agiter un bâton qu'elle essayait d'introduire comme elle pouvait par la fenêtre.

« Puis-je vous demander ce que vous faites exactement ? » demanda-t-il sérieusement. Dinah était trop exaspérée pour être intimidée à ce moment-là. « Je cuisine, répondit-elle. Je touille de petits ingrédients dans ma voiture avec ce bâton. Vous voulez goûter ?

— Non, déclara-t-il en se dirigeant vers sa voiture. Mais je pense que j'ai quelque chose qui peut améliorer votre mixture. » Il sortit un cintre de son coffre et réussit à ouvrir la voiture de Dinah. Il portait une chemise bleu ciel et un pantalon ocre. Il y avait une petite auréole de sueur sous ses aisselles. Il était sérieux, beau, réservé et marié, un fin anneau d'or à la main gauche en témoignait. « Merci », dit Dinah avec douceur tandis qu'il lui ouvrait la portière. « Est-ce qu'on vous a déjà dit que vous ressemblez au cow-boy de Marlboro ? » ajouta-t-elle.

Il était tout près d'elle maintenant. Elle leva les yeux vers lui. Est-ce qu'il avait l'air moqueur ? « Vous », commença-t-il, en se rapprochant, les yeux fixés sur elle. Ils étaient tous deux un peu essoufflés à cause des efforts qu'ils avaient fournis. Dinah baissa la tête et sourit. « Est-ce qu'on vous a déjà dit que vous alliez boire un verre avec moi ? » dit-il.

Sur un ton désinvolte, il promit de la ramener en toute sécurité, qu'elle ne s'inquiète pas — allez, venez ! Il la détaillait, prenait ses mesures pour un cercueil où ils s'allongeraient côte à côte pour la nuit et se hanteraient mutuellement dans la journée. Elle se glissa sur le siège à côté de lui. Il avait les choses en main. Elle, la situation. Il l'avait emballée dans la situation, lui avait fait perdre pied, perdre l'équilibre et l'avait entraînée jusqu'à un bar. C'est ainsi que sont les hommes mûrs, pensa-t-elle. Les hommes mariés, des rois, si décidés.

Ils restèrent silencieux pendant tout le trajet qui les conduisait à *The Elbow Room*. Puis, Henry leva les yeux vers elle, avec un air si... Comment dire ? Un sourire brillait là-dedans. Il l'avait attrapée. Elle savait qu'il savait, le reste était simplement du remplissage. Au bar, ils firent beaucoup de remplissage : leurs noms, leurs activités, leurs âges, ses études. Elle avait constamment l'impression qu'il parlait en fait d'autre chose. Elle devinait vaguement sa désapprobation, son impatience, son désir qui bouillonnait sous la surface et débordait de temps en temps. Elle prit une cigarette et il l'alluma en ayant l'air de penser complètement à autre chose. Elle n'avait jamais rencontré un homme comme lui, il l'avait capturée au vol, avec désinvolture, un extra, vite fait bien fait, et maintenant, elle savait qu'il allait la prendre. Elle avait officiellement perdu son droit de vote. Il prit sa main presque brutalement. « Vous vous rongez les ongles », remarqua-t-il. Dinah retira sa main et rougit, désarçonnée. « Déchirer », corrigea-t-elle, comme si c'était plus glorieux. « Je ne les ronge pas, je les déchire, je les pèle... et surtout mes pouces.

— Hein... hein. » Son regard était rivé dans le sien, fier, indifférent.

« C'est vrai... regardez. » Elle brandit son pouce. Il continua de la fixer droit dans les yeux.

« Je vous crois », affirma-t-il. Dinah rit, s'accrocha à son verre. « J'ai l'impression que vous êtes en train de me taquiner, de vous moquer de moi », *ou de m'engraisser avant de me tuer,* pensa-t-elle. *De m'assaisonner...*

« Non », répliqua-t-il, en se renversant sur sa chaise et en s'appuyant contre le mur, les mains derrière la tête. « Pourquoi est-ce que je ferais ça ? »

Dinah ne répondit pas et se contenta de vider son verre. « C'est bon. Qu'est-ce que c'est ?

— De la tequila. Le seul alcool fort hallucinogène. On y fait macérer un ver. » Il fit signe au serveur de remplir le verre de Dinah et se roula une cigarette. Dinah se sentit légèrement écœurée.

Ils remontèrent dans la voiture. Dinah était maintenant complètement ivre, le meilleur antidote contre l'excitation, contre la présence de cet animal mâle impressionnant. Sans parler, il l'attira contre lui. Le cœur de Dinah battit la chamade, il l'embrassa. Il semblait immense, invincible. Ses mains se glissèrent sous sa jupe. « Attendez, murmura-t-elle dans un souffle.

— J'attends », répliqua-t-il.

Il y avait tant de lui et si peu d'elle. Des années plus tard, elle se souvenait encore du crissement que faisait sa main en glissant sur la chemise d'Henry. « Où habitez-vous ? » demanda-t-il. Dinah avait maintenant les yeux écarquillés. Etat faible et yeux écarquillés. Sans défense, sans défense. « Mais... » Il la dévisageait, si proche. Elle ferma les yeux et lui donna son adresse. Ils roulèrent jusqu'à son appartement. Durant tout le trajet, il garda une main posée sur elle. Elle glissa la clé dans la serrure et ouvrit la porte. Les mains de Henry descendirent le long de ses hanches, sur ses fesses, atteignirent son entrejambe. Elle était paralysée. Il la serra contre lui, contre la porte et la poussa dans la pièce. Tous ses gestes devenaient maintenant une métaphore génitale. Je suis prise, tu prends. Dinah se pencha pour allumer la lumière ; il arrêta sa main. « Non. » Un ordre de son nouveau roi qui pressait son sceptre contre sa couronne et tenait les clés qui allaient ouvrir son royaume. Il referma brutalement la porte, se tourna vers elle et lui retira sa chemise.

« C'est tellement préhistorique, murmura-t-elle.

— Alors, ne parle pas », dit-il en mettant son grand index sur les lèvres de Dinah. Il se mit à genoux, tira sur sa jupe et posa sa bouche ouverte sur son sexe, il souffla un O d'haleine chaude.

Dinah perdit connaissance.

Henry la ranima quelques instants plus tard et lui tendit un verre d'eau. Maître de la situation, de l'univers, d'elle. « Bois calmement. » Elle lui obéit, avalant doucement de grandes gorgées pendant que la bouche de Henry remontait le long de ses jambes et atteignait son but.

Et une autre partie de son compte V partit en fumée.

Qui étaient ce type, ces types, ces hommes ? Qui étaient-ils ?

Lorsque la marée redescendit, lorsqu'il regagna sa maison, elle resta échouée sur le sable silencieux de ses draps, éveillée, incapable de sortir du rêve d'Henry. Repliée sur elle-même, essayant de reprendre ses esprits, de se retrouver, mais sa tête était fermée à clé, rouillée par des rêves mouillés. Henry s'était installé solidement au centre de son crâne. Il était assis là et la regardait à travers ses yeux, lui choisissant les vêtements les plus laids pour ses soirées afin qu'elle ne rencontre personne d'autre.

Elle se sentait toujours troublée quand les gens tentaient de la consoler en lui disant que le problème « était dans sa tête ». Comme si cela pouvait la rassurer. Pour Dinah, c'était l'endroit le plus dangereux qui soit. Quand elle entendait cela, elle avait envie de répondre : « Eh bien, bon Dieu, alors chassons-le. Passez-moi un insecticide ou quelque chose d'efficace. »

Ils se rencontraient désormais chaque jeudi pour des séances de sexe préhistorique dans son appartement. C'était excitant, solitaire, presque *déplacé*. Elle l'adorait à distance, l'aimait autant qu'elle le pouvait, compte tenu de son éducation, compte tenu qu'elle le connaissait à peine. Elle souhaitait que cette passion cesse... Comment pouvait-elle vivre ainsi? Hors d'haleine, à fleur de peau, perpétuellement excitée, préoccupée, électrisée. Elle priait la nuit pour que son état s'améliore un peu et se réveillait le matin en se disant : « Est-ce que c'est fini ? » Puis déferlait l'insoutenable vague du « Où est-il en ce moment ? » Elle souhaitait le retour de la folie bouillonnante, cette vibration du sang et des os, un battement régulier, percutant — effervescent et tonique. Vivante. Elle était vivante et elle souhaitait le retour de son démon étourdissant.

Elle ne savait pas ce qu'elle faisait avec lui, mais elle n'avait pas à y réfléchir puisqu'elle était essentiellement sans lui. La plupart du temps, elle se laissait le bénéfice du doute ou regardait la télévision. Ainsi Dinah commença-t-elle sa carrière de masochiste polie.

Parfois, encore aujourd'hui, les jeudis, elle se souvient de l'odeur des cigarettes roulées à la main, de la réalité et de la présence indéniable d'Henry, de la cystite et des médicaments au sulfate. Le jeudi soir était consacré au bain.

Henry se débrouillait parfois pour que ses silences aient l'air voulus plutôt que fortuits. Dinah n'avait pas ce talent. Elle restait silencieuse parce que le silence d'Henry semblait sévère et définitif. Il adoptait un visage impassible, apathique d'adulte, tandis qu'elle s'exerçait à lancer des regards ironiques et entendus dans son périmètre de vision.

Il lui dit un jour qu'elle avait les yeux d'une colombe et les tripes d'un samouraï. Et puis il y eut cet épisode dans le jardin public où ils faillirent se disputer. Cette fois-là, ils n'avaient pas parlé en langage codé. Cette fois-là, elle avait dit : « Je ne suis pas un samouraï. »

Mais maintenant il n'était plus là pour en discuter. Henry avait trouvé un emploi à Chicago après cinq mois de jeudis et avait déménagé. Elle apprit plus tard qu'il avait divorcé et épousé quelqu'un d'autre. Quelqu'un à qui il était maintenant fidèle. Quelqu'un avec qui il partageait ses jeudis. Quelqu'un qu'il avait traîné par les cheveux dans sa caverne et qu'il avait vêtu de la peau de son être.

C'est ainsi que Dinah perdit sa vertu une seconde fois.

Dinah perdit sa vertu pour la troisième et dernière fois pendant sa dernière année à l'université. Ses deux premières expériences avaient été si peu sentimentales, si peu significatives qu'elle était redevenue vierge d'esprit. Quand ses amies parlaient de leurs expériences amoureuses, elle ne mentionnait jamais les siennes. Elle n'avait pas raconté ses rendez-vous avec Henry ou son voyage à Las Vegas avec Bud. C'était trop humiliant. Ça ne s'était pas passé comme cela devait se passer ; aussi décida-t-elle simplement que cela n'avait pas eu lieu. Elle les effaça de sa mémoire. Maintenant, à dix-neuf ans, elle était apparemment l'une des dernières à faire le grand saut.

Greg portait des blousons de cuir et des sabots. Elle écoutait le claquement de ses sabots qui traversaient le couloir. Il avait des cheveux blonds en bataille, des yeux d'un vert profond et un air désinvolte, indifférent. Ils étaient dans le même cours de poésie. La première semaine, Dinah lut un de ses poèmes en classe. Le professeur leur avait demandé de lire une poésie qu'ils aimaient ou qu'ils avaient composée.

« C'est un poème que j'ai écrit à seize ans. » Elle regardait la mer de visages attentifs. Pourquoi n'était-elle pas en train de lire le poème de quelqu'un d'autre ? Quelqu'un de bien ? Pourquoi ne lisait-elle pas quelque chose d'Anne Sexton ? Elle s'éclaircit la gorge et regarda son texte. Oh Dieu, que ce poème était stupide.

Ne m'offre pas l'amour.
Je cherche le refus.

La tendresse me révulse,
L'entente est sans issue.
Tu m'offres le bonheur,
Mais il m'est interdit.
J'aspire à désirer
Un homme, mon idéal
A jamais dérobé.

Elle termina sa lecture et leva la tête, extrêmement gênée. Elle rencontra le regard détaché de Greg sans se rendre compte qu'elle venait juste de lui donner le mode d'emploi qui lui permettrait de la séduire. Il baissa les yeux, apparemment indifférent tandis que la classe applaudissait poliment. A cet instant, Dinah tomba amoureuse de lui.

Il avait écouté son poème et commença à l'aimer d'une manière absente. « Je fuis les sentiments », lui dit-il en fronçant les sourcils. Il ne voyait pas bien sans ses lunettes. Elle avait découvert qu'il avait un œil vert et un œil marron et qu'il ne voyait rien de l'œil vert. « Ma grand-mère était comme ça.

— Comme quoi ?

— Une teigne. Elle ne laissait personne l'approcher. Je suis comme elle. Je ne laisse personne m'approcher.

— Tu es un introverti, hasarda-t-elle.

— Non, je ne suis pas introverti. Les gens introvertis s'analysent généralement. Moi pas.

— Renfermé alors ?

— Non. Je suis un balourd. Un balourd glacé. Un balourd crème glacée. Robot l'esquimau. »

Il avait la démarche de quelqu'un de gros, comme s'il avait les aisselles collées et balançait quelque chose de minuscule sur ses fesses. Il portait des blousons de cuir, des jeans, des T-shirts noirs et des sabots. Il conduisait une mobylette. Il collectionnait les badges de police et était obsédé par les voitures de collection.

Elle tendait l'oreille pour entendre le claquement de ses sabots quand elle était en cours. Il était un de ces garçons qu'on croit découvrir, dont on se dit que personne n'a remarqué son charme jusqu'à ce qu'on se rende compte plus tard que presque tout le monde était au courant.

Elle adorait la manière dont il la regardait de ses yeux mi-aveugles, mi-teigneux. Elle adorait leurs discussions ratées, l'émotion qu'elle ressentait avec lui, le fait qu'il leur avait fallu des mois avant de pouvoir faire l'amour. Avant qu'elle lui concède le derniers tiers — le meilleur — de sa virginité. Le tiers qui n'avait jamais eu un orgasme. Il croyait qu'elle était vierge, elle se sentait vierge pour lui... les hommes ont besoin de ça, se disait-elle. Et elle l'aimait maintenant.

Ils s'embrassaient jusqu'à ce qu'ils ne sachent plus rien faire d'autre, ressemblant à des poissons qui ouvraient mécaniquement la bouche dans un demi-baiser. Il la regardait avec des yeux d'épagneul. « Quand je mourrai, je veux qu'on m'incinère et qu'on répande mes cendres sur tes cheveux », lui disait-il, en la prenant dans ses bras, assise sur ses genoux. « Tu es une femme extraordinaire. Je ne te mérite pas. Personne ne te mérite. Tu es une comète, une créature exceptionnelle de force et de feu. Je suis un manuel d'entretien de voiture à côté de toi. Epouse-moi et puis divorce, c'est tout ce que je vaux. » Son blouson de cuir crissait tandis qu'il la tenait dans ses bras.

Ils décidèrent de se marier et Dinah l'aima tendrement pendant trois jours. Comme si elle tombait, tombait... dans un havre d'amour réciproque. La nouveauté de la confiance et de l'engagement.

Le troisième jour, tandis que Greg se brossait les dents et que Dinah se démaquillait, il se tourna vers elle et dit : « Il vaut mieux que tu t'y habitues. Tu me verras me brosser les dents pour le restant de nos jours. »

Dinah le regarda recracher sa pâte dentifrice. « Le restant de nos jours ? pensa-t-elle. Qu'a-t-il dit au sujet de ne pas me mériter ? » Greg finit de se brosser les dents et se dirigea vers les toilettes, un magazine à la main.

Plus tard cette nuit-là, quand il la regarda avec ses yeux d'épagneul, elle sentit, pour la première fois, qu'elle se cuirassait contre cette douceur.

Dinah comprit que le dénominateur commun entre tous ces hommes était leur manque d'assurance. Un étau de nervosité leur barrait la poitrine. Ils lui communiquaient cette tension qui la faisait vibrer ou dont elle se sentait responsable. Ce mâle était extrêmement tendu. Un homme viril, presque une caricature. Il fallait vraiment qu'il soit incontournable pour que même elle puisse le voir. Pour qu'elle soit une si petite femme, il fallait qu'il soit un sacré grand mec. Pas vrai ?

Les hommes qui l'attiraient étaient silencieux, introvertis, timides, *différents*. Ils se recroquevillaient à la moindre interaction si bien que la sexualité devenait en fait un moyen de se relaxer. Son attirance pour eux semblait la catapulter dans le vaste abîme d'une langue étrangère où la sexualité constituait un soulagement plutôt que la continuation d'une réelle conversation. C'était presque l'unique mode de communication. Les hommes avec lesquels elle pouvait parler librement semblaient ne pas appartenir au domaine des liaisons, un domaine mystérieux marqué par le stigmate de la sensualité. Aussi était-elle attirée par des hommes de tribus étrangères. Ceux qui la mettaient à genoux dans un état préverbal, dans une attitude de supplication préhistorique pour pouvoir obtenir un os ou d'être raccompagnée sans encombre chez elle.

Hansel l'alien.

Le truc c'était que les hommes restent dans votre tête, car s'ils sont dans votre tête, ils ne sont pas vraiment dans votre vie. Oh, ils pouvaient s'y glisser de temps en temps... faute de mieux. Une réalité qui servait de mesure au fantasme. Un fantasme gigantesque qui éclipsait la réalité rabougrie. Un homme était une sorte de paradis... et si on était suffisamment gentille, on pouvait y entrer. Si seulement cet homme pouvait correspondre à ce qu'on a dans la tête... Mais c'était impossible, cela n'arrivait jamais. La vie imaginaire de Dinah était des plus actives dans cet intervalle-là... entre ce qui était et ce qui aurait pu être. Elle essayait de combler le fossé entre ces deux extrêmes, de les réconcilier. Mais ils ne pouvaient pas être complémentaires, cela ne marchait jamais. Les hommes ne l'aimaient jamais comme il le fallait, elle les choisissait pour ça, puis les punissait d'être ce qu'ils étaient, jamais à la hauteur de ses standards irréalisables.

Les standards de son fantasme.

Dinah ne voulait pas rencontrer un homme, elle voulait se jeter sur une grenade, accomplir un acte d'héroïsme, de terrorisme, de courage, de folie, d'aventurière, trouver un amour casse-cou. Son esprit gisait comme une figue à moitié mangée. Tu vois ce que tu as fait ? Un homme était lâché dans son identité, il s'y était infiltré quand elle regardait ailleurs. Approbation, approbation... cette drogue artificielle, ce bourdonnement subtil d'une mouche indifférente.

Toute apparence de vraisemblance semblait avoir déserté ses relations amoureuses.

Elle avait entendu dire que la vérité blesse, aussi quand une blessure lui était infligée, en sentait-elle l'authenticité. Plus c'était dur, plus cela semblait vrai. La souffrance était une des rares choses qu'elle sache identifier. Qu'est-ce qui était plus réel que la douleur ? Que ce regard terrible sur le passé et cette angoisse d'aller de l'avant... ? Ceci dit, qu'allait-elle devenir ? Qu'était-elle devenue ? Parfois elle avait peur de ne plus pouvoir accomplir tous les gestes quotidiens de la vie, elle avait peur de l'avenir. De la chose horrible qui la guettait au tournant, qui la regardait en souriant et lui faisait signe d'approcher, et Dinah, comme une gourde, s'avançait. Elle franchissait le fossé. En idiote confiante, elle marchait droit sur l'horreur. Et elle faisait tout de travers avant de l'atteindre. Elle aurait tant souhaité être désinvolte. Plus que tout, elle aurait aimé faire preuve d'une indifférence apathique face aux coups du sort. Pour elle, être désinvolte signifiait être à moitié endormie, voir les choses de manière confuse et vague. Elle décida finalement que si sa peau était douce et lisse c'est parce qu'elle était rongée par les soucis. Le doute peut vous paralyser. Elle avait envie de demander aux autres : « Dites-moi — Qui suis-je ? »... en espérant qu'on pourrait lui donner une réponse acceptable.

Avant de pouvoir courtiser la femelle, le moineau doit posséder un nid. Peu importe que celui-ci soit sale et délabré, plus tard le couple pourra le nettoyer et le remettre en état. Une seule chose compte, c'est que le mâle ait un nid. Les femelles ne s'approcheront pas des mâles s'ils ne sont pas propriétaires.

6

DINAH et Rudy étaient allongés sur un jeté de lit posé à même le sol. Le clair de lune qui brillait par la fenêtre éclairait leurs corps dénudés. Rudy caressa Dinah et l'embrassa.

« Je ne peux pas m'empêcher de t'embrasser », souffla-t-il. Dinah sourit et se retourna pour le regarder, subjuguée, comme si son système nerveux avait été tranquillement envoyé au tapis.

« La fièvre des baisers », renchérit-elle. Rudy attira Dinah contre lui, yeux dans les yeux.

« Dis-moi que tu m'aimes », dit-il, sa bouche sur sa joue, son haleine chaude contre son visage. Dinah rentra le menton pour se dégager un peu.

« Je pourrais te le dire dans une langue étrangère. Je pourrais t'aimer en japonais, en suédois ou en grec un moment et puis graduellement arriver à...

— Dis-le », insista-t-il. Les membres de Dinah se raidirent. Elle se sentait vraiment prisonnière dans ses bras. « Toi, dis-le », murmura-t-elle en rougissant légèrement. Rudy ferma les yeux et mit sa bouche près de son oreille.

« Je t'aime », dit-il d'une voix grave.

Il y eut un silence qui les encercla, se referma sur eux. « Maintenant à toi », insista-t-il gentiment. Dinah tourna la tête et regarda le bureau, la chaise et la corbeille à papier à l'autre bout de la pièce. Elle retint son souffle.

« *Ay ishete imasu* », souffla-t-elle doucement en japonais. « Je t'aime », traduisit-elle avec tendresse, en écoutant pour entendre comme cela sonnait vrai. Elle espérait que, si elle parlait à voix basse, l'air dissiperait ses paroles avant qu'elles ne comptent pour de vrai, avant qu'elle n'ait à assumer le contrat invisible qu'elles proposaient, leurs implications vagues, vertigineuses. Pour elle, dire « je t'aime » c'était s'attacher aux mots plutôt qu'aux actes. C'était une estampille, une manipulation. Des mots faits pour rassurer et garantir. Mais si elle acceptait que Rudy l'aime, la solitude de toutes ces années où il ne l'avait pas aimée (peut-être qu'en fait personne ne l'avait vraiment aimée) serait alors balayée. Elle pouvait maintenant se sentir officiellement effrayée — effrayée d'être à la merci de ce qu'il lui offrait. Une fois qu'elle l'aimait à voix haute, elle ne pouvait plus revenir en arrière. Le relevé avait bien eu lieu et on ne pouvait plus l'effacer des cartes. Aïe.

Rudy l'embrassa, un petit sourire flottait sur son visage impassible. « Je t'aime pour ton esprit et tu m'aimes pour mon corps, reprit-elle. Oh, j'aime ton corps et tu aimes mon esprit, mais, l'un dans l'autre, les pourcentages sont insignifiants. » Elle s'arrêta soudain pour réfléchir. « Si on aime les gens pour leur esprit, à quel point profite-t-on de leur corps ? »

Rudy fronça les sourcils. « Eh bien, il y a plusieurs réponses possibles. Soit ça n'est pas terrible, soit c'est encore mieux parce que c'est un prolongement de la conversation. De la grande conversation.

— Est-ce que tu m'aimes pour ma conversation ? »

Rudy plissa les yeux, apparemment concentré. Finalement, il secoua la tête lentement. « ... Hummmm... pas *vraiment* », dit-il d'un air absent. Dinah sourit. « Ma sensualité ? » demanda-t-elle.

Roudy réfléchit un instant. « Hummmm... non... non. »

Dinah éclata de rire, serrée contre lui. « Quoi alors ? Je te fais rire ? »

Rudy fit la moue. « Eh bien, peut-être, mais... non, ce n'est pas ça non plus. » Dinah lui donna une petite tape affectueuse. « Tu es une sacrée fille.

— Dans quel sens ?

— Dans le meilleur sens du terme. »

Dinah rit et l'embrassa sur la bouche, serrant sa lèvre inférieure dans la sienne.

« Penche-toi, penche-toi pour que je puisse te surmonter. »

Rudy réprima un bâillement. « Qu'est-ce que tu fais demain ?

— Je te surmonte, lui rappela-t-elle.

— Et après ça ?

— Il n'y a pas d'après. Et toi, que fais-tu ?

— Des petites choses pour m'assurer que tu ne me surmontes pas. »

Elle l'aimait silencieusement depuis plusieurs semaines et, maintenant, pour la première fois, elle l'avait aimé à voix haute. Tout se passerait bien. Tout irait bien maintenant. Ils étaient allongés l'un contre l'autre, une extraordinaire fusion de vitalité et de certitude dans le frémissement sombre de l'intimité. Elle avait trouvé quelqu'un. Un homme qui l'attirait contre lui. La main de Rudy reposait, large et chaude, dans le creux de ses reins, l'encerclant, la tenant prise au piège. Leurs visages entremêlés, embrassés. Un homme auquel accrocher ses espoirs. Tes désirs sont exaucés, alors pourquoi te presser ? Mais elle fonçait pour occuper tout le territoire Rudy. Ils avaient accordé leurs cadences avec une sorte de sympathie syncopée... des affinités électives... un amour facile, familier.

Rudy s'étira et regarda la pièce autour de lui. « J'aime cet endroit. Parfois, j'ai l'impression qu'il n'y manque que la balle du chien et les jouets du bébé. Tu sais, les fioritures de la vie qui vous donnent l'illusion de vivre. Alors, je pourrais avoir l'air crevé, comme aujourd'hui, et me dire que la famille et les chiens sont partis pour un long week-end, m'accordant un repos bien mérité. Un tricycle dans le couloir, un os dans l'escalier, le bras d'une poupée. Les indices de la vie sans la vie elle-même. »

Dinah se détacha de lui et chanta pour le taquiner : « Nous avons tant de choses en commun, ça m'en bouche un coin... »

Rudy reprit en chœur en l'attirant contre lui, la clouant au sol. « Nous devrions devenir éleveurs, nous sommes de vrais réacteurs...

— Tu es un véritable innovateur », affirma-t-elle en éclatant de rire. « Un innovateur ou un élévateur ; je ne sais plus les paroles de la chanson... »

Il la libéra de son étreinte en souriant. Dinah caressa son corps lisse. Rudy s'enveloppa dans la couverture et la serra contre lui. « Je veux un chocolat chaud, réclama-t-il distraitement.

— Je garde l'œil, assura Dinah. Et si je n'en trouve pas, je te donnerai le sein. »

Rudy sourit, frotta sa joue légèrement contre les cheveux de Dinah. « Sors ton sein et je ne penserai plus au chocolat chaud », dit-il en lui serrant l'épaule pour donner plus d'emphase à cette proposition. Un klaxon retentit dans la rue, au loin. « Nous avons le même rythme, c'est pour ça que nous nous entendons », continua-t-il en fixant le plafond sombre au-dessus d'eux. « Quand les gens ont des rythmes différents, ils ne veulent pas être ensemble. Ils se sentent agressés. Quand on n'aime pas le rythme de quelqu'un... ou ses goûts. Il faut aimer ses goûts aussi.

— Bon, s'exclama-t-elle, soudain prosaïque. Toutes les femmes te vendent une gamme de produits narcissiques... te donnent une version plus heureuse, plus légère de toi-même. Tu sais, une version neuve, plus exaltante. Alors qu'est-ce que te vendait Vicky ?

— Hum... que j'étais... que j'étais... je ne sais pas... doué. Très doué. Brillant. Et elle était écrivain elle aussi, donc...

— C'est vrai. Victoria Hanover. L'auteur dramatique féminin. Quand une femme écrit une pièce, elle écrit une pièce féminine. Les hommes écrivent des pièces, tout simplement. »

Rudy acquiesça distraitement. « Hein, hein.

— Et Anne, qu'est-ce qu'elle te vendait ?

— Euh... que j'étais un mec sympa... et un beau gosse. »

Dinah leva les yeux au ciel. « Et moi ?

— Hummm... que nous sommes semblables... des âmes sœurs, jumelles. »

Elle le boxa affectueusement. « C'est ce que tu m'as dit à *moi*. » Dinah s'allongea sur Rudy, la tête sur sa poitrine. « J'ai un ami peintre qui m'a raconté un truc super. Il paraît qu'autrefois des tribus sillonnaient la terre et que chacune avait son magicien. Eh bien, aujourd'hui, ces tribus ont disparu mais il existe encore des magiciens et, de temps en temps, on les rencontre. De temps en temps, tu croises quelqu'un de ta tribu. Eh bien, peut-être que c'est ce que nous sommes l'un pour l'autre. Peut-être pas des magiciens, mais des compagnons de tribu. Tu es mon mammifère. Nous sommes imbriqués comme des jumeaux qui attendent de naître dans un monde hostile. »

Rudy la regarda d'un air sérieux en la tenant par les épaules. « Il t'a dit tout ça ? demanda-t-il. Qui est ce type ? Est-ce que je dois m'inquiéter ? » Dinah éclata de rire. Elle l'embrassa, un baiser léger qui devint profond, et ils s'y enfoncèrent, membres entremêlés. « Faisons redescendre ton QI sur cette terre qui est la sienne », murmura-t-il dans son cou, une main posée sur son dos, l'autre accrochée à sa nuque, l'entraînant en lui, de plus en plus loin, jusqu'à ce qu'elle soit à des milliers de kilomètres de celle qu'elle était sans lui.

« Mesdames et messieurs », annonça-t-elle aux troupes de son inconscient rassemblées, « nous avons un nouveau président. »

Dictateur, marmonna son surmoi en la regardant méchamment de ses yeux jaunes.

« Président », affirma-t-elle plus fort, mais d'une voix indécise.

Dictateur, *chef*, *patron*, *roi*, grogna son surmoi.

« Amant ? » proposa Dinah modestement, timidement. Et le rire menaçant, grondeur de son surmoi retentit, résonnant sur tout l'hippocampus, faisant fuir les étudiants dans toutes les directions.

Nous voyons une main mâle, carrée, qui passe un anneau doré à l'annulaire d'une main pâle, délicate, manucurée. Suit un plan d'ensemble et nous découvrons Blaine et Rose en habits de mariés. Blaine soulève le voile de Rose, révélant son visage radieux, il se penche et l'embrasse.

Soudain, on entend un coup de feu.

Rudy se réveilla en sursaut et se dressa sur le lit.

« Qu'est-ce qui se passe ?

— J'ai fait un rêve. »

Elle se blottit contre lui, en bâillant. « Un rêve sur quoi ?

— J'ai rêvé que j'étais en voiture et que j'essayais de traverser le pont George-Washington. Mais je ne voulais pas payer trente-neuf dollars cinquante pour passer le pont Shakespeare. Je voulais trouver un autre itinéraire. »

Dinah l'attira contre elle et l'embrassa dans son cou chaud et mouillé. « Rendors-toi. » Rudy n'avait pas l'air rassuré mais il obéit et se rallongea. « Je paierai », fredonna Dinah dans un demi-sommeil. « Dors. »

Un tribunal. Le juge contemple sévèrement un couple extrêmement séduisant, mal à l'aise. L'homme a des cheveux blonds et des yeux bleus. La femme a des cheveux roux clair, presque blond vénitien, et des yeux vert foncé. Ils se tiennent à distance l'un de l'autre et regardent le juge. Ils ne s'adressent pas un regard. Leurs avocats sont assis à leurs côtés. Le juge étudie ses notes par-dessus ses lunettes, puis observe le jeune couple. « Il est dit ici que vous avez habité cinq ans ensemble et que vous avez été mariés un an. Est-ce exact, monsieur... » Le juge baisse les yeux sur ses papiers. « Monsieur MacDonald. Blaine et Rose MacDonald. » Blaine s'agite légèrement, les mains croisées.

« Oui, Votre Honneur. »

Le juge prend un air sérieux. « Je suppose que le mariage a détruit votre couple, est-ce exact, madame MacDonald ? » Il jette à nouveau un coup d'œil à ses papiers. Rose tire une mèche de cheveux derrière son oreille gauche, les yeux rivés sur les mains du juge.

« Pas d'espoir de réconciliation ? » demande celui-ci avec brusquerie en repoussant le dossier.

L'avocat de Blaine se lève et dit : « Nous plaidons des différences irréconciliables, Votre Honneur. »

Le juge a une grimace de dédain. « Différences irréconciliables, mon cul ! De mon temps, on harmonisait nos différences. Maintenant, elles nous épuisent... ou nous divisent. Bon puisque vous êtes sous le régime de séparation de biens et que vous n'avez pas d'enfants, après une période légale d'un an, vous serez officiellement divorcés. » Le juge fait tomber son marteau et classe le dossier de Rose et de Blaine. « Cas suivant. »

Blaine et Rose se tournent maintenant l'un vers l'autre. Rose parle la première. « Eh bien... », commence-t-elle.

Blaine jette un coup d'œil par-dessus son épaule aux deux avocats qui discutent entre eux. Un nouveau couple s'approche du juge. Blaine met ses mains dans ses poches et s'éclaircit la gorge. « Je suppose que je devrais me sentir soulagé. »

Rose a un rire nerveux qui révèle ses dents blanches, régulières. « Je ne me sens pas exactement du genre soulagée.

— Ouais, eh bien... » Blaine tripote sa cravate distraitement, presque superstitieusement. « Il faut croire que nous n'étions pas de la même tribu, finalement. »

Rose le regarde s'éloigner. La musique retentit tandis que la caméra fait un gros plan sur son visage lumineux. Des larmes brillent dans ses yeux.

Fondu-enchaîné sur un cœur rouge brillant percé d'une flèche. Les mots *Désir du cœur* sont inscrits en diagonale.

Dinah et Connie, assises dans la salle de contrôle, regardaient la scène du tribunal sur leurs moniteurs. Quand le cœur rouge apparut sur l'écran, Connie se leva pour prendre son sac posé sur un petit réfrigérateur dans un coin. Elle en extirpa un flacon de comprimés et en avala deux d'un coup. « Je n'aurais pas dû venir aujourd'hui, gémit-elle. J'ai des crampes qui pourraient couler un bateau. »

Dinah soupira et mit la main devant ses yeux. « Les bateaux n'ont pas de crampes, expliqua-t-elle patiemment. Je crois que " des crampes qui pourraient déclencher un feu " est l'expression consacrée. Cela vient du hollandais " *Branden tiatan met blood* " ou du gaélique...

— O.K. » Connie alluma une cigarette et lança le paquet à Dinah « Je cesse de me plaindre si tu te détends un peu. »

Dinah prit une cigarette. « Quel marché ! » dit-elle en soufflant la fumée.

« C'est cette scène qui te met dans cet état ? » demanda Connie. Au-dessous, dans le studio, l'équipe enlevait le décor et préparait une autre prise.

« Non, non, mentit Dinah. Pas plus que d'habitude. C'est toujours cathartique de voir Rudy représenté par ce WASP semi-sudiste et moi par cette fille incroyablement belle qui a l'air d'une vraie *Breck Girl.* » Elle passa sur son front la main qui tenait la cigarette. « Est-ce que Breck existe encore ? demanda-t-elle après coup, distraitement.

— Est-ce que Rudy sait qu'il est immortalisé dans un soap opéra ? »

Dinah se renversa sur sa chaise et posa ses pieds sur la table des commandes, ce que faisaient rituellement tous les coscénaristes de *Désir du cœur.* « Oui, déclara-t-elle simplement. Sa sœur le lui a dit. Il ne regarde jamais le soap, ceci dit. Quand nous étions ensemble, il en a vu deux ou trois épisodes pour me faire plaisir, mais... » Elle haussa les épaules. « Il n'aimait pas ça, de toute façon. Même si Blaine est devenu un des personnages les plus populaires... » Elle sourit. « Si je savais qu'il regarde la série, je pourrais glisser des petits messages codés à son intention. Tu sais, comme une bouteille à la mer. » Elle tira une dernière bouffée sur sa cigarette et puis l'écrasa.

Connie la regarda avec attention. « Est-ce que tu vas l'appeler quand tu seras à New York ? »

Dinah prit un air exaspéré. « Qui es-tu, la CIA ? » Elle leva les yeux vers le moniteur. « Ils sont prêts », dit-elle en montrant le studio. Elle appuya sur un bouton du tableau des commandes. « On fait une répétition. » Un technicien leva le pouce vers leur cabine en signe d'assentiment. Sans quitter des yeux le moniteur, Dinah déclara : « Je ne vais pas l'appeler la semaine prochaine. Je me contrôle mieux que ça. Je ne l'ai pas vu depuis la première de sa pièce il y a un an et tu te souviens de l'erreur que c'était. Si je l'appelle, ça s'arrêtera là. Je ne le verrai pas. Ou, si je le vois, ce ne sera pas pour dîner. Je le verrai dans un environnement neutre pendant la journée. Et il est hors de question qu'on fasse l'amour, ce serait une erreur fatale. » Elle poussa une nouvelle fois le bouton. « Action », dit-elle.

Connie sourit, alluma une cigarette et regarda le moniteur.

Blaine tambourine à la porte.

« Rose ! » crie-t-il. Il n'y a pas de réponse. Il frappe à nouveau. « Rose, je sais que tu es là... laisse-moi entrer ! » Une fenêtre s'ouvre au premier et le ravissant visage de Rose apparaît.

« Va-t'en, Blaine, supplie-t-elle d'une voix tremblante. Nous avons décidé de ne plus nous voir.

— Je veux te parler », insiste Blaine ; ses cheveux blonds accrochent la lumière, ses yeux bleus lancent des éclairs.

« Tu ne veux pas parler, tu veux...

— Ouvre-moi ! » rugit Blaine en donnant un coup d'épaule dans la porte. Elle cède sous son poids et une *Steadycam* suit Blaine dans la maison de Rose. La jeune femme se réfugie dans un coin de la pièce.

« Ecoute, Blaine, il m'a fallu tout ce temps pour que mes sentiments pour toi s'émoussent. » Il s'approche, elle continue de reculer. « Je suppose que je t'aimerai toujours, mais mon objectif est de t'aimer comme les gens aiment leur pays. » Il est tout près d'elle maintenant. Rose est acculée contre le mur, tendant les bras pour le tenir à distance. « Et je ne parle même pas de mon pays natal. Non, non. Je pense plutôt à une partie de la Scandinavie. » Blaine l'enlace, elle essaie de résister puis s'abandonne. « Ou au Pakistan », dit-elle avec un soupir tandis qu'il l'embrasse.

La musique retentit pendant qu'ils glissent sur le sol. « Eh bien, décide-toi », chuchote la voix de Blaine, hors champ. « Est-ce le Pakistan ou la Scandinavie ? »

Fondu-enchaîné sur une mappemonde posée sur le piano.

Le putois pose sa patte sur l'épaule de la femelle et lui mord le cou, provoquant une paralysie musculaire de quinze minutes.

7

« DINAH », commença la voix, suivie d'une toux nerveuse. Une horrible sensation bouillonna en elle et remonta à la surface. Elle se figea. « C'est Rudy, dit-il.

— Rudy », répéta-t-elle, comme si elle traduisait ce nom approximativement.

« Rudy. Rudy Gendler ! De la fin des années soixante-dix au milieu des années quatre-vingt.

— Oh, *ce* Rudy Gendler. » Elle eut un rire nerveux. « Tu sais, on rencontre tellement de Rudy Gendler. Où es-tu ?

— Ici.

— Quel ici ?

— Ton ici.

— Los Angeles ? Mais tu *détestes* Los Angeles.

— Toi aussi, au fond. C'est une ville de bureaux. Tu me l'as dit toi-même. A New York, la nuit, on sait que tout le monde est en train de s'amuser. A Los Angeles, on sait que tout le monde est en train de dormir. Il y a quelque chose de lénifiant dans cette ville.

— Je *travaille* dans cette ville.

— Comment *va* ton travail ?

— Grève des écrivains, répliqua-t-elle en guise de réponse.

— Les scénaristes de soap opera seraient des écrivains ! Qu'est-ce qu'ils peuvent bien encore inventer ?

— Tout le monde ne peut pas être un grand artiste comme toi.

— Même moi. Même moi, je ne peux pas être un grand artiste comme moi.

— Est-ce que ces conversations édifiantes ne te manquent pas ?

— Eh bien, si, dit-il distraitement, je dois l'admettre. »

Rudy formulait presque tout d'une manière distraite, comme si le fait d'être lui-même ne mobilisait pas toute son attention. L'interaction était une sorte de hobby, un hobby moyennement intéressant qu'il pratiquait de temps en temps. Il parlait doucement mais avec autorité et ne possédait pas un large éventail d'expressions. Son discours sortait en sourdine. Fumeux, presque convalescent, comme s'il se remettait de l'épreuve que constituait sa personnalité. Comme si ses mots lestés de plomb venaient de très loin. Comme si le son de sa voix mesurée risquait de l'éveiller du sommeil de son ego. Un baiser pouvait éventuellement transformer le crapaud de son attention en prince charmant. Eventuellement...

« Donc..., commença-t-elle mal à l'aise.

— Donc..., répéta-t-il. Grève des écrivains... pas de soap opera.

— Pas d'opéra télégramme », dit-elle distraitement, une pauvre imitation de Rudy. La voix de Dinah retentissait dans sa gorge comme une cloche, vous invitant au dîner de sa personne.

« Pas d'opéra télégramme... Qu'est-ce que ça veut dire ?

— Rien. C'est la chute d'une blague qu'on faisait au lycée.

— “ Pas d'opéra télégramme ” est la chute d'une blague ? » reprit-il songeur, retournant la phrase dans sa tête comme s'il remuait terre et ciel.

Dinah soupira. « Deux éléphants sont en train d'écouter de la musique et l'un demande à l'autre. “ Mets-moi de l'opéra ”, et l'autre répond : “ Pas d'opéra télégramme. ”

— Je ne comprends pas, dit Rudy patiemment.

— Tu n'es pas supposé comprendre, expliqua-t-elle à contrecœur. C'est une blague méchante. Tu es censé la raconter à plusieurs personnes qui la connaissent déjà et à quelqu'un qui ne l'a jamais entendue. Alors quand tu dis la chute “ pas d'opéra télégramme ”, tout le monde a compris, avec un peu de chance, le nouveau venu éclate de rire et tu... oh, laisse tomber. C'est idiot. Je voulais simplement te dire qu'il y avait une grève des écrivains.

— Non, non, non, j'ai compris. S'il rit, c'est un crétin. C'est ça ?

— C'est ça. Et tout le monde se moque de lui parce qu'il a fait semblant de comprendre.

— On le punit pour son flagrant désir de reconnaissance, dit Rudy pensivement.

— Je suppose. » Maintenant Dinah était nerveuse. Rudy savait la rendre nerveuse.

« C'est terrible, déclara Rudy en connaisseur.

— Eh bien, tu vois, une raison supplémentaire d'être content de ne plus vivre avec moi et de ne pas habiter Los Angeles. »

Rudy toussa de sa toux nerveuse. Dinah baissa la tête et ferma les yeux, suspendue à la suite.

« Di..., commença-t-il.

— Ouais », dit-elle doucement avec la voix de quelqu'un d'autre. Quelqu'un de plus jeune et de plus vulnérable.

« Tu veux dîner ?

— Je ne peux pas dîner avec toi, Rudy, répliqua-t-elle héroïquement.

— Bien sûr que si. Pourquoi pas ?

— Toujours la même raison.

— Nous avons déjà déjeuné ensemble, lui rappela-t-il inutilement.

— C'était il y a plus d'un an et c'était un *déjeuner* — ce qui est bien moins dangereux. Tu me proposes un dîner. Tu sais ce qui arrivera si nous dînons ensemble.

— Rafraîchis-moi la mémoire. »

Elle soupira. « J'ai toujours ce fantasme romantique à ton sujet, confia-t-elle d'une voix égale, basse. Et je ne peux pas te voir avant de l'avoir surmonté.

— Tu ne le surmonteras jamais complètement. Et moi aussi, je fantasme à ton sujet. » Il éclaircit sa gorge poussiéreuse. « Le pire que nous puissions faire, c'est de nourrir ce fantasme. Il se développera si nous ne nous voyons pas. Mais si nous y injectons un petit peu de réalité, nous le *démystifierons*. Nous deviendrons plus réels l'un pour l'autre.

— Je ne vois pas comment nous pourrions être plus réels, marmonna-t-elle.

— Dinah, je parle de démystification. Je parle d'un dîner. »

Il y eut un long silence dont l'intimité les réunit tous deux, les encercla comme deux amis.

Arrivée à son hôtel, elle l'appela de la réception. « J'arrive tout de suite », dit-il.

Elle l'attendait, essayant de paraître décontractée, de ne pas avoir peur. Oh, laisse tomber. Tu as peur et alors ? pensa-t-elle. Il a probablement changé de chemise deux ou trois fois lui aussi.

Et puis il fut devant elle. Rudy n'était pas le genre d'homme qui souriait beaucoup, mais quand cela arrivait, il se débrouillait pour sourire sans sourire. Il brûlait de manière indifférente, une flamme froide.

Ils se regardèrent puis détournèrent les yeux. « Eh bien, suggéra-t-il, on va se détendre. Ce ne sont que les premières minutes. » Elle regarda son profil pendant qu'il parlait, il avait l'air totalement neutre. Elle supposa qu'il se contrôlait. Il semblait hermétiquement fermé... étanche. Elle ne pouvait pas se contrôler. Rudy, lui... ne savait rien faire d'autre.

Comme elle avait peu de rapports avec son père, Rudy représentait la relation masculine la plus forte qu'elle eût au monde. C'était l'homme qu'elle connaissait le mieux. Quand il entrait, c'était comme si le monde enfin arrivait. Une flèche qui indiquait VOUS ÊTES ICI apparaissait au-dessus de la tête de Dinah. Il constituait son point de référence. Quand elle était avec lui, elle était avec lui. Quand elle était sans lui, elle n'était PAS AVEC RUDY. Les deux situations étaient presque semblables, réclamaient presque la même énergie. Presque.

« Tu n'as jamais été aussi mince », dit-il doucement tandis qu'ils marchaient jusqu'à la voiture.

« Vraiment ? » Elle fronça les sourcils. « Je pense que tu m'imaginais plus grosse que je ne le suis réellement. Et puis, il fait nuit. Les gens semblent plus minces la nuit. »

Rudy esquissa presque un sourire. « Je suis content que tu sois là pour me dire ce genre de choses. Pense donc, j'ai vécu toutes ces années sans savoir que les gens sont plus minces la nuit. »

Dinah rougit. « Tu vois très bien ce que je veux dire. » Elle ouvrit sa portière et monta dans la voiture, en se répétant qu'il fallait qu'elle se force à respirer. Elle mit la voiture en marche, ils bouclèrent leurs ceintures de sécurité et Rudy lui tendit une poignée de lettres. « Qu'est-ce que c'est ?

— Elles sont arrivées pour toi. »

Dinah prit les lettres. « Récemment ?

— Ouaip. Je suppose que tu ne vois pas Vicki Hanover.

— Vicki Hanover, ton ex ? » Elle éclata de rire en démarrant. « Pas vraiment. » La radio se remit en marche bruyamment — Los Lobos chantaient *Let's Say Goodnight.* Elle l'éteignit aussitôt. « Pourquoi ?

— J'ai quelques lettres pour elle aussi », dit-il, les yeux rivés sur le pare-brise tandis qu'ils sortaient du parking et s'enfonçaient dans la nuit de Los Angeles.

« Où veux-tu dîner ? » lui dit-elle en se regardant dans le rétroviseur ; elle se demandait si elle n'aurait pas dû s'habiller de manière plus décontractée pour lui faire croire qu'elle se fichait de lui. Oh et puis tant pis ; il sait bien que je ne m'en fiche pas.

« Où tu veux, assura-t-il en étudiant le profil de Dinah.

— C'est toi le mec. A toi de décider.

— Je suis l'invité.

— Exact. O.K. Qu'est-ce que tu préfères ? Un italien, non ?

— Oui, un italien c'est bien. Ou un japonais.

— C'est vrai. » La mémoire lui revenait. « Les sushis californiens.

— Tu y es. Une des choses que je préfère en Californie. Leur genre de rouleaux. Comment va Kevin ? »

Dinah rit. « En voilà un coq-à-l'âne — des rouleaux californiens à Kevin.

— En fait, si tu y réfléchis, il y a un lien.

— Kevin et moi, dit-elle, ignorant sa remarque, nous nous sommes disputés.

— Sérieusement ? »

Elle le regarda. « Sérieusement.

— Quel dommage, susurra-t-il avec un sourire.

— Ouais. Eh bien, les relations, c'est compliqué. Comme dit mon grand-père, “ elles sont déjà assez compliquées quand elles marchent ”.

— Ouais, c'est compliqué, soupira Rudy. Comment *vont* tes grands-parents ?

— En parlant de relations compliquées ? dit-elle en riant. Lui va bien. Elle a eu une attaque.

— Je suis désolé.

— Ouais, eh bien... Elle a encore assez de personnalité en réserve.

— Tant mieux.

— Alors qu'est-ce que tu choisis ? Japonais ou italien ?

— Je m'en fiche. Ce que tu veux. Japonais.

— Japonais », répéta-t-elle en tournant sur Coldwater, en direction de la colline. Les lumières de la vallée brillaient à leurs pieds, jusqu'aux montagnes de San Bernardino.

« A moins que tu ne sois pas d'accord. Attends un peu. Tu n'aimes pas vraiment le japonais, hein ?

— Si, s'ils ont du yakitori.

— C'est vrai, c'est vrai, tu es la fille qui aime le yakitori. Et alors... pourquoi vous êtes-vous disputés ?

— Disputés ?

— Avec Kevin.

— Ah oui, avec Kevin. Eh bien... Tu es sûr de vouloir entendre cette histoire ?

— Bien sûr.

— O.K., je suis rentrée de ce séminaire...

— Tu suis encore des séminaires ?

— Oui, répliqua-t-elle sur la défensive. Je suis encore des séminaires. Enfin donc, je suis rentrée chez moi après ce truc et Kevin m'attendait dans ma chambre devant la télé...

— Vous viviez ensemble ?

— Non, non, je lui avais juste donné le code de mon alarme et il m'attendait. Il n'aimait pas sortir avec moi, ce qui aurait dû tout de suite me mettre la puce à l'oreille. Pendant notre liaison, il n'a fait la connaissance que de deux de mes amis. Et encore c'était par hasard. Je n'ai jamais rencontré *aucun* des siens.

— Oui, mais Di...

— Ne m'appelle pas Di.

— Tu es terriblement sociable. Tu sais, nous avons eu un peu le même genre de problème.

— Oh, allons, qu'est-ce qui te prend, c'est de la solidarité masculine ?

— Di, tu recevais toujours des centaines de coups de fil, la maison était tout le temps pleine. Parfois, j'avais l'impression que je devais prendre rendez-vous avec toi. Et nous vivions ensemble, pour l'amour de Dieu...

— Je croyais que tu voulais savoir ce qui s'était passé entre Kevin et moi.

— Mais oui.

— Alors laisse-moi terminer mon histoire.

— Bien sûr, vas-y.

— A moins que cela ne te replonge dans l'enfer que fut notre relation.

— Non, non, continue. Je suis désolé de t'avoir coupée.

— O.K. » Elle réfléchit un instant. « Où en étais-je ?

— Euh... Tu ne voyais jamais ses amis.

— C'est ça. Je ne voyais jamais ses amis ni sa famille ni personne. Ce qui est un peu étrange si on y réfléchit. Tu te rends compte, nous avons passé six mois ensemble. Enfin donc, je suis rentrée après ce séminaire et il était assis sur mon lit devant la télé..

— Je ne suis pas certain de vouloir entendre la suite.

— Non, non, ce n'est pas ce que tu crois. Il n'y a pas de scène de nu. Il était assis sur le lit, tout habillé, il avait juste retiré ses bottes pour regarder la télé et Tony, mon chiot — je venais juste de l'avoir cette semaine-là —, par terre, n'arrêtait pas de gémir, de japper, d'aboyer. C'était affreux, terriblement exaspérant, et il avait fait ça toute la semaine. Alors je m'assieds sur le lit, la télé hurlait, le chien aboyait, je ne sais pas... peut-être, *peut-être* que je ne faisais pas assez attention à Kevin. En tout cas, Tony aboie et je me tourne et je crie TONY ! de toutes mes forces — et tu sais comme je parle fort naturellement sans forcer mes possibilités... Alors Kevin se raidit, il a un mouvement de recul et je pense " oh oh, nous allons vers l'incident diplomatique ". Aussi je dis : " Qu'est-ce qu'il y a ? " et il me regarde d'un drôle d'air et répond : " Rien, je n'aime pas les hurlements, c'est tout ", et je réplique : " Eh bien, moi non plus, mais Tony a aboyé toute la semaine et ce n'est pas contre toi que j'en avais. " Alors il saute hors du lit, attrape ses bottes et lance : “ Je ne me sens pas très bien ici ”, il sort de la maison et s’en va.

— Hein, hein... Il s’en va. Tu n’aimes pas ça, remarqua Rudy. Tu n’as jamais supporté que j’aie envie de sortir pour me calmer les nerfs pendant une dispute. De toute manière, je n’ai jamais compris que tu sortes avec un type qui s’appelle Kevin. C’est presque aussi ridicule qu’Osmond.

— Puis-je finir mon histoire ? demanda Dinah.

— Ouais.

— Oh, je ne sais pas, de toute manière, après cet incident, ça s’est terminé rapidement. Il m’a appelée de sa voiture...

— Il a un téléphone dans sa voiture ? Eh bien voilà, tout est dit dans ce détail.

— Il ne l’avait pas quand je l’ai rencontré, assura-t-elle sur la défensive. Il venait juste de le faire installer. C’était nouveau.

— Alors, c’est pardonnable. Toi, tu es pardonnable en tout cas.

— Merci. Alors il m’a appelée et il m’a dit : “ Qu’est-ce qu’il faut faire pour attirer ton attention ? T’attraper au lasso ? ” J’ai répondu : “ Comment oses-tu me dire ça ? ” Il a prétendu plus tard que je l’avais traité de con — c’est tout à fait possible — enfin, il a répété : “ Comment est-ce que j’ose te dire ça ? ” et il m’a raccroché au nez.

— Ouais, et alors ?

— Eh bien, j’étais très en colère.

— Je comprends. Mais ça ne peut pas être la fin de l’histoire.

— Non. Enfin si, presque. Il n’y a pas grand-chose d’autre à ajouter. J’ai appelé son répondeur après son coup de fil, sachant qu’il n’était pas chez lui et que je pouvais laisser un message. Je ne me souviens pas exactement de ce que j’ai dit mais le contenu était en gros “ Je ne comprends vraiment pas ce qui s’est passé, mais je ne vois pas l’intérêt de prendre ça à la *sicilienne* ”. J’étais folle de rage. Enfin, il n’a pas rappelé et, au bout de quatre jours, j’ai compris que c’était fini. Je sais que je ne serai jamais capable de comprendre ce qui s’est passé... c’était presque un problème culturel. J’aurais dû savoir qu’on ne peut pas sortir avec un type qui parle de lui-même comme s’il était dans la pièce à côté.

— Qu’est-ce que ça veut dire ?

— Oh, rien. Tu sais, il se lançait des fleurs comme s'il parlait de quelqu'un qui était dans la pièce à côté. Du genre : " Beaucoup de gens me jugent sans doute, mais je suis quelqu'un d'honnête et de dévoué à sa famille. "

— Il a vraiment dit ça ?

— Pas exactement ça. Mais quelque chose dans ce goût-là. Comme s'il était secrètement l'Américain parfait et qu'il partageait ce secret avec moi. J'avais l'impression de vivre avec une brochure publicitaire.

— Eh bien... Que faisait ce type déjà ?

— Avocat. Avocat dans le show-biz. »

Rudy soupira. « Que tu sois sortie avec un avocat ne me surprend pas. Mais que tu l'admettes ouvertement, si.

— J'imaginais que ça ne présentait pas de danger réel. Un avocat a un travail presque normal.

— Pas du tout. Ce sont des prédateurs. Ils utilisent la vérité comme un mensonge. En plus, il travaille dans le show-biz, et dans la partie non créative du show-biz, c'est-à-dire dans la situation la plus paradoxale du monde. Ces gens-là sont toujours frustrés et finissent par te faire endurer le poids de leurs frustrations. Pour ça, ils sont créatifs ! Et il n'est pas juif... c'est là que réside ton problème culturel.

— Comment sais-tu qu'il n'est pas juif? Je ne me souviens pas de te l'avoir dit.

— Il s'appelle Kevin. Pas un juif ne s'appelle Kevin ! Quoique, je dois l'admettre, le téléphone dans la voiture m'ait un peu pris de court.

— Arrête ton char ! s'exclama-t-elle en souriant. Je ne suis pas vraiment juive non plus, tu sais.

— Tu pourrais l'être.

— Moi, Marcus Welby.

— Je te considère comme juive. Qui est Marcus Welby ?

— Le docteur que jouait Robert Young à la télé. N'essaie pas de me faire marcher. Tu sais qui est Marcus Welby, tu fais juste semblant de ne pas regarder la télévision pour que les gens croient que tu passes ton temps à lire des pièces et de la poésie.

— Exact. Et toi, tu sais la vérité. Tu sais qu'en fait j'ai *écrit* certains des épisodes de *Marcus Wellman* sur la tumeur au cerveau.

— *Marcus Welby,* corrigea-t-elle.

— C'est ce que j'ai dit, Welby.

— Non. Tu as dit Wellman. Si tu dois faire des blagues condescendantes sur la télévision, prononce au moins correctement les noms.

— On dirait un mauvais Pinter.

— Non, pas du tout. Pinter est intéressant sans mener à rien... Nous, nous ne sommes pas intéressants mais nous menons à quelque chose... à un dîner. Nous allons dîner.

— Di, il n'y a que toi pour te sentir personnellement concernée par la télévision. Pour t'identifier à un média.

— Il n'y a que toi pour avoir l'idée de nous comparer à un mauvais Pinter, répliqua-t-elle d'un air boudeur. Voilà, on y est. » Elle tourna sur Ventura Boulevard dans le parking du *Teru Sushi* et se gara. Rudy la regarda.

« Tu n'es pas *furieuse* contre moi, si ?

— Non. Pas du tout. Vraiment. J'ai simplement faim. J'étais très nerveuse à l'idée de te voir et, en plus, j'ai faim.

— Formidable, dit Rudy. Allons manger. »

C'était une chaude nuit de printemps californien, une légère brise soufflait. Plusieurs motos descendaient Ventura Boulevard. Elle prit un ticket à l'entrée et suivit Rudy à l'intérieur du restaurant, un détective en filature.

Dinah n'avait pas vraiment peur de Rudy lui-même, de ce qu'il allait lui faire. Elle avait peur d'elle-même. Peur de ce qu'elle risquait de faire avec ce qu'il lui ferait ou ne lui ferait pas, peur de ce qu'elle se ferait au nom de Rudy. Mais en fait, peut-être qu'il était lui aussi responsable. De toute façon, que ce soit elle ou lui, elle se voyait suffisamment de bonnes raisons pour l'éviter ou pour éviter le mélange qu'ils représentaient tous les deux.

« Tu veux du saké ? demanda Rudy innocemment.

— Tu sais ce qui se passe quand je bois du saké », dit-elle presque autant pour elle-même que pour lui.

Rudy se contenta de la regarder.

« Je deviens extrêmement ivre », avoua-t-elle à voix basse, en se penchant vers lui. « Tu te souviens de l'anniversaire de Sean, quand je suis allée dans le jardin japonais au milieu du restaurant et que j'ai fait semblant d'être un homme en train de pisser ? Et puis quand on boit du saké, on se réveille au milieu de la nuit complètement déshydraté, avec des palpitations et tout le reste.

— Chérie, si tu n'en veux pas, ça n'est pas un problème, mais n'en dégoûte pas les autres.

— Le saké est très bon pour toi ! affirma-t-elle avec entrain. L'alcool te fait toujours du bien. Ça te détend.

— Je suis détendu, déclara Rudy avec irritation.

— Tu n'as jamais l'air détendu.

— Toi non plus. On commande ? »

Dinah parle en code explicite — c'est une névrose qui ne tient pas la route. Son code n'est jamais si compliqué qu'on ne puisse le déchiffrer. C'est une forteresse diaphane, un tigre de papier.

Sa personnalité ressemble à une horde de chiens sauvages qu'elle tient en laisse et qui l'entraînent où ils veulent — des chiens enragés par leur besoin de conversation —, à un gamin de onze ans dans un magasin de jouets qui tire son père par la main à travers les rayons, à la recherche d'un trésor. Sa voix est une fanfare de cuivres qui défile dans sa gorge, comprime sa personnalité géante pour qu'elle passe dans le trou minuscule de sa glotte puis marche jusqu'à vous, bébé, en cadence et en chantant. Un train express droit jusqu'à vos oreilles. On a lâché Dinah au centre de sa personnalité et depuis elle essaie d'atteindre le bord. Mais il n'y a pas de bord ou bien tout est bord, des étendues infinies de bords, allongées sur le dos, se prélassent au soleil sous les rayons de sa personnalité. Elle rêve qu'elle est elle-même et n'arrive pas à se réveiller, n'arrive pas à remonter à la surface de ce monde infini. Etre elle-même constitue un cours d'aérobic permanent.

« C'est comment ? » demanda-t-il, en désignant l'assiette de Dinah.

« Comment cela peut-il être ? répondit-elle la bouche pleine. C'est du yakitori, du poulet sur un bout de bois. Et comment est le tien ? »

Il haussa les épaules et mordit dans un rouleau de sushi.

Elle regarda la seconde carafe de saké Le saxophone de Tom Scott roucoulait dans les haut-parleurs.

« Tu sais ce que j'ai pensé après la dispute avec Kevin ? demanda-t-elle au saké de Rudy.

— Hummmmm ? grommela Rudy, entre deux bouchées.

— J'ai pensé, si toutes mes relations doivent me mettre dans cet état de stress, j'aurais mieux fait de rester avec toi. Au moins, je te connais.

— Hein, hein, dit Rudy. Les relations ne sont pas toutes stressées, tu sais.

— Eh bien, je sais que je n'en sais rien. Elles m'ont toutes laissée sur le carreau. Compte mes cheveux blancs. Lesquelles de tes relations n'ont pas été stressées ? Certainement pas celles que tu as eues avec Vicky, Lauren ou Anne, avant moi. Et tu ne m'as jamais donné l'impression qu'elles étaient autre chose que stressées. »

Rudy s'éclaircit la gorge. « Je suis dans une situation aujourd'hui très différente de mes... liaisons précédentes. »

Le cœur de Dinah s'arrêta. Elle regarda Rudy. Elle n'avait jamais pensé qu'il puisse avoir une autre liaison. Surtout pas une liaison réussie. Du moins pas tant qu'elle serait en vie

« Quoi ? dit-elle d'une petite voix.

— Je vois maintenant quelqu'un qui est complètement différent de tout ce que j'ai connu, expliqua-t-il calmement. Je veux dire, nous avons d'abord été amis et puis notre relation s'est développée d'une manière très... enrichissante. Je ne sais pas comment t'expliquer ça — il eut un regard presque nostalgique. Mais elle est si bonne pour moi.

— Et pourquoi ne le serait-elle pas ? » demanda Dinah, pétrifiée, en serrant les dents d'une manière qu'elle souhaitait faire passer pour un sourire. Elle fit un signe au serveur. « Un saké, s'il vous plaît. » Elle regarda Rudy. Son cœur battait. « Quand as-tu commencé à voir cette personne ? Comment s'appelle-t-elle ?

— Lindsay, dit-il. Eh bien, voyons... quand avons-nous déjeuné ensemble la dernière fois ?

— Hummm... Il y a un an environ.

— Ouais... Ça doit être ça », confirma-t-il en croisant les mains et en fronçant les sourcils. « C'est là que tu m'as parlé de ta relation avec Kevin. Tu étais encore très en colère contre moi.

— Ouais... Eh bien... », commença-t-elle alors que son saké arrivait. Elle s'en versa une ravissante petite tasse et la but cul sec, son visage fut déformé par une grimace tandis que le liquide amer glissait le long de sa gorge.

« En tout cas, tu avais l'air furieuse », dit-il pendant qu'elle se versait un autre saké et le buvait consciencieusement. « Je croyais que tu ne voulais pas boire, remarqua-t-il avec douceur.

— Je n'en ai pas l'intention, assura-t-elle gaiement. Alors, dis-moi, que fait Leslie ?

— Lindsay. Elle est décoratrice d'intérieur.

— Vraiment ? Lindsay ? » Elle haussa légèrement les sourcils. « Comment l'as-tu rencontrée ?

— Dans une soirée, pour ne rien te cacher », annonça-t-il pendant que le serveur débarrassait leur table. « Nous étions tous les deux accompagnés. Plus tard, j'ai appris qui elle était et trouvé son numéro de téléphone.

— Formidable », s'exclama-t-elle en remplissant à nouveau sa tasse de saké. « Vous êtes ensemble depuis quoi ? Un an ?

— Pas tout à fait, dit Rudy en souriant légèrement. Tu comprends, au départ, j'étais très réticent à l'idée d'entreprendre quoi que ce soit avec qui que ce soit, après notre désastre. Je dois dire que j'étais plutôt anéanti. Je pense maintenant que je... faisais une sorte de dépression. » Il rit pour lui-même. « J'étais recroquevillé dans ma coquille. En mettant l'oreille contre ma poitrine, on aurait pu entendre le bruit de la mer. »

Dinah essayait de prendre un air civilisé et nonchalant en finissant sa carafe de saké. « Ouais, eh bien, on en a pris tous les deux un coup, conclut-elle généreusement.

— Exactement. C'est précisément pour cela que pendant pas mal de temps, je n'ai pas voulu m'impliquer avec quelqu'un. » Il fixa le bout du restaurant. « Mais Lindsay rend les choses... tellement simples. En fait, elle veut pour moi... je ne sais pas comment expliquer. D'une certaine façon, elle ne me demande rien. »

Dinah secoua la tête, abasourdie. « Comment peux-tu respecter ça ? »

Rudy haussa les épaules et eut un petit sourire mystérieux.

« Qu'est-ce que le respect a à voir là-dedans ? J'en profite, c'est tout. » Dinah le dévisagea fixement. « Eh, Di... quel est le problème ? Je ne sais pas, ce n'est pas tellement qu'elle fait tout ce que je veux, mais surtout que je n'ai pas à donner grand-chose. Enfin, pas vraiment, mais... je la sens simplement à mes côtés... dans mon équipe. Ce qui, si on y réfléchit, est assez touchant.

— Et elle n'a pas une vie à elle ?

— La question n'est pas là », répliqua-t-il en regardant l'addition et en comptant sa monnaie pour payer. « La question est qu'elle tient assez à moi pour vouloir me rendre heureux. Et que ça la rend heureuse.

— Eh bien, c'est très... touchant. D'une manière assez archaïque », admit-elle tandis qu'ils se levaient et qu'elle lui emboîtait le pas, l'air misérable, hors du restaurant et sur le parking.

« Que ça ne corresponde pas à une de tes impulsions ne signifie pas forcément que ce soit archaïque », dit Rudy doucement, les mains dans les poches pendant qu'ils attendaient la voiture. « Te rends-tu compte : ça fait huit mois que nous nous voyons et nous nous sommes disputés seulement deux fois !

— C'est formidable, reconnut-elle, les dents serrées.

— Ça n'est pas formidable, dit-il en montant dans la voiture. C'est un miracle. »

A cet instant précis, Dinah sut, avec une certitude absolue, qu'il fallait qu'elle le récupère.

Ils roulèrent en silence jusqu'à la maison de Dinah. Il voulait voir sa nouvelle porte d'entrée et prendrait un taxi pour rentrer à l'hôtel. Bien sûr.

I Haven't Got Time for the Pain passait à la radio pendant le trajet. Elle avait mal à la tête. Rudy, assis, les mains poliment croisées sur ses genoux, regardait la route.

« Je n'ai jamais aimé le titre de cette chanson " J'ai pas de temps à perdre avec la souffrance ", commença-t-il. J'imagine toujours cette scène... » Il jeta un coup d'œil à sa montre, l'air ennuyé. « Ooooh... mon Dieu, il faut que je file... as-tu du temps dans la semaine ? Je te rappellerai peut-être mais là, tout de suite, je n'ai vraiment pas de temps à perdre avec ta souffrance. Tu veux qu'on se voie jeudi ?... C'est comme la chanson *T'es si vaniteux* qui dit " T'es si vaniteux que tu vas penser que cette chanson parle de toi ". Mais la chanson parle *effectivement* de lui... alors, est-ce que ça signifie qu'il n'est pas si vaniteux que ça ? »

Dinah eut un sourire figé.

Ils arrivèrent devant chez elle. Elle se gara. Ils regardaient tous deux droit devant eux. « Voilà la nouvelle porte », dit-elle en la désignant d'un geste vague.

« Hein hein. Très jolie. »

Le saké faisait son effet. Elle s'apitoyait sur son sort et se sentait abandonnée. Des sentiments tendres — des sentiments historiques — remontaient au galop avec un bruit d'enfer et semaient la débandade dans son psychisme. Elle avait perdu Rudy à jamais, enlevé par une scout, une majorette, une chic fille. Elle n'aurait jamais cru que cela l'affecterait à ce point.

Rudy toussa. « Tu veux entrer ? » demanda Dinah, la main sur la portière.

Il réfléchit un instant. « D'accord. »

Oh, allons. Tout ça pour en arriver là, hein ? pensa-t-elle. Pourquoi faisait-elle ça ? Oh, et pourquoi pas, qu'est-ce qu'elle avait à perdre ? C'était fini depuis deux ans, et maintenant c'était vraiment, définitivement fini. Fini avec Kevin et fini avec Rudy. Elle était seule. Elle mourrait vieille fille. Une longue, longue vie de vieille fille. Victime d'une crise cardiaque, elle resterait gâteuse, dodelinant de la tête et bavant, sans personne pour s'occuper d'elle, pendant qu'à l'autre bout du monde, Lindsay nourrirait à la petite cuillère un Rudy ridé et heureux. « Bien sûr », ajouta-t-elle pour elle-même en coupant le moteur et en sortant de la voiture, « pourquoi pas ? ».

Assis sur le canapé dans le salon, ils écoutaient l'air conditionné faire son travail. Rudy toussa. Les yeux de Dinah étaient pleins de larmes.

« Je vais pleurer maintenant, annonça-t-elle. Je suis visitée par des émotions inattendues. » Rudy ne bougea pas. Elle essuya ses yeux noisette. « Nous pouvons continuer à discuter, dit-elle avec une gaieté forcée. Je ne sais pas pourquoi, continua-t-elle d'une voix plus douce. Je me sens si... seule ou quelque chose dans ce goût-là.

— Ouais, eh bien... », commença-t-il en croisant et décroisant les jambes. Il toussa en mettant son poing devant sa bouche.

« De toute manière, c'est assez étrange d'être assis là comme ça. Comme si nous étions dans la salle d'attente du docteur. »

Rudy éclata de rire et s'éclaircit la gorge une fois de plus. « On ne pourra pas dire que nous n'avons pas essayé. Ça prouve que parfois ça coûte cher d'essayer », dit-il doucement. Il y eut un silence.

« Ainsi, c'est donc ça le processus de démystification », remarqua-t-elle.

Il la regarda, la regarda vraiment droit dans les yeux. « Tu m'as dit que tu fantasmais toujours sur moi, sur le fait d'être avec moi. » Il détourna brusquement la tête, comme s'il en avait trop dit.

« Et tu m'as dit que tu fantasmais toujours sur moi, contre-attaqua-t-elle.

— Oui, reconnut-il avec simplicité. Et en nous voyant, nous nous rendons plus réels l'un pour l'autre.

— Ainsi se trouve démontré le concept de la démystification vu par Rudy Gendler. »

Rudy soupira. « Eh bien, tu n'étais pas forcée de me voir, tu sais. Je pense, cependant, que nous éviter créerait un autre type de situation. En plus, poursuivit-il pensivement, je veux continuer à te connaître, tu vois ce que je veux dire. J'aime te parler. Je t'aime en tant que personne.

— Par opposition à quoi? Une table basse? demanda Dinah en souriant.

— Allons, Dinah.

— Et ta copine?

— Quoi ma copine?

— Pourquoi ne lui parles-tu pas à *elle?*

— Je lui parle. La question n'est pas là.

— Quelle est la question?

— Oh, Dinah, allons. Ma relation avec Lindsay n'a rien à voir avec la nôtre.

— Bien sûr, lâcha Dinah d'une voix aiguë, l'une est rassurante, l'autre est stimulante. Et pour toi, tout va très bien puisque tu es le centre d'attention, de toute façon.

— Je ne suis pas certain que ce soit vraiment le cas, mais... », commença Rudy en posant ses mains sur ses genoux, « qu'est-ce qu'il y aurait de mal à ça ?

— Elle passe l'audition pour le rôle de ta femme.

— Encore une fois, Dinah, qu'est-ce qu'il y a de mal à ça ? Elle tient à moi.

— Et je n'y tenais pas, moi ?

— *Mon cœur,* c'est *toi* qui m'as quitté. »

Ils restèrent silencieux un moment. « Il fallait que je parte. C'était ton appartement.

— Oh, allons Dinah, ne recommençons pas. L'histoire a prouvé que ce n'est pas un bon sujet de discussion pour nous. »

Elle éclata de rire. « *Nous* ne sommes pas un bon sujet de discussion pour nous.

— C'est vrai, dit Rudy. Écoute, même si Lindsay est une réaction contre toi, est-ce que c'est si grave ? Ce n'est pas comme si nous avions été follement heureux.

— Non. C'est vrai. Pas follement heureux. Nous nous aimions, mais nous n'étions pas heureux.

— Non », reprit Rudy qui envisageait la suite des événements, se demandait combien de temps cela allait prendre, si c'était vraiment une bonne idée, si elle était toujours un bon coup.

Ils se tenaient assis comme des presse-livres solennels, leurs années d'histoire accumulées entre eux. Tout en continuant à regarder droit devant lui, Rudy avança la main et la posa sur celle de Dinah. Elle regarda ces deux mains réunies comme si elle essayait de les identifier, puis lentement elle commença à les caresser de sa main libre. Ils restèrent ainsi un long moment, silencieux. Pesant le pour et le contre. Elle porta la main de Rudy à ses lèvres et l'embrassa. Rudy la regarda. Il se pencha vers elle tout en l'attirant contre lui. Il avait une expression soucieuse, sans défense. Elle se sentait triste et prise au piège. Prise dans le rouleau compresseur de sa vieille obsession. Leurs deux expressions se mêlèrent et se confondirent tandis qu'ils pressaient leurs bouches l'une contre l'autre, leur histoire commune l'une contre l'autre, leur longue séparation.

Un fouillis de bouches. Une bouillie de bouches. Des baisers profonds comme l'océan. Des baisers qui cherchent à atteindre la perfection une fois pour toutes. S'entraînant pour les jeux Olympiques des baisers. Le baiser ultime, celui qui compte. Tout mène à ce baiser-ci, tout l'en éloigne. La moitié parfaite d'un baiser.

Il posa ses deux mains sur les seins de Dinah comme s'il cherchait à capter un message venu du profond de l'espace. Elle essaya d'écouter son propre corps de l'extérieur, le regardant répondre sans qu'il y ait besoin de mots, détaché du passé ou du présent — *docile.* Un bouchon au fil de l'eau, à la dérive. Une nature morte animée. Il débarque, exigeant qu'elle soit docile ; elle fait tout ce qu'elle peut pour que son esprit s'évade et lègue son corps à Rudy par testament. Les yeux fermés, elle le regarde, suivant la mélodie de mémoire, elle saute le mur et pénètre dans son système nerveux, une ancre solidement amarrée à son surf déchaîné. Elle emmène son esprit faire un tour pour laisser le champ libre au corps de Rudy. Le corps de Dinah obéit quand sa raison ne le peut pas. Elle tombe, tombe toujours plus bas et sort de sa tête. Les mots manquent là où Rudy réussit maintenant. Le pouls de Dinah s'accélère, son esprit perd du terrain, disparaît à l'horizon jusqu'à ce que son identité ne tienne plus qu'à une seule chose. Qui suis-je ? Je suis avec lui, voilà qui je suis.

Ce qui est à deux doigts de signifier : je voudrais être avec lui, voilà qui je suis. Dinah, à cet instant, est entre les deux. Quelqu'un entre les deux.

Il pense, donc je suis.

« Est-ce que nous allons nous sentir coupables ? murmura Rudy dans ses cheveux, respirant l'odeur familière.

— Bien sûr, répondit-elle en lui mordant la lèvre.

— Ouais », approuva-t-il en l'attirant contre lui.

Dinah s'observait comme si elle était Rudy. Elle se jugeait comme il pouvait le faire. C'était sa manière de le garder auprès d'elle. Ou de se tenir compagnie. Un petit ami dans son esprit, parfois un ami détestable, mais, quoi qu'il en soit, une compagnie. Elle regardait Rudy si proche d'elle et pensait, *j'ai hâte de me souvenir de ce moment.* Elle attendait d'être seule avec lui en esprit, là où il ne la quittait jamais, la surveillait, lui rendait visite tout au long de la journée ; il était celui à qui elle pouvait se référer, vers lequel revenir, avec qui se souvenir, conspirer. Un monde où il est le centre et elle la périphérie. Apparemment, elle essayait de gagner le centre, le noyau, mais, en réalité se satisfaisait de filer tranquillement à son rouet ; elle était l'homme de ménage silencieux qui vient nettoyer la piscine. Renoncer à lui signifiait renoncer à son compagnon de presque tous les instants... que cette compagnie soit cruelle ou douce. Elle était ravie qu'il ne l'appelle pas, elle multipliait les rencontres, essayant d'être à la hauteur. Elle vivait un millier de vies en attendant qu'il l'appelle. Je m'en fiche, c'est fini, comment ose-t-il, je vaux beaucoup mieux, quel égocentrique, eh bien, qu'il aille se faire foutre, c'est fini, il me manquera, je ne peux pas lui manquer, pas capable, si fermé, je vais beaucoup mieux maintenant, ce n'est pas si dur, il n'est pas si, ses mains, il peut être si charmant, mais quelquefois, il est si froid, la fois où, et quand il, il est égoïste, il m'aimait, j'ai tout fait rater, il n'est pas si, pas de sa faute, peut-être la prochaine fois, peut-être que maintenant il, ça pourrait être, pourrait être différent, ce salaud, où est-il, pourquoi ne peut-il, j'aurais dû, tout est de ma faute, il l'a dit, je suis obstinée, exigeante, il est calme, je serai gentille, il verra bien, je lui prouverai, c'est différent, je ne dois pas le perdre, il me quittera, où est-il, je l'aime, ou bien est-ce ? Qu'est-ce que ça peut bien faire ?

Le pouvoir de Rudy tenait à ce qu'il existait dans la tête de Dinah jusqu'à devenir une partie fondamentale de son esprit, quelque chose qui remplaçait la concentration et l'intelligence. Les maths, elles, avaient complètement disparu.

Et voilà qu'il était là, tout entier contre elle, elle tournoyait au-dessus de l'humeur de Rudy, cherchant la porte d'entrée. Une porte dérobée, un pore de sa peau dilatée. A certains moments, leurs deux natures s'imbriquaient l'une dans l'autre, s'enroulaient l'une contre l'autre et souriaient. Deux cercles aisément confondus, ronds, heureux et ouverts. Puis soudain,

Rudy s'éloignait, son cercle se refermait sur lui, elle se refermait sur le sien, pas d'entrée possible. Il était là, là-bas, une personne autonome ; hermétiquement scellé, si lointain. Ses yeux brillant comme ceux d'un serpent. Une fleur dans mon cœur, un serpent dans ma tête, au-dessus de toi.

Le sentiment qu'elle ressentait pour lui dévorait tous les autres puis émettait un petit rot de contentement en souriant.

Ah.

Ils étaient allongés sur le lit, après un ébat sexuel nostalgique. Rudy fixait le plafond avec son air familier de consternation détendue. Dinah le regardait dans l'expectative. Le silence résonnait curieusement autour d'eux. Finalement, elle se décida à parler, d'une voix timide.

« A quoi penses-tu ?

— A l'argent, répliqua-t-il tristement. J'essayais de déterminer l'effet que la récession allait avoir sur la valeur de l'immobilier à Long Island. » Un pincement de terreur traversa Dinah.

« Hein hein, répondit-elle gauchement. Est-ce que tu pourrais bouger un peu ton bras ? J'ai des fourmis dans la main. » Rudy lui obéit tandis qu'elle continuait : « Si tu te tais, tu les entendras construire leur fourmilière. »

Rudy la regarda du coin de l'œil, rit et tourna la tête. « Où vont les orgasmes ? » demanda-t-il avec un petit sourire.

Dinah répondit à ce sourire qui était si rare chez lui. « Dans la conscience, suggéra-t-elle en caressant le visage de Rudy.

— Tu ne crois pas qu'on a inventé le concept de centre commercial en s'inspirant des parties génitales ? » On avait l'impression que c'était une hypothèse qu'il formulait de très loin.

« Pardon ? dit-elle au profil de Rudy.

— Tu sais, tout au même endroit. Tu comprends, tu peux vouloir faire une excursion pour un baiser ou un sein — mais sinon, tout est là.

— Comme dans un centre commercial, répéta-t-elle pensivement.

— Ouais.

— Une vision capitaliste de la sexualité. »

Il fronça les sourcils. « Peut-être. » Elle posa son bras sur le torse de Rudy et enfouit son visage dans le creux de son épaule.

« Si tu avais quinze ans, on pourrait recommencer », dit-elle, souriante. Nerveuse. Toute cette soirée constituait un hommage au style d'interaction si populaire en ce siècle : « Que prétendons-nous ne pas savoir ?

— Si j'avais quinze ans, nous aurions bâclé ça en deux minutes. »

Elle ferma les yeux et roula sur le dos. « Tu n'as jamais l'air détendu, soupira-t-elle.

— Toi non plus, contre-attaqua-t-il paresseusement.

— Je suppose que c'est ça qui me gêne, répliqua-t-elle en regardant le plafond. Tu me fais penser à une version muette de moi-même. Je suis nerveuse — c'est une manière extravertie d'être tendue. Toi, tu es tendu — la version introvertie. »

Il éclata de rire. « Je ne sais pas ce que tu ferais sans tes théories.

— Cela me rend heureuse d'essayer de comprendre les choses. Pendant des années, j'ai voulu être intelligente. Et puis je suis devenue intelligente... je ne veux pas dire super cultivée mais...

— Je vois très bien ce que tu veux dire.

— Ouais, eh bien, après, quand je me suis sentie plus sûre de mon intelligence, j'ai voulu être *claire*. Maintenant, et je dis bien maintenant, je veux simplement être claire.

— Ouais, eh bien... ça, c'est plus compliqué. Surtout, quand on est intelligent. C'est très difficile d'être clair parce qu'on voit les deux aspects des problèmes. » Il parlait lentement et posément.

Dinah avait l'impression de le pousser au sommet de la conversation. « Je sais que je ne suis pas très cultivée, dit-elle tristement. Toi, tu l'es énormément. »

Il la regarda. « Tu attaches trop d'importance à l'intelligence. Tu juges toujours les gens en fonction de ça : " Il est plus intelligent que moi — je ne suis pas aussi intelligente que lui. " Tu devrais peut-être repenser la valeur que tu donnes à l'intellect. »

Les yeux de Dinah s'agrandirent. « C'est important pour toi aussi, non ?

— Eh bien, tu sais, c'est une qualité que j'apprécie, mais pas nécessairement à l'exclusion du reste. L'intelligence est un don. Il ne faut pas la jeter à la figure de tout le monde. Elle s'accompagne souvent d'une forme d'intolérance et peut-être... d'un manque de compassion. L'idéal, c'est l'intelligence alliée à la compassion. Mais la plupart du temps, on trouve l'un sans l'autre.

— Ouais, j'ai souvent tendance à me sentir mal à l'aise avec les gens que je considère vraiment intelligents. Comme si je devais me concentrer de toutes mes forces pour être à leur niveau.

— Laisse-toi un peu aller, chérie. Arrête de tenir des comptes tout le temps.

— Ouais, bien sûr, j'adorerais ça. Mais ce n'est pas moi la responsable, plutôt mon cerveau. Il trône là-haut en faisant des commentaires, et fonctionne vingt-quatre heures sur vingt-quatre comme un téléscripteur. Parfois j'ai l'impression que mon cerveau est plus intelligent que moi. Peu importe ce que je veux. Il est toujours en action, infatigable, en expansion continue. »

Rudy la dévisagea bizarrement. « Qu'est-ce que tu devais être à vingt ans, déclara-t-il presque pour lui-même.

— Je ne sais pas, dit-elle timidement. C'est toi qui peux le dire.

— Je me souviens que tu avais cette énergie folle. »

Elle sourit. « Et tu aimais ça ? »

Il fit la moue. « Disons que j'aimais la partie énergie.

— Je ne pensais pas que tu m'aimais au début. Je crois que j'y comptais simplement. Tu me faisais la cour comme si tu étais en train de faire autre chose. Je savais quand les autres étaient amoureux de moi. Mais avec toi, je n'étais sûre de rien. »

Rudy se redressa et regarda la pendule sur la table de nuit. « Tu étais une fille drôlement culottée.

— Culottée dans quel sens ? demanda-t-elle. Rudy ne faisait pas très souvent de compliments. Quand cela arrivait, ils étaient généralement mûrement pesés.

— Tu n'avais pas peur de... » Il s'arrêta un instant et réfléchit. « Tu n'avais pas peur des choses qui te faisaient peur, expliqua-t-il finalement. Tu t'accrochais. Tu n'as pas froid aux yeux.

— Je ne me sens pas comme ça avec toi », dit-elle en repliant ses genoux contre sa poitrine et en s'enveloppant dans les couvertures. « Je me sens adolescente. Ça ne m'arrive pas avec beaucoup d'hommes, mais je me sens adolescente avec toi. »

Il passa sa main dans ses cheveux. « Adolescente, répéta-t-il. Tu veux dire féminine. »

Elle réfléchit, de manière très féminine. « Féminine. Ouais, sans doute. Tu sais, toute troublée et émue.

— Eh bien. Je pense que c'est très attirant. La féminité est attirante.

— Je suppose qu'il s'agit d'un truc de pouvoir alors.

— Que veux-tu dire ?

— La féminité pour moi, c'est le genre effarouché. Tu sais, timide et douce.

— Allons, Dinah, se moqua Rudy. Je ne t'imagine pas vraiment timide et douce.

— Je suis timide et douce comparée à toi, répliqua-t-elle avec hauteur. Tu es terriblement masculin.

— J'ai toujours pensé que tu me trouvais arrogant.

— Pas vraiment arrogant. Plutôt imposant.

— Ouais, mais tu n'emploies pas ce terme dans le sens que lui donne la chanson *Thou Swell, Thou Witty*, dit-il d'une voix pleine de sous-entendus. Tu ne veux pas dire que je suis Cole Porter.

— Rodgers et Hart, s'exclama-t-elle en riant.

— Quoi ?

— Rodgers et Hart ont écrit *Thou Sweel, Thou Witty*. J'ai appris ça à l'école. On l'a joué avec mon orchestre.

— Tu vois, tu *as* de la culture.

— Ouais, pour des choses inutiles comme Rodgers et Hart. Toi, tu me sembles si respectable. »

Rudy eut une expression ironique. « Tu m'as dit une fois que j'étais pompeux. Tu l'as hurlé, en fait. »

Les yeux de Dinah s'agrandirent d'incrédulité. « Hurlé ? » dit-elle, en fronçant les sourcils pour réfléchir. « Je doute avoir *hurlé*. Et je ne pense certainement pas que tu sois *pompeux*. Je crois que tu es terriblement sûr de toi... de tes opinions et de...

tes certitudes et le reste, mais je ne te considère pas comme pompeux. Pompeux pour moi ça veut dire beaucoup d'arrogance et rien derrière. Toi, tu as juste cette incroyable assurance qui s'appuie sur... une réflexion et une expérience et... tout le reste. Tu es une personne distinguée. Tu t'es construit tout seul. Tu as travaillé pour te sentir d'aplomb... enfin, non pas que tu aies de l'aplomb.

— J'essaie juste de me consoler d'être sorti de l'enfance, dit-il en haussant les épaules. Toi aussi, tu pourrais être plus assurée et ne pas prétendre que tu ne sais pas, car tu sais. Ou que tu es naïve... car tu ne l'es pas.

— C'est pour ça que tu as l'air distrait ?

— Ce qui me distrait c'est d'avoir cette conversation complètement différente qui se déroule dans ma tête, pendant que nous parlons. »

Dinah sourit de cette réflexion.

Ils se regardèrent, tendus. « Je n'ai pas vraiment hurlé que tu étais pompeux, si ? »

Rudy fit la moue et ses yeux se rétrécirent. « Peut-être pas. Tu parles plutôt fort de toute façon. Peut-être que tu étais normale et que j'étais ultrasensible ce jour-là. Ça n'a pas d'importance », soupira-t-il.

Dinah avait retenu sa respiration pendant qu'il prononçait ces mots.

« Parfois quand tu parles, j'ai l'impression d'entendre le maire », dit-elle doucement pour prouver qu'elle n'avait pas une voix forte.

Rudy rit et se leva. « Le maire de la quatre-vingt-unième rue.

— Sa Sainteté, le maire chinois de la quatre-vingt-unième rue, ajouta-t-elle.

— Pourquoi chinois ? demanda-t-il en se dirigeant lentement vers la salle de bains.

— Parce que tu es impénétrable.

— Je vois. » Il montra la porte. « Je dois aller aux toilettes.

— Que c'est humiliant », déclara-t-elle. Rudy éclata de rire. « Parfois, quand nous nous voyons », cria-t-elle pendant qu'il était dans la salle de bains, « j'ai envie de te caresser la main et de te dire : " Ne t'en fais pas, tu n'as rien dévoilé ". »

Il n'y eut pas de réponse, elle entendit l'eau couler dans le lavabo. De toute façon, elle ne savait pas pourquoi elle avait dit ça. C'était simplement ce qu'elle avait ressenti les rares fois où ils s'étaient rencontrés ces deux dernières années. Pourquoi aurait-il voulu dévoiler quelque chose ? Et qui était-elle ? Un modèle de générosité émotionnelle ? L'émotion qu'elle distribuait le plus librement était son énergie nerveuse... une anxiété dynamique. Bon Dieu, elle et sa *Gestalt* galopante.

Comment pouvait-il vivre une relation normale ? Cela signifiait que le fiasco de leur couple lui incombait entièrement. Il avait réussi à être heureux en amour et elle, tout ce qu'elle avait pu obtenir, c'était une liaison désastreuse de quatre mois avec un Sicilien en puissance. Elle aurait dû rester avec Rudy. Pourquoi est-ce que ça avait été si dur avec lui ? Il y avait certainement une réponse à cette question, mais elle l'avait oubliée dans l'intensité de sa mortification.

Le plus dur ? C'était qu'elle avait l'impression d'être sans importance, inutile. Dans ces moments où elle le sentait si loin d'elle, si froid, elle souffrait... Comment pouvait-elle ranimer sa flamme ? Finalement, elle réagissait de la manière la plus simple : en se mettant en colère. Confrontée à son apparente indifférence, elle avait envie de fuir. Comme lorsqu'elle était gosse et qu'elle voulait se venger de ses parents... Elle imaginait ce qu'ils feraient si elle était renversée par un bus... Alors, elle leur manquerait, ils regretteraient bien de l'avoir traitée de cette façon. Elle était paniquée par le calme de Rudy, son air glacial. Eh bien, dans ce cas, elle s'en ficherait elle aussi. Elle lui ferait mal elle aussi. Elle ne voulait pas être celle qui s'accrochait, qui attendait d'être désirée. Elle se blinderait émotionnellement et l'affronterait, mépris pour mépris... On allait voir ce qu'on allait voir. Impulsivement, elle voulait partir pour pouvoir lui manquer. Mais non, il disait que les gens ne lui manquaient jamais. Oh, au début, il avait eu terriblement besoin d'elle. Etre avec elle lui suffisait. Mais il lui en avait voulu d'avoir ce pouvoir sur lui. Il l'avait aimée et il avait été déçu. Elle avait toujours été déçue. Elle n'avait jamais cru pouvoir être autre chose que déçue. Elle partait déçue d'avance, comme ça, on ne pouvait pas la prendre au dépourvu, seulement la surprendre. C'était sa meilleure méthode de défense mais cela ne suffisait pas toujours à la protéger. Elle s'attachait quand même, contre son gré. Ce qu'elle avait aimé de manière incontrôlable la décevait, en sus de la déception initiale. Donc, elle avait aimé Rudy avec fureur, autant qu'elle en était capable compte tenu de son éducation, espérant le faire réagir. Elle l'aimait d'un amour qui le faisait fondre, faisait tomber ses résistances, le retournait comme un gant, réchauffait le froid de ses yeux, l'éveillait de ses fantasmes ensommeillés et enterrait leurs déceptions mutuelles.

Mais finalement, elle s'était dit : « Il doit exister des murs plus doux contre lesquels me casser la tête. » Et elle était partie.

A la recherche d'un mur neuf, plus doux.

Regrettant celui de Rudy.

Rudy et Dinah s'étaient brisé mutuellement le cœur, une activité extrêmement intime qui vous liait à vie... comme être compagnons de tranchée. Une expérience commune, intense, un mauvais trip amoureux. Et après avoir partagé cela, après s'être traînés au bout de cette expérience, ils se considéraient avec peur et respect. Comme on peut considérer un assassin particulièrement doué.

La torture chinoise de la goutte d'eau. La seule façon d'y survivre est de décider qu'on aime ça.

Rudy sortit de la salle de bains, l'air cavalier et désinvolte.

Dinah ne regarda pas son pénis.

« Quel est l'animal qui choisit son partenaire pour la vie? dit-elle d'une voix de petite fille. Le cygne?

— Le cygne. Ouais, je crois. Ou bien le loup.

— C'est la même chose pour nous. Nous sommes accouplés. Enfin, moi en tout cas. Je suis ton cygne. Ton cygne noir de l'enfer. »

Il y eut un silence embarrassé. Puis Rudy essaya de changer de sujet. « Dinah, il va falloir que je...

— Non, attends. Je pense que c'est plutôt le pigeon. Ouais, c'est ça. Je me souviens d'une histoire... Peut-être bien les pigeons voyageurs.

— Les pigeons voyageurs? demanda-t-il patiemment. Je n'en suis pas sûr, mais c'est possible. Peut-être.

— Ouais, ouais, continua-t-elle nerveusement. On m'a raconté cette histoire sur le dressage des pigeons voyageurs. On les met avec des pigeons du sexe opposé jusqu'à ce qu'ils soient... attachés l'un à l'autre ou quelque chose comme ça, et puis on les sépare. Quand on veut qu'un pigeon livre un message, on place son partenaire là où le message doit être envoyé et le pigeon y vole à tire-d'aile. Les pigeons livrent les messages dans l'espoir de revoir leur bien-aimée. » Elle s'arrêta pour reprendre haleine. « Mais c'est extrêmement triste parce qu'on ne les laisse jamais se retrouver. Ils vivent dans l'attente et l'espoir... portant les mesages des humains dans l'espoir de jeter un coup d'œil sur leur unique amour. Ils sont vraiment des esclaves de l'amour.

— Je vais devoir partir. »

Dinah se sentit glacée par la panique. Elle s'était permis d'oublier qu'il la quitterait de nouveau et voilà qu'elle se retrouvait face à sa vieille copine, la réalité. Qu'est-ce qui était plus vrai que la douleur ? Quelque chose, espérait-elle. S'il vous plaît, mon Dieu, quelque chose.

« Oh, bon Dieu, s'exclama-t-elle avec désespoir. Je suis toujours à côté de la plaque, hein ? Je chante la tyrolienne au sommet de ma personnalité, ou je me repose dans la vallée.

— Quant à moi, je suis plutôt un gars de la vallée », commenta-t-il en enfilant son pantalon. Elle aurait dû brûler son pantalon et le retenir prisonnier, nu, jusqu'à ce qu'il accepte de la prendre comme elle était et de rester.

« Tu veux que je te ramène ? » proposa-t-elle comme si elle était très loin de tout ça. Quelque part où tout cela avait déjà eu lieu et où elle se sentait bien. Parfaitement bien, vraiment. Beaucoup mieux qu'elle ne l'avait espéré. Eleonor Roosevelt. Son esprit semblait faire les choses sans elle. Malheureusement, l'inverse n'était pas vrai. Que disait Rudy ?

« J'ai appelé un taxi du téléphone de ta salle de bains. »

Dinah acquiesça légèrement et gronda intérieurement. Il a prévu sa sortie. Il est pressé de partir. Un récidiviste, c'est comme ça que ça s'appelle. Revenir sur les lieux du crime. Ce besoin irrésistible de revenir et de s'en tirer sans encombre. « Pourquoi ? se surprit-elle à demander. Tu dois te lever demain matin ?

— Évidemment que je dois me lever demain matin », répondit-il en attrapant sa chemise.

Bien sûr qu'il doit se lever demain matin, pensa-t-elle en faisant une grimace. Moi, je suis la seule qui n'ait plus jamais besoin de me lever. Je suis celle qui n'aurait pas dû se lever pour commencer. Elle enviait le détachement de Rudy, sa capacité à envisager les choses d'une manière qui ne le faisait pas souffrir, à se raconter des histoires rassurantes.

« J'ai dit à Lindsay que je l'appellerai. Elle peut être très jalouse. »

Dinah hocha la tête sans mot dire, réprimant la révolte qui montait en elle. « Quel genre de décoration fait-elle ? » demanda-t-elle tristement. Peut-être que la réponse serait intéressante et d'une certaine manière minimiserait l'importance de la situation. Plus importante que tout au monde.

« Moderne surtout », répondit-il en s'asseyant sur le lit et en enfilant ses chaussettes. « Ce n'est pas quelque chose qui la passionne en fait. Elle va peut-être s'arrêter. Ce qui me convient parfaitement. J'ai compris avec toi que je ne veux pas vivre avec quelqu'un qui est trop impliqué dans son travail. »

Dinah le regarda fixement. Tout le reste et maintenant ça. « Tu ne veux pas qu'elle travaille, dit-elle d'une voix sans timbre.

— Ce n'est pas exactement ça, expliqua-t-il en nouant ses lacets. Tu comprends, ce n'est pas un métier qui l'intéresse vraiment. Elle veut s'arrêter et je lui ai conseillé de faire ce qu'elle voulait. On lui a fait plusieurs offres et je lui ai dit ce que j'en pensais. Ça ne marche pas, tout simplement, quand deux personnes mènent de front des carrières ambitieuses. Tout le monde est tout le temps sur les dents. C'est épuisant. Une femme doit avoir un travail moins prenant. »

Dinah l'écoutait en essayant de se sentir le moins concernée possible. Elle commença à se ronger le pouce avec décontraction. Pas de quoi en faire un plat. « Quel genre de travail ? » dit-elle.

Il haussa les épaules. « Je ne sais pas. »

Dinah fronça les sourcils d'une manière qu'elle espérait amicale. Un froncement engageant. « Eh bien, qu'est-ce que tu en penses ?

— Mon cœur, *je ne sais pas*. Je ne sais pas, non pas parce que je n'y ai pas réfléchi, mais parce que je ne sais pas, tout simplement. Hé, tu vois, j'aimerais bien avoir un job moins prenant, mais ça n'est pas possible. Alors, pour moi, être avec quelqu'un qui a un boulot aussi intense que le mien... eh bien, ça ne peut pas marcher. »

Dinah réfléchit, puis proposa : « Qui s'occuperait alors de la relation ? »

Rudy esquissa un sourire. « Exactement. »

Dinah essaya de tenir son moi, son moi polémique à distance, hors de sa voix, de la chambre, de la ville. « Que va-t-elle faire si elle ne travaille pas ? demanda-t-elle d'une voix douce.

— Eh bien, elle a d'autres centres d'intérêt », l'informa-t-il en enfilant sa veste et en se tenant gauchement près du lit.

Je n'aurais jamais dû faire ça, pensait Dinah, ma mère avait raison... les hommes ne veulent qu'une chose et quand ils l'ont obtenue — boum, bang — sauve qui peut. Elle leva les yeux vers Rudy pendant qu'il répondait à sa question et regarda ses lèvres former ces mots : « Elle aime le jardinage et... la politique.

— Et toi », ajouta-t-elle. Et à quel point, pensa-t-elle.

« Et moi, oui, dit-il simplement. Ça l'intéresse de me rendre heureux. »

Dinah eut un geste d'incrédulité. Heureux. Heureux et Rudy, main dans la main, marchant vers le soleil. « Et ça ne t'oppresse pas ? Je veux dire, d'avoir quelqu'un de garde vingt-quatre heures sur vingt-quatre pour te rendre heureux. Tu la laisserais abandonner son travail pour qu'elle puisse flâner, faire du jardinage, parler politique et te rendre heureux ? Et elle, est-ce que tu dois la rendre heureuse aussi ? Ou bien est-ce que ça marche dans un seul sens ?

— Je pense à ce qui la rend heureuse, dit-il sombrement. Je pense à ce qui rend notre *couple* heureux. De toute façon, je suis surtout soulagé de ne plus avoir à acheter mon dîner chez le traiteur chinois.

— Eh bien..., murmura-t-elle, soufflée.

— Eh bien... », répliqua-t-il. Il y eut un silence solitaire, inévitable.

« Merci pour la démystification, dit-elle.

— Écoute, il faut avoir envie de construire une relation, et toi et moi, nous sommes plus ou moins attachés à notre carrière. Alors j'essaie juste de m'intéresser à la relation, pour une fois. »

Dinah sourit. « Nous savons très bien prendre d'assaut le château... Mais nous ne savons pas comment y habiter une fois qu'il est occupé. »

Les yeux de Rudy s'adoucirent un peu. « Ouais, dit-il. Ces conneries de bâtiments sont la plaie à chauffer. »

Pendant un instant, ils ne se regardèrent pas. Le désir de Dinah aurait pu remplir des stades entiers.

« Je pense que c'est une bonne chose que nous nous soyons vus. » Il faisait un effort pour être chaleureux.

« Je suppose que je suis plutôt en bonne forme », dit-elle à brûle-pourpoint. Souhaitant... souhaitant... mais qu'y avait-il à souhaiter ?

Rudy rit et s'éclaircit la gorge. « Tu es la seule fille que je connaisse qui se complimente elle-même. »

Dinah fronça les sourcils et soupesa cette affirmation. « Je trouve que c'est plutôt une bonne attitude. » Ils se dévisagèrent, réalisant tous deux ce qu'elle venait de dire et ils éclatèrent de rire. « Eh bien, en tout cas, j'ai intérêt à le faire moi-même, parce que Dieu sait... quand quelqu'un d'autre le fera.

— Tu fais ça depuis que je te connais », remarqua-t-il.

Leurs yeux se rencontrèrent, Dinah essayait de le toucher profondément, de réveiller une douceur dans son regard, de lui rappeler ce qu'ils avaient été, pendant la plus brève des périodes. Et ce qu'ils pourraient être encore, avec l'aide d'une équipe de professionnels dévoués.

« Penche-toi, dit-elle finalement, avec douceur. Penche-toi pour que je puisse te surmonter. »

Rudy se pencha et l'embrassa. Dinah ferma les yeux pour recevoir ce baiser comme un sacrement. « J'aimerais te rencontrer aujourd'hui pour la première fois », souffla-t-elle tendrement, une incantation magique pour lui jeter un sort.

Il se raidit et la regarda avec méfiance.

« Oh non, tu n'en as pas envie. Car si tu me rencontrais aujourd'hui, je serais complètement coincé, comme aujourd'hui. » Il se redressa.

« Non, puisque tu es complètement coincé à cause de moi, et

comme tu ne m'aurais pas encore rencontrée, tu ne serais pas comme ça.

— Possible. » Il la regarda bizarrement un instant. « J'essaierai de t'appeler demain vers deux heures, avant de partir », dit-il calmement, puis il quitta la pièce.

Dinah regarda tristement le vide qu'il avait laissé derrière lui. Elle pensait, n'en demande pas plus ou tu auras encore moins que ce que tu as déjà. Ne fais pas de vagues. Mais sur quel bateau suis-je donc embarquée si je n'ai pas le droit de faire de vagues ? Elle se posa sérieusement la question.

La galère amoureuse.

Elle était assise à l'autre bout du monde, du monde de Rudy, une paria de la terre d'amour, une exilée de la terre d'amour. Bannie. Elle avait renoncé à lui et se retrouvait de l'autre côté de cette décision, rêvant de revenir vers lui à n'importe quel prix.

Après le départ de Rudy, elle alluma la télévision parce qu'elle ne voulait pas entendre le bruit de son absence, le son de sa solitude maintenant qu'il était rentré à son hôtel pour appeler sa jalouse... sa charmante amante. Elle s'endormit en regardant *Le Grand McGinty* et rêva que Rudy était amoureux d'une Française, et qu'elle devait faire semblant de trouver cela normal.

Le matin, elle appela son amie Connie. Dinah avait appris à apprécier les conseils de Connie, pas parce qu'ils étaient judicieux, mais parce qu'ils la faisaient rire. Elle lui raconta le processus de démystification.

« Démystification, jaugea Connie. Ça ressemble à quelque chose qu'on ferait dans un garage pour laver ta voiture.

— Je n'aurais pas dû coucher avec lui. Je m'étais juré de ne pas le faire. Maintenant je vais me sentir encore plus à côté de mes pompes.

— Oh, s'il te plaît », dit Connie d'une voix traînante. « Tu n'as pas eu le choix. Tu étais foutue dès qu'il t'a dit qu'il avait une nouvelle copine. Tu étais en état de choc et il t'a ranimée en te frappant le vagin avec son pénis.

— Sois sérieuse, Connie, supplia Dinah. C'est très dur.

— Chérie, tout le monde couche avec ses ex, affirma Connie de manière apaisante. Et ceux qui ne le font pas en meurent d'envie. Tu es restée avec ce type une éternité. Tu étais furieuse contre lui, puis désespérée, puis effrayée. Maintenant, tu es les trois à la fois. Soyons réalistes, Rudy est difficile à remplacer.

— Surtout parce que personne ne l'a précédé.

— Allons, allons, tu n'étais pas vierge quand tu es tombée dans son lit.

— Non, non, soupira Dinah impatiemment. Oh, je ne sais pas. Je l'ai perdu pour toujours. Et je croyais que c'était une bonne chose. Tu comprends, je vais mieux depuis que nous ne sommes plus ensemble. J'étais si... Nous étions si... Oh, Connie, qu'est-ce que je vais faire ?

— Eh bien, le plus important, c'est que tu n'as pas besoin de te décider tout de suite. Ne fais rien, reste où tu es. Pourquoi n'allons-nous pas au club de gym pour débattre des options possibles ?

— Oh, Connie, tu es vraiment formidable, s'exclama Dinah avec gratitude.

— C'est ce qu'on dit, assura Connie magnanimement, c'est ce qu'on dit. »

Dinah et Connie étaient assises dans le sauna du club de gym coréen downtown. L'écran d'une télévision qui passait un mélodrame asiatique brillait dans un coin. Le son était coupé. Deux petites Coréennes se tenaient à l'autre bout du banc en bois, l'une assise en tailleur avec une serviette sur la tête.

« En attendant l'exécution », murmura Dinah tandis qu'elles s'asseyaient. Connie sourit et baissa la tête. La Coréenne sans serviette regardait le mélodrame muet.

« Alors, comment était le sexe ? demanda Connie, en glissant sa serviette sous ses fesses.

— Bon, répondit Dinah. Triste et bon. »

Connie éclata de rire. « J'ai cru longtemps que le sexe n'était pas bon s'il ne s'y mêlait pas un peu de tristesse.

— Eh bien, c'était un peu plus de tristesse que d'habitude pour un certain nombre de raisons. L'une, et non des moindres, c'était que j'avais dû enfermer Tony dans la pièce à côté et comme il a l'habitude de dormir avec moi, il est resté assis près de la porte en gémissant. Ce qui donnait un effet tragique indéniable à la situation.

— C'est la première fois que tu fais l'amour depuis que tu as Tony ? demanda Connie. Il a presque un an, non ?

— Dix mois, corrigea Dinah. Je l'ai eu quand il avait six semaines... souviens-toi, c'était le moment où je rompais avec Kevin. Ça fait à peu près sept ou huit mois. Ouais, je n'avais pas fait l'amour depuis huit mois... Est-ce que c'est terrible ? Non, ce n'est pas terrible. Avec qui coucherais-je ?

— Ce n'est pas terrible, Di, c'est juste long, remarqua Connie. Rien d'étonnant que cet épisode ait eu un tel impact sur toi. J'espère que tu te masturbes ou que tu fais quelque chose.

— Je ne me masturbe pas.

— Jamais ?

— Une fois », admit Dinah. La Coréenne s'enveloppa dans sa serviette et sortit du sauna. « J'espère que ce n'est pas à cause de ce que je viens de dire, commenta Dinah en la regardant.

— La plupart des Coréennes se masturbent au moins deux fois avant d'atteindre la trentaine, plaisanta Connie.

— Je vois.

— Je suppose que tu n'as pas aimé ça.

— Quoi ? Oh, la masturbation. Non, ça n'est pas vraiment ça. Mais il m'a fallu huit heures pour avoir un orgasme et même si c'était plutôt bien, je n'ai pas eu l'impression que cela méritait un tel investissement.

— Huit heures, c'est trop long », confirma Connie tout en regardant le mélodrame qui passait à la télévision. « Tu n'as pas fantasmé ?

— Au début, si. Au début, j'ai imaginé que j'étais quelqu'un d'autre. Que ma main était autre chose. Mais finalement je me suis rendu compte que ce n'était que moi. Les hommes ont de la chance, tu sais. Ils attrapent des érections dans les bus, se réveillent avec une érection. Le pénis est... le pénis est un organe. Le vagin est un semi-organe. »

Connie secoua la tête, éberluée. « Qu'y a-t-il de plus

drôle que les *humains,* je voudrais bien le savoir. » Elle arrangea sa serviette. « Mais, attends un peu, revenons-en au rapport Rudy.

— Je n'aurais pas dû lui parler du cygne noir de l'enfer, avoua Dinah avec une légère grimace.

— Pardon ?

— Rien », souffla Dinah en essuyant la sueur qui perlait sur son dos. « Juste une connerie que je lui ai dit qui révélait en partie mes sentiments.

— Donc vous avez discuté de votre petite aventure ?

— Notre aventure bénie des dieux, tu veux dire ? Non, non, nous n'en avons pas parlé. Et je pense que c'est mieux ainsi.

— C'est *effectivement* mieux. Ne rien dire entretient les tensions. Et tu as toujours besoin d'un peu de tension supplémentaire. »

Il faisait chaud. Le genre de chaleur sur laquelle on pouvait quasiment accrocher un tableau. Un petit tableau. Elle pesait de tout son poids sur Dinah et Connie.

Une femme se leva, les fesses tournées vers Dinah, pour changer la chaîne de la télévision. Dinah se pencha vers Connie et dit doucement : « Je pense que quelqu'un devrait nous présenter. »

Connie éclata de rire. « Ce serait le minimum. »

La femme se pencha un peu plus ; ses fesses se rapprochèrent du visage mi-figue mi-raisin de Dinah. « Et puis, peut-être que je pourrais lui présenter ma famille. »

Connie expliqua : « Quand ma sœur va chez le gynécologue, avant qu'il introduise quoi que ce soit — y compris lui-même — à l'intérieur de son corps, elle dit, jambes grandes ouvertes . " Docteur, pourriez-vous au moins m'embrasser ? " J'étais chez le gynéco cette semaine et il m'a fait un examen rectal qui a duré si longtemps que j'aurais pu me lancer dans une relation passionnée et la rompre — et même ainsi, l'examen n'aurait pas encore été terminé. J'avais envie de lui dire : " Hé, qu'est-ce que vous cherchez exactement ? Peut-être que je peux vous aider. "

— Je sais. Au moins, les hommes ont la chance de subir ça de dos. Ils font face au docteur simplement pour les problèmes de toux.

— Tandis qu'avec nous, ils font le tour de la liste. “ Pas de grosseur au sein, la couleur des tétons semble normale. Que sentez-vous ? ” Qu'est-ce que je suis censée sentir ? Une pince en métal est coincée dans mon vagin et on introduit des cotons-tiges au plus profond de mon corps. “ L'utérus a l'air souple et de forme parfaite, les réflexes abdominaux extérieurs semblent bons, le vagin externe semble normal. ” Et pendant ce temps-là, on est allongée comme un jambon sur le point de passer au four. Comme si on n'était pas là du tout. Comme si on était dans la pièce à côté en train de boire du punch et de manger des gâteaux. »

Les fesses de la femme se déplacèrent lourdement.

« Je n'arrive pas à me souvenir, interrogea Dinah. Est-ce qu'on dit grandes mains, grosse bite ou petites mains, grosse bite ?

— Grandes mains.

— Tu es sûre ?

— J'ai toujours eu envie de dire, petite lèvre supérieure, énormes couilles. Ou au moins une énorme couille.

— Ou bien, pas de tête, pas de bite.

— Ça, c'est vraiment très zen.

— Il faut que je sorte d'ici. »

Dinah se leva et poussa la porte de bois, sa serviette soigneusement drapée autour d'elle. Connie la suivit, ses longs cheveux blonds plaqués contre sa tête et son cou. La grande pièce du hammam était en carreaux roses bordés d'une frise marron. Il y avait trois piscines, chacune à une température différente, une chaude, une bouillante et une glacée. Deux grandes dénivellations au centre de la pièce permettaient aux femmes de s'asseoir avec des brosses et du savon pour se laver.

Dans un coin, il y avait trois douches, dans un autre, quatre tables de massage. Des Coréennes en soutien-gorge et en culotte étaient là pour vous faire un massage ou gratter la couche supérieure de votre épiderme au gant de crin. Puis, elles vous lavaient avec du lait et vous faisaient un masque de beauté. Dinah et Connie entrèrent dans la piscine de chaleur normale. Une femme flottait non loin d'elles, sa tête seule émergeait, les yeux clos.

Sur les murs au-dessus des *jacuzzis*, on pouvait lire des

instructions, toutes écrites en coréen, sauf pour les mots « service d'eau Culligan » et « cancer de la peau ».

« Je pense que j'ai aimé Rudy plus qu'il ne m'a aimée. Pas au début mais à la fin. A la fin, je l'aimais davantage.

— Ce n'est pas ça... je pense que Rudy t'aimait autant. La différence c'est que tu avais besoin de son approbation, et lui pas.

— Comment pouvait-il m'aimer sans avoir besoin de mon approbation ?

— Peut-être que c'était sa manière de te tenir. Et toi tu voulais qu'il approuve même la raison pour laquelle tu l'as quitté. C'est comme les gens qui vous appellent pour dire : " Je vais me suicider ", espérant qu'on va les en dissuader. Tant qu'il t'a refusé son approbation, tu étais paralysée. J'ai toujours pensé qu'il ne te faisait pas confiance et qu'il pensait que s'il t'approuvait, tu t'en irais. Mais maintenant, je crois simplement qu'il n'était pas capable de t'aimer sans te critiquer. Pas mal de gens sont comme ça. Tant que tu devais briser son ambivalence apparente, tu étais clouée sur place. Tu étais sa curiosité. Une curiosité qui essayait désespérément de devenir une passion. »

Dinah soupira. « Je me revois assise devant lui en train de dire : " Regarde comme je suis drôle, comme je suis jolie, comme je suis intelligente. Aime-moi, aime-moi. Oh, s'il te plaît, aime-moi. " Un orgue de Barbarie à la place du corps et un singe à la place de la tête.

— Tu es bien atteinte.

— Je suis peut-être atteinte, mais je ne suis pas si bien que ça. » Dinah commença à sortir de la piscine, puis changea d'avis et y rentra à nouveau. Elle retint sa respiration et plongea la tête sous l'eau. Puis, elle ressortit.

« Alors c'est tout pour le rapport Rudy ? reprit Connie. Tu as dit quelque chose à propos d'un cygne, il t'a parlé de sa nouvelle copine, tu as couché avec lui et puis tu m'as appelée ? Je suis sûre qu'il doit y avoir d'autres choses à raconter.

— Que dire de plus ? Je l'ai vu, il m'a dit qu'il avait une nouvelle copine, parfaite. J'ai couché avec lui et maintenant il est en route vers les Hamptons pour redevenir le centre d'attention de Mlle Lindsay. Tu aurais dû voir son visage quand il m'a raconté comme elle était gentille avec lui.

— Dans ma région, il y a un dicton : " Si tu ne peux pas être intéressante, sois gentille. " Chérie, tu es beaucoup mieux sans lui. Regarde comme tout a bien marché pour toi ces dernières années.

— Bien marché ? Je suis toute seule.

— Oh, allons, Dinah, ne sois pas injuste, affirma Connie. Ce n'est pas parce que tù n'as pas trouvé quelqu'un que rien ne s'est passé. Tu as eu des occasions tout de même. De toute façon, les hommes ne sont pas la seule chose qui compte.

— Ne leur dis jamais ça, assura Dinah. Quel est l'autre dicton que tu m'as appris ? " Les hommes se définissent par leur travail, les femmes par leurs hommes. "

— Je t'ai dit ça à propos de Chuck, nuança Connie, quand tu t'étais disputée avec lui. Pas à propos de toi et Rudy.

— Oh, ces dictons marchent quand *toi* tu en décides ?

— Ce sont *mes* dictons », déclara Connie d'un ton boudeur, le nez dégoulinant de sueur. « Ecoute, Dinah, tu sais que j'aime bien Rudy. Je l'ai toujours aimé... mais je ne l'aime pas pour *toi*. Et je ne pense pas que toi non plus, tu l'aimes pour toi, simplement tu n'aimes pas l'idée qu'il soit à quelqu'un d'autre. Surtout pas en ce moment, quand sa carrière marche bien.

— Ça n'est pas exactement ça. C'est vrai que je n'aime pas l'idée qu'il soit à quelqu'un d'autre, mais c'est parce que je n'ai pas réussi à l'oublier, pas parce que je suis jalouse de sa nouvelle copine. Et sa carrière marche toujours bien.

— Tu sais ce que je pense ?

— Non, mais je suis sûre que tu vas me le dire.

— Je pense qu'il est dangereux que tu n'aies rien à faire. Je pense que cette grève t'affecte très profondément. Je pense que cette redécouverte de la place que Rudy tient dans ta vie est en grande partie liée à ton manque de travail et au fait que tu n'as pas d'activités créatrices en ce moment. Toute l'énergie que tu consacres normalement à écrire des soap operas est maintenant libre de s'investir dans les fantasmes les plus fous. Tu as tout ton temps et toute cette énergie que tu dépenses en te créant des petits mélodrames. Pourquoi ne suis-tu pas le conseil que je t'ai donné au début de la grève... termine une de tes nouvelles, écris un scénario...

— Je ne veux pas être une briseuse de grève, expliqua Dinah.

— Dinah, tout le monde écrit des scripts en ce moment. Pas forcément de façon officielle ou pour un producteur. L'année prochaine, il va y avoir une énorme production.

— Je n'arrive pas à écrire des scénarios. C'est trop dur. Je ne suis pas assez bonne.

— Alors, trouve-toi un partenaire de travail qui contrebalance tes points faibles, argumenta Connie. C'est ce que je fais avec Lorraine. Nous avons abattu un travail formidable pendant cette grève. C'est dangereux de ne rien faire.

— Je ne fais pas *rien*, gémit Dinah.

— Vraiment ? Que fais-tu ?

— Je... je prends un cours de massage à Santa Monica trois fois par semaine, j'ai mes cours de yoga et je pensais m'inscrire à ce... séminaire de scénario à la fin du mois. »

Connie regarda simplement Dinah. « Tu sais très bien de quoi je parle. Je trouve ça bien que tu aies ces activités, mais aucune d'entre elles ne t'absorbe suffisamment... tu vois ce que je veux dire ?

— Tu penses que si j'écrivais une nouvelle ou un truc de ce genre, j'irais mieux ? Et je suis censée écrire sur quoi ? Ma vie au ralenti ? La manière avachie dont je passe mes journées comme un gros cafard ?

— Alors qu'est-ce que tu veux faire ? Te créer des problèmes anecdotiques pour avoir quelque chose à écrire ?

— Parler de son expérience est toujours plus intéressant, parler de ce que l'on connaît.

— Et ton imagination ? Et tes expériences passées ? Tu penses que faire de ta vie un laboratoire où tu réalises tes expériences est...

— Je n'ai pas revu Rudy pour pouvoir écrire sur lui ! s'exclama Dinah. C'est lui qui m'a appelée ! Et je ne veux pas écrire ! Je ne veux rien faire. Je veux simplement partir loin et lire. Pas écrire. C'est mon boulot d'écrire ; pourquoi devrais-je écrire pendant que je suis en vacances ? Ou en grève ?

— Partir où ? demanda Connie, soupçonneuse. Tu ne penses pas aller sur la côte Est par hasard, hein ?

— Non, pas du tout, assura Dinah avec emphase. Et même si j'y pensais, ça ne serait pas forcément pour voir Rudy. J'ai vécu dans l'Est un certain temps. Je pourrais avoir d'autres raisons pour y aller que ce type. »

Il y eut un silence. Connie regarda Dinah. « Promets-moi simplement de ne rien faire d'idiot avant de m'en parler d'abord.

— Connie, je ne vais rien faire d'idiot.

— C'est ce que tu crois. Promets-moi simplement, Dinah, que tu me parleras avant de faire quoi que ce soit d'*important.* »

Dinah haussa les épaules de manière désinvolte. « D'accord.

— D'accord quoi ?

— *D'accord,* lâcha Dinah, exaspérée. Je te promets que je te parlerai si je fais quoi que ce soit d'*important.*

— *Avant,* supplia Connie.

— Avant, avant, O.K. ? Est-ce qu'on peut aller se faire masser maintenant ? »

Dinah rêvait qu'elle roulait dans un lit avec Rudy. Ils étaient dans les bras l'un de l'autre, et ils riaient, s'embrassaient, se taquinaient. Dinah remarquait soudain qu'il y avait quelque chose dans leur lit. Rudy se levait pour aller dans la salle de bains, Dinah baissait les yeux et se rendait compte que le lit était couvert de petits animaux en bois, des personnages de l'arche de Noé. Elle commençait à déblayer les draps en jetant les jouets par terre. « Rudy, criait-elle en riant. A qui sont ces jouets ?

— Quels jouets ? » demandait une voix d'homme, une voix qui n'était pas tout à fait celle de Rudy. Un visage sortait de la salle de bains, souriant. C'était celui de Joshua Souther, l'acteur qui jouait Blaine MacDonald dans *Désir du cœur.* L'acteur qui tenait le rôle de Rudy.

Dinah se réveilla en sursaut. Connie était allongée sur une table à côté de la sienne, le visage couvert de miel et de concombre, le corps imbibé d'huile. Elle lança à Dinah le regard de quelqu'un qu'on prépare pour le sacrifice. Sacrifiée au grand King Kong. Ointe d'huile, bichonnée et pomponnée. Présentable pour le mariage, pour le sacrifice au Grand Singe que sont tous les hommes. Fiancée du Christ, Mme King Kong de la pleine lune, ô tourne ta lumière glorieuse vers moi !

Une énorme femme se frayait un chemin vers la table à côté de celle de Dinah, une fiancée pour King Kong, plus grosse. La femme était coréenne. Elle s'allongea sur la table, ferma les yeux et commença à fredonner une mélodie pendant que la masseuse peinait pour l'enduire d'huile et de miel, de tout ce qui recouvrait aussi les corps de Dinah et de Connie. La chanson que fredonnait la grosse dame ressemblait à *Que sera,* aussi Dinah se mit-elle à chanter avec elle. Connie reprit en chœur, la grosse dame et les masseuses en soutien-gorge et en culotte éclatèrent de rire et continuèrent à les masser en rythme.

Quand j'étais une petite fille
Je demandais à ma maman
Que serai-je en grandissant ?
Serai-je riche ?
Serai-je jolie ?
Voici ce qu'elle m'a dit :
Queeeee sera, sera...

Comme elles attaquaient le dernier refrain, Dinah sut qu'elle partirait sans doute pour les Hamptons.

Des pensées de *que sera, sera* traversaient la tête de Dinah, en route pour Dieu sait quelle catastrophe. « Quelle heure est-il ? » demanda-t-elle soudain. Mon Dieu, quelle heure était-il ? Elle était en train de rêvasser... et si elle ratait son coup de fil ? Rudy était censé appeler. Maintenant ou bientôt. Il fallait qu'elle rentre chez elle. Quelle heure avait-il dit ? Elle le savait parfaitement. Deux heures. « Quelle heure est-il ?

— Une heure moins le quart, répondit Connie. Pourquoi ? Que se passe-t-il ? Tu as quelque chose à faire ?

— J'attends un coup de fil, confirma Dinah en se rhabillant. Rudy a dit qu'il m'appellerait avant de partir. »

En fait, il avait dit qu'il essaierait d'appeler. Comment *essaie-t-on* d'appeler ? Elle l'imagina tendant la main vers le téléphone sans pouvoir l'atteindre, composant le numéro sur le cadran, mais les touches ne s'enfonçaient pas.

Elle quitta Connie sur le parking, elle se sentait revigorée et seule.

« Ne fais rien...

— Au revoir, Connie. Merci », l'interrompit Dinah.

Tandis que Dinah marchait vers sa voiture, Connie l'appela. « Mets-toi bien ça dans la tête, Dinah, les gens qui gagnent plus de quatre cent mille dollars par an ne changent pas. » Dinah se retourna. Connie continua : « Et Rudy gagne bien plus que ça.

— Et moi beaucoup moins, c'est ça que tu veux dire ? »

Connie ouvrit sa portière. « Pas beaucoup moins, mais moins. »

Dinah mit la main devant ses yeux pour se protéger du soleil et mieux voir Connie. « Qu'est-ce que tu veux dire, que c'est moi qui dois changer ? »

Connie se glissa dans sa voiture et cria : « Je dis que lui *ne changera pas*. »

Dinah fonça chez elle, attendit le coup de fil de Rudy et, comme il ne venait pas, fit ses valises, ferma sa maison, prit son chien, remplit sa voiture et se dirigea vers l'aéroport pour attraper un avion pour l'Est. Elle commença sa course, sa fuite frénétique vers la côte la plus vieille, la plus sédentarisée des Etats-Unis, le berceau de Rudy et de sa femme enfant, le jardin où elle s'occupait de ses fleurs, les disputes qu'ils n'avaient jamais, les nuits qu'ils partageaient, les sommeils profonds, les baisers encore plus profonds, le paradis. Dinah mourut (un peu), et pensa au vol de nuit Los Angeles-New York qui l'envoyait tout droit vers le paradis. L'autoroute grise s'étendait devant elle jusqu'à l'aéroport, une rivière d'asphalte qui se vidait dans l'océan d'amour de Rudy, une mer en forme de cœur où il flottait avec Lindsay... heureux... heureux... Porté par un courant d'air, léger, la flèche d'un avion pénétra dans le cœur des Hamptons, attirée désespérément par le monde de Rudy, plus loin, toujours plus loin à l'intérieur des lignes, entre les lignes... les lignes ennemies... *que sera, sera*... l'ex-Mme King Kong prend l'avion.

La minuscule araignée mâle s'approche de son énorme partenaire et commence la copulation. La femelle dévore le mâle dans un élan de cannibalisme amoureux. Elle lui déchiquette la tête et n'épargne que ses organes génitaux. La tarentule mâle a une paire d'appendices courbes sur ses pattes de devant avec lesquels elle maintient ouvertes les mâchoires de la femelle pour ne pas être décapitée pendant l'accouplement.

8

DINAH entra dans Southampton en fin de matinée au volant de sa banale voiture de location. Elle passa devant une épicerie, une boutique Elizabeth Arden, une bibliothèque, des voitures, des arbres, des gens... Elle tourna à gauche sur l'autoroute en direction d'East Hampton. Le choix des stations de radio devenait maintenant plus limité. Elle tomba sur *Moondance* de Van Morrison. Une chanson idéale pour une petite pièce, pensa-t-elle tandis que le paysage se déroulait devant elle, paisible et estival. Elle monta le son et se glissa dans la musique, la laissant se lover autour de sa tête, se calant entre une voix et une guitare. Des maisons de bois, l'eau scintillante, les herbes folles, les plages, les arbres. Elle s'enfonça dans Long Island vers East Hampton, vers Amagansett... attirée comme un aimant vers le bonheur de Rudy. Traînée par une corde invisible vers ce nouveau paradis conjugal. Rudy en vacances avec Lindsay... Il écrivait une nouvelle pièce, la dédiait à Lindsay. Celle-ci lui préparait des petits plats, le nourrissait, le rassasiait, le consolait, l'embrassait... C'était vraiment trop. Dinah chercha une chanson musclée pour disperser ses pensées. Elle trouva finalement *Sultans of Swing* et mit le son à plein volume tandis qu'elle fonçait sur l'autoroute en direction de l'inconnu.

Où qu'elle regarde, il y avait des couples. Main dans la main, souriants, ignorants du monde, perdus dans leur bonheur. Les couples semblaient se former continuellement comme si le déluge menaçait à nouveau d'éclater de manière imminente.

Dinah monta encore le son de la musique, écoutant pour deux. Elle quitta son monde et pénétra dans celui de Rudy.
Une mouche prisonnière de son pot de confiture.

L'enthousiasme de Rudy pour ses semblables était limité, fini. Et quand il s'évaporait, Dinah reniflait ce qu'elle avait surnommé « la puanteur des marais ». Quand l'odeur se faisait sentir, quand Rudy, presque joyeusement, renonçait à communiquer avec les autres, elle essayait simplement de disparaître de son champ de vision. S'il vous apercevait une fois que la puanteur s'était installée, on pouvait discerner une lueur critique dans son regard. C'était un solitaire qui parfois se mêlait aux hommes pour leur faire don de sa présence. Mais au bout du compte, il devait retourner à sa solitude, laissant les gens se noyer dans le bouillonnement de son sillage.

Comme il avait un travail solitaire, son besoin des autres finissait par descendre à marée basse puis se desséchait. Et quand la période de sécheresse commençait, Dinah devait plier bagages. Il lui arrivait fréquemment de mal calculer son départ et de subir les coups de sa disgrâce. Elle sentait qu'elle avait, pour Dieu sait quelle raison, fait quelque chose de mal. Elle avait parlé trop fort ou trop longtemps, était arrivée en retard, avait trop dormi, trop regardé la télévision, avait trop d'amis, de prétendus amis qui appelaient trop souvent. Elle aimait raconter que quand Rudy décrochait le téléphone et que l'appel était pour elle, il la regardait comme si elle venait de tuer un flic dans le salon.

Elle ne savait pas pourquoi les gens tombaient parfois amoureux l'un de l'autre. Peut-être simplement parce qu'ils étaient prêts, une porte était ouverte et quelqu'un s'y engouffrait, pénétrait dans vos systèmes, mélangeait ses hormones aux vôtres. Soudain, vous étiez sens dessus dessous et seul ce quelqu'un pouvait vous remettre d'aplomb. Vous vous épanouissiez sous son soleil, vous viviez conformément à sa loi. Vous vous accordiez à sa vibration, vous arriviez à son coup de sifflet ultrason que personne d'autre ne pouvait entendre. Tout ça parce que votre fleur généralement close s'était ouverte le jour où son rayon de soleil s'était posé sur vous et vous ne pouviez plus dès lors aller vers quelqu'un d'autre. C'était injuste, problématique, dévalorisant, dégradant, stupide. Vous étiez soumise à lui pour toujours, à sa volonté, à sa chaleur. Courbée et soumise.

Elle entra dans Amagansett vers midi. « Le village d'Amagansett, fondé en 1790 ». Elle aperçut plusieurs agences immobilières tandis qu'elle traversait la ville et s'arrêta devant la seconde sur la droite, parce qu'elle avait un parking. Un panneau indiquait « Locations d'été », mais toutes les agences immobilières affichaient le même.

Dinah gara sa voiture, laissant un Tony désespéré sur le siège avant ; elle grimpa le petit escalier et ouvrit la porte en verre coulissante qui donnait dans l'agence. Une grosse fille était assise derrière un bureau.

« Bonjour, commença Dinah. Euh... je veux louer une maison, je crois. »

Le sourire de la fille était sérieusement noyé dans la graisse. « Bien sûr, venez, vous allez consulter un de nos agents. » Elle guida Dinah vers une grande pièce ensoleillée où se trouvaient plusieurs bureaux en aluminium et des grands meubles à tiroirs. Un homme d'une cinquantaine d'années, assis dans un coin, était en train de téléphoner. Deux femmes, chacune à un bout de la pièce, étaient elles aussi suspendues au téléphone. La réceptionniste conduisit Dinah jusqu'à l'homme. Il portait des lunettes et avait de grandes dents de lapin que ses lèvres n'arrivaient pas à couvrir bien longtemps. Une plaque sur son bureau indiquait qu'il s'appelait Barney Shout. Barney fit signe à Dinah de s'asseoir sur l'une des deux chaises qui faisaient face à son bureau. La grosse fille forma silencieusement le mot « location » avec ses lèvres et il hocha patiemment la tête. La fille disparut, Dinah s'assit et écouta Barney finir sa conversation téléphonique.

« Eh bien, réfléchissez aux possibilités de rallonger la saison, disons jusqu'à octobre. Parce que, comme je vous l'ai dit, ils sont intéressés... hein-hein... certainement... prenez votre temps... parfait, je vous rappellerai en fin de semaine... bien sûr... encore merci, Mme Adelson... » Il fit un grand sourire de lapin d'une taille presque audible à l'intention de Mme Adelson et reposa avec amour le combiné du téléphone, déplaçant graduellement son énorme sourire vers Dinah. Il se leva légèrement et lui tendit la main. « Barney Shout », dit-il aimablement tandis que Dinah lui serrait la main. Celle-ci était froide.

« Dinah Kaufman », annonça-t-elle d'une voix sérieuse.

Barney se rassit. « Eh bien, que puis-je faire pour vous ?

— Eh bien, commença Dinah, indécise, je voudrais louer une maison.

— Bien sûr, répliqua Barney avec aisance. Vous vous rendez compte que la saison est bien avancée. La plupart des locations sont déjà réservées.

— Oui, je sais. C'est un peu une décision de dernière minute. Je pensais que je pourrais peut-être bénéficier des soldes ou de quelque chose dans ce goût-là. »

Barney se mit à rire. « Peut-être bien, peut-être bien. » Il ouvrit un gros listing. « Voyons ce que nous avons à vous proposer. » Il fronça joyeusement les sourcils. « Quel prix comptez-vous mettre ? »

Dinah fit la moue. « Je ne sais pas. Quel est le prix moyen... d'une location... ? »

Barney sourit et humecta ses lèvres trop petites. Il portait une chemise écossaise et une veste. « Le prix pour la saison varie de quelques milliers de dollars à soixante-quinze mille dollars. Tout dépend de la taille, de la vue, de la piscine, vous comprenez.

— Soixante-quinze mille dollars ! s'écria Dinah sur un ton théâtral. On peut pratiquement *acheter* une maison pour soixante-quinze mille.

— Pas une très jolie maison, souligna tristement Barney. Mais ça peut effectivement représenter un bon acompte.

— Ou le prix de plusieurs voitures. Ou les dépenses quotidiennes d'un ménage pendant plusieurs années.

— Si je vous comprends bien, vous souhaitez quelque chose à bas prix ?

— Vous me comprenez bien. Je ne réalisais pas que les tarifs étaient aussi élevés. Je suis venue ici plusieurs fois avec mon ma... ami, mais c'était toujours lui qui payait. Vous comprenez, vous savez, je n'ai jamais pensé à lui demander le prix de la location. Mon Dieu. »

Elle se disait maintenant qu'elle aurait dû demander une pension alimentaire à Rudy. Non... pas demander... lui faire un *procès*. Un procès pour dommages et intérêts. Mais alors, il aurait eu une bonne raison de se plaindre : Dinah la dépendante. Dinah la sangsue. Pourquoi voulait-elle une pension ? Elle gagnait correctement sa vie. Pourquoi ? Je vais vous dire pourquoi. Parce que, dans ce cas, elle aurait eu aujourd'hui de l'argent. Assez d'argent pour louer une maison à côté de celle de Rudy et de sa nouvelle amie, et elle aurait pu donner des soirées fastueuses, bruyantes. Des soirées de pension alimentaire. Elle aurait tenu le rôle du charmant Gatsby. Gatsby la-pas-tout-à-fait-magnifique. Installée de l'autre côté du Sound. Elle aurait été visible, pas transparente.

« Donc... », dit Barney sur un ton interrogateur, tirant Dinah de sa rêverie. Il avait croisé les mains sur son bureau, sa chemise écossaise lui bridait les épaules de manière peu flatteuse.

« Donc, disons quelques milliers de dollars. Le moins possible. Oh, et j'ai aussi un chien avec moi. Un petit chien.

— Eh bien, voilà qui limite encore les possibilités. » Il fronça les sourcils et se plongea dans son listing. Dinah attendait, ayant l'impression d'être dans le bureau du proviseur. Barney atteignit les dernière pages de son classeur. « Voyons ce qu'on trouve à Springs.

— Où est Springs ? demanda Dinah.

— C'est un Hampton. Un Hampton plus ou moins bon marché.

— Le Hampton du pauvre », murmura Dinah.

Barney sortit quatre ou cinq fiches de son listing. Il emmena Dinah faire le tour de Springs dans son Eldorado beige. Ils visitèrent de minuscules cottages, les laissés-pour-comptes des locations d'été. Des cagibis aux linoléums déprimants et au mobilier déglingué. Entre deux visites de trous à rat, Dinah se ratatinait sur le siège de l'Eldorado en contemplant à travers la vitre le décor grisâtre. Tony, sagement assis sur la banquette arrière, la langue pendante, respirait bruyamment.

« Peut-être que je devrais essayer de vendre ma voiture pour louer quelque chose d'acceptable, dit sombrement Dinah. En fait, le prix de ma voiture représenterait à peine le tiers d'une location décente. En plus, je n'ai même pas de voiture, seulement une voiture de location.

— Allons, ne le prenez pas comme ça », la réprimanda Barney tandis qu'ils arrivaient devant la dernière option de l'après-midi. Un panneau indiquait « Cottage Salter » et ils remontèrent l'allée de gravillons. Ils étaient au bout de Fireplace Road. « Puis-je vous demander ce que vous faites dans la vie ?

— Ecrivain, répondit Dinah pendant qu'ils se garaient. Ecrivain pour la télévision », ajouta-t-elle sur un ton coupable pour qu'on ne l'accuse pas de prétendre être une artiste qui apportait une contribution irremplaçable au tiers monde.

« Vraiment ? Pour la télévision ? Quelle émission ? Si vous me permettez de poser la question. » Il coupa le moteur et lui jeta un regard inquisiteur.

« Un soap opera. *Désir du cœur.* »

Barney Shout eut un sourire radieux. « Mais, c'est formidable. Il faudra que je dise ça à ma femme. Elle regarde ces émissions toute la journée. Quel nom avez-vous dit ? »

Dinah ouvrit la portière. « *Désir du cœur,* répéta-t-elle en sortant de la voiture.

— *Désir du cœur,* entonna solennellement Barney. *Désir du cœur.* »

Plusieurs bungalows minuscules étaient disposés sur un morceau de terrain au bord de l'eau. Tout au bout, on apercevait une maison un peu plus grande que les autres, une corde à linge était accrochée à un arbre. Deux T-shirts flottaient doucement au vent. « C'est la maison de Mme Salter, dit Barney sur un ton presque confidentiel. Je vais chercher les clés. »

Barney marcha gaillardement vers la maison en faisant crisser les gravillons, la tête baissée, les yeux rivés sur ses pieds comme si cela pouvait l'aider à avancer.

Dinah resta sur le bord de la route, l'air désespérée, regardant l'eau qui brillait derrière les bungalows. J'espère que je vais aimer cet endroit, pensa-t-elle, tandis qu'un chien aboyait au loin et que des bateaux apparaissaient à l'horizon.

Barney sortit de la maison, le visage radieux. La porte se ferma derrière lui. Le soleil se reflétait sur ses lunettes. « Je les ai ! annonça-t-il, en brandissant victorieusement les clés. C'est la dernière maison sur la droite, presque au bord de l'eau. » Ils prirent le chemin couvert de gravillons et passèrent devant deux petits bungalows. « Elle avait été louée à un couple mais quelqu'un de la famille est tombé malade et ils n'ont pas pu venir, expliqua Barney. Sinon, la place aurait été prise dès le début de la saison, croyez-moi. Ces bungalows sont une véritable affaire. On est vraiment les pieds dans l'eau. »

Ils arrivèrent devant le dernier bungalow sur la droite. Seul un autre le séparait de l'eau. « C'est à deux pas de la plage », dit ce bon vieux Barney en introduisant la clé dans la serrure. Dinah trouvait qu'il ressemblait à un chiot qui remuait la queue devant une porte ouverte. « J'ai expliqué à Mme Salter que vous étiez écrivain et elle m'a dit qu'elle en recevait beaucoup. Il paraît qu'il y en a quelques-uns en ce moment. En fait, l'un d'eux habite dans ce bungalow là-bas. » Il fit un geste vague de la main pour désigner la maison voisine. Dinah se retourna à contrecœur pour jeter un coup d'œil derrière elle puis suivit l'homme-chiot à l'intérieur du cottage.

Ils entrèrent dans une minuscule salle de séjour meublée d'un sofa en tissu noir, de deux chaises en bois recouvertes de coussins beiges, d'une table sur laquelle trônait une énorme lampe rouge. Une vieille carpette jaune à laquelle il restait quelques pompons, couvrait en partie le linoléum.

Une télévision faisait face au coin canapé-chaises. Il y avait des tabourets de bar sous le comptoir. Le soleil brillait, optimiste, par les fenêtres bordées de rideaux à fleurs jaunes et marron. Une odeur d'oubli, de moisi, flottait dans l'air. Dinah regarda la poussière tourbillonner dans le rayon de soleil. L'effet général était celui d'une planque pour criminel moyennement dangereux.

« Charmant, non ? remarqua Barney, impartial, en ouvrant une porte sur la droite.

— C'est moins déprimant que les autres locations. Moins moderne. Moins proche du placard meublé », dit Dinah.

Barney, dans l'autre pièce, éclata de rire. « Placard meublé... ça, c'est pas mal. Il faut que je me souvienne de raconter ça à ma femme. *Désir du cœur* et placard meublé. Je suis dans la chambre. »

Dinah y jeta un coup d'œil. Il y avait un lit et une table de nuit sur laquelle étaient posés une petite lampe de chevet et un téléphone à cadran.

« Il y a un nouveau matelas, annonça fièrement Barney. A droite, un placard, et cette porte mène à la salle de bains. » Dinah hocha la tête. « Et la cuisine est par ici... » Il la guida hors de la chambre, traversa la salle à manger et entra dans la cuisine. Dinah remarqua qu'il avait un petit trou dans son pantalon. « Tout l'électroménager vient d'être installé. » Barney désignait la pièce d'un geste large. « Et là, continua-t-il en ouvrant une porte à côté du réfrigérateur jaune, vous avez la terrasse, où vous pouvez manger, écrire ou faire ce que vous voulez. C'est charmant et ensoleillé toute la journée. Et sans vis-à-vis. »

Ils passèrent sur la terrasse où se trouvaient une petite table de pique-nique, deux bancs et une chaise. Elle donnait en partie sur l'eau et en partie sur l'arrière d'un autre bungalow directement au bord de l'eau.

« Quel est le prix ? » demanda Dinah d'une manière aussi décontractée que possible.

Barney eut un sourire mélancolique et regarda ses mains. « J'ai peur que ce bungalow ne soit un peu plus cher que les autres à cause de la vue. »

Dinah ferma les yeux et baissa la tête. « Combien ? » demanda-t-elle avec appréhension, le nez rivé sur ses chaussures.

« Quatre mille, annonça Barney d'une voix triste.

— Quatre *mille* dollars ? Mais c'est un cagibi ! »

Barney haussa les épaules en signe d'impuissance. « Vous avez dit vous-même que c'était plus joli que les autres locations... que ce n'était pas un... placard meublé. Ce qui est mieux vaut plus cher. » Il avait l'air de s'excuser. « Vous comprenez, ce n'est pas vraiment ce qu'on appelle une *vue,* mais ça possède un potentiel formidable... »

Un homme apparut au coin de la maison, passa devant Dinah et Barney, marchant en direction de la plage ou du bungalow un peu plus loin. Dinah cessa de parler pour le dévisager. Il avait des cheveux bruns bouclés et des yeux d'un bleu intense, il était mince et de taille moyenne. Il portait un large pantalon beige clair et une chemise blanche aux manches relevées. Un livre de P. G. Woodehouse sous le bras.

« Bonjour, dit-il d'une voix chaleureuse, nerveuse. Est-ce que vous vous installez ? » Il avait un sourire magnifique, un peu gêné. Dinah se sentait clouée au sol. Il était attirant, déstabilisant et en plus inconnu.

« Oui », répliqua-t-elle sans réfléchir. Il aurait pu aussi bien lui demander la lune. Non. Oui. Elle rougit et regarda Barney. « Je veux dire, je crois que oui.

— Formidable, s'exclama le nerveux inconnu. Je m'appelle Roy. Roy Delaney. Je suis installé dans le bungalow là-bas. Nous serons voisins. » Roy semblait constamment en mouvement. Sa main passait dans ses cheveux, glissait sur sa bouche, entrait dans sa poche puis en ressortait. Il se balançait d'un pied sur l'autre. Ses grands yeux brillaient et souriaient. Il illustrait l'échelle de Richter d'un pays secoué en permanence par de minuscules tremblements de terre.

« J'ai un état d'âme qui s'appelle Roy, confia Dinah en souriant timidement. Dinah Kaufman, ajouta-t-elle.

— Barney Shout. » Barney tendit la main.

« Vous vous installez tous les deux ? » demanda Roy en saisissant la main de Barney et en faisant tomber son livre. Il serra la main de Barney et ramassa son livre. Sa main passa derrière son cou et il se balança d'un pied sur l'autre. Une épilepsie contrôlée.

« Moi ? s'écria Barney en riant. Non, non, je suis l'agent immobilier.

— Oh, oh, je vois », répondit Roy en souriant et il fit tomber une seconde fois son livre. « Oups », dit-il en le ramassant et en l'essuyant sur la jambe de son pantalon. « Eh bien... », commença-t-il en regardant Dinah avec un léger signe de tête, « bienvenue ». Leurs yeux se rencontrèrent. Ils souriaient tous les deux. Nerveux. « Voisine », ajouta-t-il en passant sa main dans ses cheveux et en se balançant d'un pied sur l'autre.

« Voisin », dit-elle en écho en lui faisant un signe de tête. Pendant un instant, ils eurent l'air de ces poupées à la tête articulée qu'on met à l'arrière des voitures. Roy leva sa main libre.

« A bientôt. » Il recula puis tourna les talons et marcha jusqu'à sa maison qui constituait l'essentiel de la vue de Dinah.

« A bientôt », salua Dinah pendant qu'il disparaissait dans son bungalow et que la porte se refermait sur lui. Dinah se tourna vers Barney qui souriait, les mains dans les poches. Elle essaya de prendre un air sévère. « Ça ne change rien au fait que c'est beaucoup trop cher. »

Barney se contenta de sourire d'un air contrit et regarda ses énormes mains.

Dinah pense que si on l'aime, elle n'a plus besoin d'aimer. Pour elle, l'amour est une activité unilatérale qui consiste en séduction et en conquête... pas en harmonie. Une fois que quelqu'un l'aime, son travail est terminé et elle continue sa route. Elle semble n'aimer que pour être aimée. Ce qui restait exceptionnel et essentiel avec Rudy, c'est qu'on ne pouvait jamais le posséder complètement. Elle lui avait dit une fois : « Je veux te conquérir. » Ce à quoi il avait répondu : « Mon cœur, tu m'as conquis il y a bien longtemps.

— Oui, avait-elle rétorqué, mais maintenant, je veux conquérir ton assurance. »

Et cela, elle n'y arriva jamais. Elle voulait avant tout l'approbation de Rudy... une chose qu'il était incapable de donner. De manière constante. De manière enthousiaste. De manière sincère. Et comme elle confondait amour et approbation, cela devint le sujet d'interminables disputes où elle déversait tous ses problèmes. Si Dinah aimait Rudy jusqu'à ce qu'il l'approuve ouvertement, elle l'aimerait éternellement.

« Tu cherches trop à recueillir les suffrages, l'informa-t-il. Je ne suis pas quelqu'un qui se perd en compliments. Je n'aime pas mentir. Tu ne peux pas vraiment y croire quand je te fais un compliment.

— J'ai toujours su que tu tenais à moi d'une certaine façon, même si je ne le *vois* pas vraiment.

— Bien sûr que je tiens à toi. Et puis, comment peux-tu faire confiance à ce que tu vois ? Quelqu'un qui exhiberait ses sentiments, tu ne lui ferais jamais confiance.

— C'est vrai », acquiesça-t-elle tristement.

Comme elle n'arrivait jamais à se sentir aimée de toute façon, elle préférait croire que quelqu'un d'autre était responsable plutôt que d'admettre qu'il s'agissait d'une déficience personnelle. Elle refusait d'accepter que ces problèmes soient son problème. Mais au bout du compte, elle savait bien, même confusément, que tel était le cas.

Dinah errait sans but dans Long Island, elle traversa Amagansett, East Hampton et prit la direction de Sag Harbour. Sur un arbre, elle aperçut un panneau peint à la main, surmonté d'une flèche, qui représentait une diseuse de bonne aventure. Elle suivit la direction de la flèche qui la mena devant un immeuble ou, plus exactement, devant la cour d'un immeuble. Le mur portait l'inscription « Parking psychique ». Elle s'imagina en train de garer sa voiture par télépathie tout en s'élevant dans l'espace au-dessus de cette inscription prophétique. Elle fit le tour de l'immeuble pour trouver l'entrée où brillait l'annonce prometteuse : « Lectures de tarots de Sag Harbour », surmontée d'une lune et d'une étoile en néon. Dinah pénétra dans une petite pièce, presque nue, meublée seulement d'un canapé beige, d'un miroir rond et d'une petite table couverte de magazines. Elle fit une estimation rapide du coût de la location. Au moins trois mille dollars par mois, conclut-elle en continuant son inspection. Un rideau de perles, dans un coin, donnait sur une seconde pièce. On entendait le son de la télévision. Dinah s'emparait d'un magazine au moment où, du rideau de perles, émergea la tête brune d'un jeune homme.

« Un moment s'il vous plaît », dit-il d'un air étonné. Sa tête disparut dans l'antre de la voyante.

Qu'est-ce que je fais ici ? se demanda Dinah. Peut-être que la voyante le saura. Elle ouvrait son magazine quand une Indienne petite et massive sortit du rideau de perles et s'approcha. Le rideau se balançait théâtralement derrière elle.

L'Indienne lui fit signe de la suivre. Dinah lui emboîta le pas, elles traversèrent un couloir, un autre rideau de perles, celles-ci dorées et couleur d'ambre qui cliquetèrent quand les deux femmes le passèrent.

Dans une petite pièce, deux chaises se faisaient face. Les deux femmes s'assirent, genou contre genou. C'était plus un cagibi qu'une pièce, la tanière de la voyante, l'isoloir des morts. Sur une étagère basse, il y avait un petit autel, un collier de couleur pastel, un jeu de tarots, des bougies. Un tableau de Jésus, accroché au-dessus de la tête de la voyante, observait tristement la scène. Dinah dévisageait la femme. Elle avait des cheveux gris métallisé et une peau brun foncé qui pendait comme si elle appartenait à une personne plus grosse, une peau de seconde main, une peau de remplacement qui s'accrochait à son visage comme un enfant timide. Ses minuscules yeux dorés étaient gardés par une imposante armée de rides. Son visage semblait presque plat, une crêpe aux yeux furtifs. Elle avait une légère moustache et des dents très, très blanches. Dinah se sentait nerveuse, elle espérait que cette expérience se révélerait efficace et bon marché. La voyante avait le sourire d'un agent double. Quelqu'un de prisonnier entre ce monde terrestre et celui de l'au-delà. Un monde jungien, un univers parallèle.

« Je m'appelle Mama », dit la femme avec un fort accent étranger en prenant un jeu de tarots. « Coupez, s'il vous plaît. » Mama prit une des moitiés du jeu coupé par Dinah et étala les cartes en éventail, figures apparentes. « Choisissez quatre cartes. » Ses yeux perçants étudiaient visiblement Dinah.

« Puis-je les regarder ?

— Bien sûr. »

Dinah choisit ses quatre cartes avec soin, comme si sa vie en dépendait. L'une représentait un homme et une femme qui tenaient un gobelet, l'autre un homme et une femme sous un arc-en-ciel, dansant avec deux enfants, la suivante une grande prêtresse et la dernière un page à l'air imposant. Dinah tendit ses quatre cartes à Mama et leva machinalement la tête vers Jésus. Elle se sentit coupable et détourna les yeux.

Mama étudia les cartes. « Tu vivras longtemps », annonça-t-elle.

Bon, pensa Dinah, bien. Au moins, une bonne chose de faite, réglée une fois pour toutes, annoncée par les cartes. Elle fit une légère grimace.

« Tu es en bonne santé. »

Dinah sourit, quasi un sourire de rescapée. Ça ne se passe pas trop mal, se dit-elle.

Mama la dévisagea, impassible. « Tu souris à l'extérieur, mais il y a de la tristesse en toi. »

Oh, bon, nous y voilà, pensa Dinah. Je peux me préparer pour une vie longue, saine et triste. Parfait.

« Tu comprends ? » demanda Mama avec intensité.

Dinah hocha la tête d'une manière qu'elle espérait solennelle.

« Tu es seule, dit Mama. Compris ? »

On ne pouvait pas être plus clair. Dinah hocha la tête.

« Au-dessus de toi, tout est sombre... un nuage... compris ? »

Dinah fit un hochement de tête, le plus minuscule possible. Mama ne le remarqua pas. « Quelle est ta date de naissance ? »

Dinah la lui donna.

« Tu es née au vingt-septième degré de ta planète. Ce degré est très intéressant. Le point juste au milieu du vingt-sixième et du vingt-septième degré est appelé le degré Pléiade. Ceux qui sont nés au vingt-septième degré de leur planète sont nourris par notre étoile commune, les Pléiades. Les Pléiades sont ma source ancestrale. Le peuple de l'Etoile vient de cette source. Cela signifie d'abord que tu es une très vieille âme, que tu as beaucoup voyagé et que tu es en accord avec les forces célestes d'une manière plus intense que les autres. Ça n'est pas facile car tu es vraiment seule et vraiment unique. Tu viens d'un endroit différent, c'est pour cela que tu n'as pas de frères et sœurs avec qui parler. Tu as accepté de venir sur cette terre mais tu n'étais pas forcée de le faire cette fois-ci. Quand nous sommes ici, nous sommes pris au piège. Nous voulons goûter les extrêmes, ce que les êtres célestes ont enseigné aux gens de l'Etoile, pendant leur séjour en Atlantide. »

Oups, pensa Dinah. Nous y voilà. La bombe vient de tomber. La bombe spirituelle. L'Atlantide. D'accord.

Mama continua. « Ils étaient censés éduquer les gens de l'Etoile et élever leurs consciences, et ils ne devaient pas avoir de contact physique avec eux. Mais le don de cette planète est la chair et la chair est une autre forme d'expérience. L'expérience pour toi est si profonde... profonde... tu ressens tout si intensément. Tu fais des choses extrêmes pour pouvoir les ressentir extrêmement. Tu es un professeur et tu enseignes comme le font les mauvais parents. Tu enseignes ce qu'il ne faut pas faire. A toi-même. C'est la force que tu as choisi de représenter. Ce n'est pas une mauvaise force, mais elle apparaît à l'envers. La lune... » Elle réfléchit. « Tu es l'un des êtres de la Pléiade, les êtres de la corne, ils en font deux fois plus que les autres, car il y a deux êtres qui se déchirent en eux. Tu es comme Kali, la déesse de la destruction ; tu fais toutes ces choses intenses ; il te faut du temps pour comprendre cela. Tu ne recevras pas le pouvoir de discernement avant d'atteindre la quarantaine et tu n'as pas quarante ans, si ? »

Dinah secoua la tête : « J'ai vingt-huit ans.

— Ah », continua Mama, en hochant lentement la tête, comme si le dernier morceau du puzzle venait de se mettre en place, « tu es dans ton retour de Saturne.

— Qu'est-ce que c'est mon retour de Saturne ?

— C'est une période où ta vie est sens dessus dessous, complètement. Tout est remis en cause. Beaucoup de changements.

— Ah. » Dinah n'y croyait pas vraiment, mais c'était intéressant et si par hasard cela s'avérait, elle pourrait toujours dire qu'elle avait survolé le problème. Il valait mieux flirter avec le spirituel au cas où le peuple de l'Etoile, l'Atlantide et les dieux existaient réellement.

« Quand tu atteindras quarante ans, tu seras capable de comprendre les choses d'une manière différente et alors tu pourras les regarder avec plus d'humour. Ton nœud nord est en Scorpion, aussi pouvoir, pouvoir, beaucoup de pouvoir. »

Dinah l'interrompit. « Mon nœud nord ? » Mama hocha la tête. « Formidable. Je me demandais justement où était mon nœud nord. Ça fait des siècles que je ne l'ai vu. »

Mama sourit. « Tu aimes tant t'amuser. Tu es venue sur terre parce que tu voulais t'amuser. Tu as un esprit supérieur et tu aimes les gens qui ont un esprit supérieur. Les artistes. Ceux qui ont une philosophie de l'âme. C'est une telle danse de pouvoir, une telle danse de pouvoir. Et parce que c'est le dixième degré, tu es vraiment forte pour une femme. Bien que tu sois petite, délicate et belle. »

Dinah rougit en souriant. Tout ça, espérons-le, pour un prix modique.

« Tu es si forte, les hommes aimeraient avoir cette force. Aussi, il te faudra un homme fort pour contrebalancer ton pouvoir. Et pourtant, beaucoup d'hommes doux viendront à toi.

— Des hommes doux, commenta Dinah. Beaucoup d'hommes doux. Ugh.

— Et cela ne te satisfait pas en tant que femme, parce que tu te sens trop dure. La relation qu'il te faut t'attend plus tard. Tu n'es pas censée passer ta vie toute seule. La danse de la terre ne t'est pas donnée facilement. Tu cherches un partenaire, un compagnon mais tu deviens plus souvent roi que reine. Ce qui frustre ta féminité. Ton signe est terriblement fort. Il y a un feu brûlant en toi. Tu es si extrême. Je te vois en train de t'arracher les cheveux et de déchirer tes vêtements. Et je te vois en train de dire : " Comment ai-je pu faire ça ? Comment est-ce possible ? C'est si merveilleux. Où est mon compagnon ? " Tu as réveillé des forces puissantes, ancestrales. Tu dois étudier la médecine de la mygale. »

Dinah acquiesça. « D'accord. Y a-t-il une école de médecine mygale dans le coin ?

— Toutes les femmes rêveuses honorent l'araignée. La veuve noire est tellement importante. Tu sais, le mâle mygale, s'il est intelligent et rapide, peut engrosser la femelle sans perdre sa vie. Ça peut arriver, mais... il y a un partenaire qui comprend ce que tu fais, ce que tu tisses. Avec Uranus en Lion onze, tu dois pouvoir réaliser des choses révolutionnaires dans le cinéma. Tu es instinctivement au bon endroit au bon moment ; tu as trouvé cette force quand tu es entrée dans ton corps. Tu n'es pas à toi, tu ne t'appartiens pas, tu appartiens au monde et c'est une des raisons pour lesquelles tout est si compliqué. Au fond de toi, tu te sens mieux si tu appartiens à quelqu'un. Mais tu ne peux garder personne au fond de toi sans le tuer. En quelque sorte. Tu appartiens à ton étoile. Ton insatisfaction t'apportera la satisfaction. Mets l'argent dans ta main et fais deux vœux. Trente-cinq dollars, s'il te plaît. »

Dinah sortit son porte-monnaie tout en pensant que trente-cinq dollars était un prix raisonnable pour cette vision d'une femme triste, esseulée, accompagnée d'un nuage noir, délicate et belle. Elle posa un billet de vingt dollars et trois billets de cinq dans sa main, négligemment roulés en boule.

« Maintenant, fais ton premier vœu.

— J'aimerais avoir un enfant. » Pourquoi avait-elle dit cela ? Il ne lui était jamais venu à l'esprit qu'elle voulait un enfant. Enfin, pas vraiment jamais, mais, en tout cas, pas récemment.

Mama hocha la tête. « Ah. » Elle sourit gravement. « Tu souhaites avoir un enfant avec quelqu'un de précis ? »

Dinah acquiesça, hypnotisée. Pourquoi s'arrêter là ? Pourquoi ne pas aller au bout de la folie ? Et en voiture pour un vrai psychodrame à la Norman Rockwell. « Avec mon ex-mari.

— Ah », dit Mama en souriant comme si elle l'avait toujours su. Comme si elle connaissait Rudy et les centaines de femmes qui marchaient dans les rues en espérant avoir des enfants avec leurs ex-maris épanouis par leur nouvelle liaison. Mama continua de hocher la tête, de l'agiter frénétiquement, comme si elle voulait remuer l'eau du monde. « Mais il y a un problème. »

Elle sait ! pensa Dinah. Elle peut m'aider. Ce n'est pas du bidon.

« Quelqu'un essaie de vous séparer. Il y a de l'obscurité autour de ta tête. Un *maldocchio*. »

C'était donc ça ! L'obscurité, le *maldocchio*, je le savais !

Mama désigna le tarot de l'homme et de la femme qui tenaient la coupe. « Regarde. »

Dinah observa attentivement la carte en plissant les yeux. C'était vrai. De minuscules points gris, qu'elle n'avait pas remarqués auparavant, parsemaient toute la surface du tarot. Mais peut-être qu'il était fabriqué comme ça. Peut-être qu'il s'agissait d'une mystification. L'ombre d'un doute s'insinua dans l'espoir de Dinah et dans son esprit, un sentiment ténu qui susurrait qu'elle était un pigeon.

« Compris ? » demanda Mama.

Dinah avait peur que Mama sente sa suspicion. Elle hocha la tête vigoureusement en espérant qu'elle ne se rendrait compte de rien.

« Quelque chose t'est arrivé avec ton père qui t'empêche d'être avec cet homme. »

Oui ! C'est vrai. Elle sait ! Mais tout le monde a des problèmes avec ses parents qui les empêchent d'être avec quelqu'un. Oh non.

« Il y a autre chose aussi... deux personnes souhaitent vous séparer. Si tu veux, je peux chasser leurs mauvaises pensées.

— Non, déclara Dinah sarcastiquement. Je ne veux pas toucher à leurs mauvaises pensées. Elles m'aident à me forger le caractère. Qui sont ces deux personnes ? »

Mama croisa les bras et regarda Dinah de manière impassible. « Je chasserai l'obscurité autour de ta tête, mais cela te coûtera plus cher. »

Et voilà. Un *maldocchio* coûteux était accroché à son crâne, sa cathédrale crânienne où elle vénérait les hommes qui n'étaient pas faits pour elle. Dinah s'éclaircit la gorge et dit, soupçonneuse : « Plus cher ? »

Mama eut l'air de s'impatienter. Sa peau se drapait négligemment sur ses muscles, sur ses os. « Je mettrai des couleurs autour de ta tête. Compris ? »

Dinah ne comprenait pas très bien, mais ça avait l'air en tout cas agréable.

« Généralement, pour cette bénédiction particulière, je demande... » Mama fit une pause théâtrale. « Mille dollars. »

Les yeux de Dinah s'agrandirent d'étonnement. L'ombre du doute s'allongea. Elle se vit face à un charlatan. Le doute doubla, tripla, jusqu'à ce qu'il occupe toute la place. Ces foutus habitants de l'Atlantide, j'aurais dû m'en douter. Son délire sur cette stupide étoile-source et l'école de la veuve noire. Les veuves noires qui tuent leur partenaire. Et moi qui n'arrive pas à garder un homme sans le tuer. Enfin, c'est sans doute vrai. Ou pas. Je ne saurai jamais la vérité. Et si c'était vrai et si je ne le croyais pas et si c'était ma seule chance de... de quoi ? Alors une feuille de ce doute qui fleurissait se mit à noircir et à se racornir à la chaleur d'autres émotions. Ce qui valait plus coûtait plus, non ? C'était comme avec les hommes. Comment pouvait-on déterminer leur prix avant de les posséder ? Ils semblaient follement désirables jusqu'à ce qu'on les ait. Mille dollars pour enlever une mauvaise aura, pour mettre un arc-en-ciel de couleurs autour d'une tête initialement nuageuse. « Euh... »

Elle regarda Mama avec des yeux d'enfant étonné. « Je n'ai pas ça sur moi. »

Le regard doré de Mama était rivé, impassible, dans celui de Dinah. « Combien as-tu sur toi ? »

Dinah fronça les sourcils et agrippa son sac. « Cent dollars. » Elle dit cela comme s'il s'agissait d'une question, d'une demande polie.

« As-tu un carnet de chèques ? demanda Mama en croisant les mains.

— Non », avoua Dinah sincèrement, en montrant son sac à Mama comme pour la convaincre.

Mama sembla insensible à la vision de ce sac qui bâillait devant elle. « Combien as-tu chez toi ? »

Là, Dinah mentit effrontément. « Deux cents dollars », répondit-elle d'une petite voix, la voix d'une adulte en train de mentir à une voyante à la peau tombante.

« Tu habites loin ? »

Dinah eut une hésitation. « Je loge à Springs. » Le Hampton du pauvre, ajouta-t-elle pour elle-même. Le Hampton de l'humiliation, le Hampton des damnés.

« Je ferai une prière pour les lumières colorées... je chasserai les obstacles autour de ton mari. Mais ça te coûtera plus cher. Tu me remercieras. Tu aimeras Mama et tu lui apporteras des cadeaux. J'allumerai des bougies. »

Dinah avait peur de regarder Mama en face, mais pendant que celle-ci parlait, elle se surprit à la fixer droit dans les yeux, comme hypnotisée.

« Tu dois faire confiance à Mama, complètement. » Les yeux de la voyante se rétrécirent. « Il y a un autre homme aussi.

— Un autre homme », releva Dinah avec espoir ; elle décida de ne pas retirer complètement sa confiance à Mama avant de savoir qui était l'autre homme. Elle attendit anxieusement la suite.

« Mais c'est ton mari que tu aimes.

— Bien sûr, dit Dinah sèchement, qui est l'autre homme ?

— Quand reviendras-tu avec les deux cents dollars ? »

Dinah esquissa le plus minuscule des sourires. « Cela dépend en partie de mon étoile-source... et de l'autre homme. »

Mama la dévisagea d'un air sévère. Les deux femmes étaient

assises dans le petit cagibi, nez à nez, sous la protection solennelle de Jésus, les yeux dans les yeux, chacune avide d'obtenir quelque chose de l'autre. Finalement, Mama se mit à rire, un rire qui monta du plus profond d'elle-même. La peau autour de son cou sembla presque vibrer. Le rire s'amplifia. Elle renversa la tête et se donna une claque sur les genoux. Dinah l'observait en souriant.

« Qui est l'autre homme ? » répéta Mama en imitant la voix de Dinah. « Qui est l'autre homme ? »

Dinah rougit.

Mama se reprit, s'essuya les yeux et la regarda. « Donne-moi ta main droite. » Dinah obéit. Mama prit sa main dans les siennes. « L'autre homme était ton frère dans une vie antérieure, vous étiez deux garçons, des jumeaux. » Elle tourna la main de Dinah. « Cet autre homme est ici. » Dinah se pencha pour apercevoir l'homme qui était dans sa main. « Il est plus jeune, c'est un ami.

— Vous voulez dire qu'il est déjà mon ami ? »

La voyante hocha la tête. « Peut-être est-il japonais. Peut-être. Je dis ce que je vois. Tu as plusieurs hommes. Les hommes sont faits pour le monde. Les femmes sont faites pour les hommes. Quand reviendras-tu avec l'argent ? »

Dinah réfléchit un instant. « Demain après-midi. Plusieurs hommes, dites-vous ? »

Mama referma la main de Dinah et la lui rendit. « Je mettrai des lumières colorées autour de ta tête... Ne t'inquiète pas. Tu auras ton mari. »

Dinah hocha la tête, absente, tout en se demandant, qui est ce Japonais ?

Elle assura Mama qu'elle reviendrait, jeta un dernier regard sur Jésus et s'en alla.

Quel Japonais ?

Les Japonais sont *partout.*

Elle quitta Sag Harbor et rentra à Amagansett en passant par East Hampton, roulant à la fois sans but et vers quelque chose. Peut-être qu'elle achèterait une pizza et irait au cinéma.

Elle descendit une rue appelée Further Lane et, là, du coin de l'œil, elle entrevit une barrière en bois. La maison de Rudy.

Elle arrêta sa voiture. Derrière de grands arbres, on apercevait une maison grise et blanche à deux étages, typique de Cape Cod... La maison de Rudy... Rudy et Lindsay... Heureux... Heureux... Dinah s'était arrêtée et regardait la maison, à travers la maison, regardait un moment où Rudy et elle, par une fin d'après-midi, s'étaient trouvés là, assis devant la télévision. Rudy suivait un match des Yankees. Les Yankees n'allaient pas très fort, donc Rudy n'allait pas très fort ; l'homme et son équipe... Dinah, son ordinateur portable sur les genoux, préparait les épisodes de *Désir du cœur* pour le mois suivant. Elle levait les yeux de temps en temps pour jeter un coup d'œil au match, à Rudy et au match. Lou Pinella frappa une balle. Il courut jusqu'à la première base. La balle fut rattrapée quelque part hors champ. Lou se dirigea vers les bancs d'attente — que Dinah surnommait généralement le cockpit — et, dans l'escalier, un joueur lui donna un coup de pied aux fesses. Dinah avait suivi la scène avec intérêt. Elle hocha la tête en souriant et lança : « Quelle chance vous avez, vous, les hommes, d'avoir le sport pour cimenter votre solidarité masculine. Nous, les femmes, n'avons rien de comparable. »

Rudy dévisagea Dinah avec impatience. « Oh, bon Dieu, cesse de te plaindre. »

Dinah fut légèrement prise de court.

Quelqu'un klaxonna, la tirant de sa rêverie. Elle appuya sur l'accélérateur et dégagea la route.

Et rappelle-toi. C'était encore la bonne période, disons la fin de la bonne période. Les choses s'étaient envenimées à partir de ce moment-là. Les Yankees avaient perdu et tout s'était détraqué entre Rudy et Dinah.

Elle jeta un coup d'œil dans le rétroviseur en remettant sa voiture en marche. Elle aperçut vaguement une fille aux cheveux blonds, couleur de miel. Lindsay ? Elle accéléra et regarda dans son rétroviseur en arrivant au stop. Elle n'avait pas voulu lever les yeux avant, de peur d'être prise sur le fait et d'avoir l'air ridicule. A coup sûr, la voiture avait disparu. Dinah ferma les yeux et baissa la tête. Que faisait-elle ici ?

Oh, bon Dieu, cesse de te plaindre.

Dinah restait tapie dans un espace qui se situait entre « aimer Rudy » et « ne pas l'aimer ». Elle se trouvait à la lisière de ces deux mondes. Elle aimait le souvenir de Rudy, la possibilité de Rudy. Ce que l'existence de Rudy reflétait de la sienne.

Dinah respectait le travail de Rudy. Il le faisait bien. Et comme on lui avait appris qu'une femme devait se tenir derrière son homme, elle voulait encourager quelqu'un en qui elle croyait réellement, quelqu'un à qui elle pourrait dire : « Continue, chéri, recommence. C'est bien. Vraiment bien. » Elle voulait le dire sincèrement et honnêtement. Dinah n'avait pas l'impression que les hommes devaient soutenir autant les femmes. Ils avaient besoin de les protéger plutôt que de les respecter. Avec un peu de chance, ils n'avaient pas honte de ce que faisaient leurs femmes... Mais si une femme était belle, cela suffisait à en faire un trophée acceptable. Dinah pensait qu'un homme devait être riche, puissant et doué pour être un véritable trophée. Et ces hommes qu'on respectait étaient généralement ceux qui avaient tendance à vous protéger. Dinah ne trouvait pas que c'était juste mais que c'était une réalité. Les hommes cherchaient une génitrice, les femmes un pourvoyeur. Et elle se figurait qu'il fallait accepter les choses comme elles étaient avant d'essayer de les changer. Est-ce qu'on pouvait les changer ? Connie, l'amie de Dinah, disait à peu près ceci : les femmes se réalisent dans les hommes et les hommes se réalisent dans leur travail. Alors, choisissez un homme qui a un bon travail. Les femmes sûres d'elles pouvaient se sentir valorisées par un bon travail, mais pour être vraiment satisfaites, elles devaient trouver un mec super, ou un type gentil... ou, après un certain âge, n'importe quel mec. C'était encore un monde d'hommes, pensait Dinah. Eh oui, regardez les films. Ils étaient toujours centrés autour d'un homme et la femme tenait souvent le rôle de l'amante, un point de référence mais pas le point central. Peut-être pas tant à la télévision, mais...

Aussi Dinah était-elle, du moins en partie, attirée par Rudy parce qu'elle admirait son travail. Et Dinah avait cru que Rudy restait avec elle parce qu'elle était jolie et qu'il n'avait pas honte de ce qu'elle faisait. Dinah pouvait soutenir Rudy, lui dire, « Bien, chéri, continue — refais ce que tu as fait », et sentir qu'elle n'était pas une hypocrite, mais une compagne attentive.

Elle admirait sa discipline — sa manière de décider ce qui devait être fait et de le faire effectivement. Il avait une détermination de fer. Elle n'avait pas de détermination. On ne la surnommait pas la dame de fer, mais la dame de cœur.

Rudy ne croyait pas tant être discipliné qu'organisé. Dinah pensait qu'elle avait, au mieux, le lobe droit du cerveau bien développé. Parfois, pourtant, le lobe gauche de son cerveau semblait profiter du côté droit. Elle sortait le lapin de son lobe gauche du chapeau magique de son lobe droit.

Mais le travail de Dinah avait commencé à se développer comme une maladie galopante, accaparant toute son attention. Quand elle se tenait derrière Rudy, elle était soit au téléphone, soit en train de travailler à un scénario. Le désir de Dinah — soutenir un homme soutenable — devenait désormais vague ou obsolète. Elle n'avait plus le temps, ou ne le prenait pas, d'être avec Rudy, et elle n'en avait pas envie. Elle lui disait : « Si tu as besoin de soutien, achète-toi une canne. » Ou : « Si tu veux que je te regarde tout le temps, sois une télévision. »

Disons simplement que son travail de jour interférait avec son travail de nuit.

Généralement, Dinah recherchait chez les hommes ce qu'elle aurait voulu avoir elle-même. Les hommes qui l'attiraient devaient être, d'une manière ou d'une autre, imposants, intellectuels, artistes... même respectables, une qualité certes abstraite mais que Dinah désirait quand même. Donc, au fond, elle ne se sentait ni intellectuelle, ni artiste, ni mûre, ni respectable. Elle était prête à faire le tour de la terre à la recherche de sa tendre moitié. Et quand elle l'avait trouvée, elle pensait : pour qui se prend-il ?

En présence de Rudy, elle se sentait déplacée, stupide et jeune. Ce qui rendait Rudy parfait, intelligent et adulte, bien sûr.

Dinah regarda son rétroviseur d'où avait disparu la fille aux cheveux de miel dans sa voiture bleu pâle. Etait-elle entrée dans la maison de Rudy ? Se tenait-elle maintenant derrière lui, murmurant, « Ta pièce est formidable, écris-en une autre. » Dinah en était sûre.

Elle traversa Amagansett, complètement envoûtée par le sort que Rudy lui avait jeté. Une renégate perdue sur une mer sans Rudy. Peut-être qu'aucun homme n'est une île, mais certains y ressemblent bien.

Dinah avait du plomb dans l'estomac. Pendant des années, quand elle se sentait dans cet état, elle se sortait du marasme par l'écriture, dénouait ses nœuds avec son stylo, grattait ses plaies avec de l'encre. Puis, quand elle avait commencé à travailler pour *Désir du cœur,* de plaisir, l'écriture était devenue obligation et maintenant elle écrivait rarement en dehors de ses scénarios. Mais ici, à Amagansett, pour la première fois depuis longtemps, elle avait envie d'écrire. Elle n'avait ni carnet ni stylo. Elle retourna à East Hampton, se gara et s'acheta un bloc-notes et un stylo Papermate. Elle remonta dans sa voiture et écrivit voracement de sa grosse écriture enfantine, comme si elle se débarrassait des mots une fois pour toutes.

J'ai quelque chose pour toi.
Je ne sais pas ce que c'est, mais cette chose, elle, te connaît.
Elle t'attend. Elle est à toi, je crois.
Je l'ai trouvée après t'avoir rencontré.
Elle a envahi ma vie et elle attend.
Une chose que tu es, une chaleur qui est la tienne, une chose que tu dis.
Elle te connaît et elle te nomme, elle te désire ardemment.
Oh, j'ai bien tenté de lui faire la leçon, mais elle a souri seulement.
Elle me possède et elle te veut.
Je la berce pour l'apaiser, mais elle refuse d'écouter
l'étrange musique de la raison.
Elle chante tes louanges, elle cherche ton visage
Au milieu des visages inconnus.
Elle évoque ton souvenir, elle me prend à son jeu.
Tout cela est bien troublant.
J'ai quelque chose qui t'attend.
Une chose sentimentale où je reste, suffoquée,
prisonnière, à t'attendre.
Une chose qui m'a prise en otage et
te réclame, en échange.
C'est elle qui m'a fait écrire ces lignes.

Elle posa son stylo et se sentit beaucoup mieux après avoir tiré ces mots pesants de sa poitrine, hors de son sein où ils s'étaient lovés. Dans le jardin de l'horrible fleur.

Elle rentra au Cottage Salter, sa nouvelle maison, déterminée à faire quelque chose, sans savoir quoi exactement. Elle ne se demandait plus pourquoi elle était ici, elle savait seulement que c'était une nécessité... une nécessité absolue. Le jour mourait d'une belle mort, tendre et lumineuse. La radio jouait *Stop Dragging my Heart Around* tandis qu'elle roulait dans Springs, prête à donner l'assaut.

Dinah attendait que son ordre de mission lui soit dévoilé, qu'une révélation fasse surface. C'était étrange, très étrange d'avoir traversé tout le pays — toute la longueur des Etats-Unis — pour s'installer dangereusement près du paradis sentimental découvert par son ex-mari. En vérité, c'était étrange. D'autant plus étrange qu'elle ne vivait pas cela comme étrange. Cela lui semblait une urgence, une parfaite évidence. Les gens ralentissent toujours en passant devant un accident pour bien observer la catastrophe. Le bonheur de Rudy représentait, pour elle, une petite catastrophe, une scène d'accident où quelqu'un était passé à travers le pare-brise, et quand elle ralentissait pour voir le corps, elle s'apercevait qu'il s'agissait du sien et n'en ressentait aucune surprise. Elle avait toujours su que c'était elle la victime.

C'est pourquoi elle se trouvait dans les Hamptons, épiant la catastrophe amoureuse de Rudy et Lindsay. Ils avaient survécu à l'accident et elle, sacrifiée à leur bonheur, y avait trouvé la mort d'une certaine manière. Elle ne voulait pas être simplement blessée, elle voulait être emportée, se perdre dans leur amour pour pouvoir se retrouver elle-même. Faire un pèlerinage devant l'autel, le temple de leur bonheur, un bonheur qu'elle n'avait jamais pu partager avec lui... qu'il vivait avec quelqu'un d'autre. L'idée que Rudy et Lindsay partageaient quoi que ce soit — leurs vies, leur bonheur, leur chambre, un lit — lui semblait presque malsaine. Elle se sentait rejetée de leur univers, une exilée de la terre du parfait amour. Rudy avait trouvé avec Lindsay ce qu'il n'avait jamais pu vivre avec elle.

Etait-ce vrai ? Elle le suspectait. Elle était le chaînon manquant, la partenaire incompétente. Ce qu'il n'avait pu accomplir même au prix de terribles efforts avec Dinah, il l'avait réussi simplement, naturellement avec Lindsay. Dinah rentra chez elle dévorée par de telles pensées, passant devant des maisons construites pour le bonheur, conçues architecturalement pour faciliter la communion des âmes, tandis qu'elle avait loué un cagibi coûteux à l'extérieur de la ville, à côté de celui d'un écrivain nerveux. Une cabine faite pour le célibat. Une cage à lapins, le terrier d'une créature esseulée qui avait un nuage noir au-dessus de la tête et une longue, triste vie en perspective comme des rails de chemin de fer à perte de vue. Dinah roulait dans la lumière de fin d'après-midi qui semblait éclairer les choses de l'intérieur, une tendre lumière. Elle essaya de déterminer le moment où elle s'était trompée avec Rudy, avec les hommes, dans sa vie. *You Really Got a Hold on Me.* Dinah changea de station. Les Stones chantaient *Miss You,* une chanson qui passait le soir où elle avait rencontré Rudy. Les yeux de Dinah se remplirent de larmes. L'une glissa le long de ses lunettes de soleil et prit le chemin de son menton, destination plein sud. Dinah l'essuya et continua sa route, essayant d'identifier derrière ses lunettes et derrière le pare-brise le tournant pour Springs.

Dinah rentra dans sa cabine, donna à manger au chien et se prépara pour la nuit. Puis elle s'enveloppa dans ses draps et s'expédia dans le sommeil.

Cette nuit-là, elle rêva qu'elle était avec Lindsay dans le hall d'un hôtel. Et qu'elle l'aimait. Elle trouvait que c'était la fille la plus adorable du monde et elle avait envie de la protéger.

Elle se réveilla en sueur. Elle était dans le lit de la chambre nue de Springs, chauffée par les rayons du soleil. Son chien Tony était assis à côté d'elle, comme pour éclairer sa conscience. Mais le décor lui semblait aussi étranger que Tony lui paraissait familier. Il lui fallut plusieurs minutes avant de retrouver ses esprits. Cette vieille côte Est, la côte intéressante, le monde de Rudy. Etrangère dans un monde étrange. Les filles aux cheveux de miel, les voitures bleu ciel, les maisons de Cape Cod, le nuage noir au-dessus de sa tête, le maldocchio, les lumières colorées, la fiancée de King Kong, grand Dieu. Grand Kong, donne-moi l'absolution.

« Il y a quelqu'un ? » cria-t-on, apparemment au-dessus de sa tête, le premier appel depuis bien trop longtemps. Cela venait-il de l'extérieur, ou bien sa tête s'était-elle simplement développée, colonisant l'espace autour d'elle, envahissant tout, jusqu'à ce qu'il n'y ait plus de différence entre elle et le reste du monde ? Dinah l'omniprésente. Dinah sans différence, la fille infinie.

« Hello ? » Une voix mâle au-dessus d'elle. « Mademoiselle Kaufman ? » disait la voix chaude et désincarnée, juste comme elle les aimait. « C'est Roy Delaney, votre voisin. »

Dinah se dressa sur son lit. Tony se mit à aboyer. « J'arrive tout de suite ! » s'exclama-t-elle. Tony sauta au bas du lit, regarda sa maîtresse et remua la queue. Dinah s'assit au bord du lit et examina ses pieds, incrédule. Son petit doigt de pied était microscopique, une miniature orientale délicate ; il était si minuscule qu'elle n'arrivait pas à le remuer. Elle se concentra avec intensité et essaya de faire bouger ce bébé doigt de pied. Pas de réaction. « Euh, peut-être pas *tout de suite* », dit-elle à son doigt de pied immobile.

« J'espère que je ne vous ai pas réveillée, demanda Roy sur un ton d'excuse.

— Non, non, pas du tout, assura Dinah. Quelle heure est-il ?

— Presque 11 heures.

— Mon Dieu ! »

— Si vous voulez passer quand vous serez...

— *Quoi ?* interrogea Dinah. Que pourrais-je bien être ?

— Debout. Plus debout. Je reviens du marché et j'ai acheté des muffins.

— Formidable. » Dinah écouta les pas de Roy crisser sur les gravillons jusqu'à son bungalow. Elle s'assit avec prudence devant son miroir et regarda son visage. Il avait l'air d'une ébauche. Inachevé, incertain, transitoire. Quelque chose qui avait besoin d'être réchauffé dix minutes de plus... ou d'être mis à feu doux ou au réfrigérateur ou sur le rebord d'une fenêtre. Elle baissa la tête et passa maladroitement la main dans ses cheveux taillés ras, se disant qu'elle n'aurait pas dû les couper aussi court, se laisser ainsi dénuder.

Elle avait coupé ses cheveux pour la première fois en arrivant à New York, huit ans auparavant. Tout coupé. Cela correspondait à un nouveau départ. Un nouveau boulot, une nouvelle coupe de cheveux, une nouvelle ville. Mais dès qu'ils avaient été coupés, ils s'étaient mis à la hanter — leurs pointes fourchues fantomatiques, leurs vagues vagabondes, à jamais disparues. Elle avait l'impression d'être un garçon efféminé, un lutin malade, pas vraiment doué pour les sports, introverti, androgyne, un enfant de chœur dévoyé. Elle avait cru accomplir un acte symbolique en gravissant les marches du coiffeur et en offrant courageusement ses boucles aux ciseaux. *Symbolique de quoi ?* se demandait-elle maintenant. Elle voulait récupérer ses cheveux. Elle ressemblait à un brin d'elfe, à un garçon manqué qui militerait pour la paix. Il lui semblait qu'elle avait les cheveux de quelqu'un d'autre. *Il devait y avoir une erreur.* Cette coupe était censée avoir grande allure, accélérer l'entrée dans sa nouvelle vie, l'entraîner dans un cercle joyeux, un milieu où la vie serait plus facile, un corps où la vie serait plus facile. Cependant, elle avait gardé ses cheveux courts car ainsi elle pouvait imaginer à loisir combien elle serait plus jolie si elle perdait deux kilos et si elle laissait repousser ses cheveux. Cela seul l'empêchait d'être vraiment séduisante. Avec cette coupe, elle avait l'impression d'être un produit défectueux... soldé, cette semaine seulement, ne ratez pas cette occasion, des prix sacrifiés, tout doit partir... ainsi se retirait-elle mentalement du marché de l'amour. Elle fermait son visage, retenait son souffle et écoutait pousser ses cheveux.

Elle tourna le robinet branlant de la douche, retira sa robe de chambre, son slip et se glissa dans le brouillard tiède. Le rituel de préparation pour le Grand Singe avait une fois de plus commencé.

Une demi-heure plus tard, une Dinah remise à neuf, lisse et maquillée, se présentait sur le perron de Roy Delaney avec une résignation émancipée — soumets-toi sans sourire. « Bonjour, proposa-t-elle.

— Hé », la réponse de Roy venait du fond de sa cabine estivale. Elle le regarda s'avancer vers elle. « Vous êtes venue », dit-il en souriant, en passant la main dans ses cheveux et en ouvrant la porte.

C'est un voyou, pensa Dinah. Un merveilleux voyou... Le voyou de mes rêves.

« Je suis venue. » *Ne fais pas de plaisanteries,* pensa-t-elle, avant de rectifier, *pas de mauvaises plaisanteries.*

« J'ai réchauffé les muffins, mais je crains qu'ils ne soient plus très chauds », expliqua Roy et il se balança d'un pied sur l'autre.

« Je préfère les muffins tièdes », fit savoir Dinah poliment en le suivant dans la maison.

Roy eut un rire nerveux. « Vous dites ça pour me faire plaisir. »

Dinah sourit. « Oui, c'est vrai. Mais je n'ai pas une éthique très stricte pour les muffins. »

Roy éclata de rire et faillit trébucher sur une chaise. « Oups. Vous n'avez pas de préjugés en ce qui concerne les muffins.

— Exactement. »

Dinah avait suivi Roy dans la cuisine et le regardait apporter deux assiettes où reposaient les muffins tièdes. « Comme le dit la chanson, “ quelqu'un est dans la cuisine avec Dinah ”, dit Roy avec un petit sourire. Je suppose qu'on vous dit ça souvent.

— Eh bien, pas *très souvent.* Et personne ne me l'a jamais dit *dans* une cuisine. »

Le monde émotionnel de Dinah pouvait parfois être décrit comme suit : elle était dans une maison au sommet d'une colline, seule et... quelqu'un était là.

Dinah réalisa en regardant Roy que s'ils avaient un bébé, il n'aurait pratiquement pas de lèvre supérieure. Mais il aurait de beaux yeux s'il héritait de ceux de Roy. Les yeux de Dinah étaient noisette foncé. Ceux de Roy étaient d'un bleu léger, distant. Mais le brun n'était-il pas la couleur dominante ? Elle souhaitait que leur bébé ait les yeux de Roy et aucune de leurs lèvres supérieures. Etait-ce l'horloge biologique ? Des images tic-taquaient quand elle regardait un homme inconnu, l'homme possible, l'homme impossible, l'homme.

Le fantasme avait agrippé son esprit d'une main de fer et l'avait envoyé rouler au tapis. Elle s'imaginait mariée à Roy, heureuse avec Roy, détendue avec Roy ; il était celui qu'elle avait attendu. Le passé, elle n'y était pour rien. Elle n'avait simplement pas rencontré le bon numéro. C'était bien vrai, chacun avait sa chacune en ce monde, et au moment où l'on désespérait de jamais le rencontrer, il était devant vous et tout était simple. Salez, poivrez, vivez. Quelqu'un pour qui elle était faite, qui l'acceptait totalement et qu'elle trouvait sans défaut. Elle admirait ses goûts, sa gestalt. Oh, mon frère. Elle voulait courir pieds nus à travers la gestalt de Roy en chantant des airs de *Brigadoon*.

Elle avait vraiment eu raison de ne pas se satisfaire du reste. Elle n'avait pas eu peur de l'intimité, mais peur d'être intime avec le mauvais cheval. La claustrophobie. Si c'est le bon, il ne t'exaspère jamais, ne t'ennuie jamais, ne te quitte jamais. Dans son fantasme, elle aimait Roy, Roy l'aimait et tout était parfait. Elle avait réussi, la dernière pièce du puzzle s'était mise en place, le doute et la mort avaient cessé de la talonner. *Que sera.*

Roy et Dinah
Assis sur un arbre
B-A-I-S-E-R
D'abord vient l'amour
Puis le mariage
Puis vient[1]...

Dinah essayait de ramener ses esprits sur la terre ferme, de les sortir des griffes implacables de ce fantasme intoxicant. C'était la version féminine d'une érection, placée à un drôle d'endroit. Un garçon rencontre une fille... un coup possible. Une fille rencontre un garçon... mariage, vie parfaite. Le premier baise s'il a de la chance. La seconde se fait baiser à moins qu'elle n'ait de la chance. Baiser par le fantasme. Véritablement séduite par le fantasme et baisée par la réalité.

On rencontre un homme et des visions de maris et de géniteurs potentiels se dressent dans votre tête. L'érection matinale d'images mentales : une partie se réveille avant l'autre. C'était la seule raison pour laquelle Dinah regrettait de ne pas avoir un pénis... enfin pas tout à fait la seule raison.

1. Comptine américaine *(N.d.T.)*.

Elle aurait aussi voulu pouvoir se masturber en regardant *Penthouse*. Et boutonner ses vêtements à droite.

Une des raisons pour lesquelles Dinah voulait un enfant, c'est qu'elle avait appris que les mères couraient moins de risques d'attraper un cancer. Elle était parfois préoccupée par l'idée de la mort et pensait qu'avoir un enfant en adoucirait l'horreur. Laisser, comme elle le ferait, une part d'elle-même derrière elle. Quelqu'un qui perpétuerait la tradition, quelle qu'elle soit. Non qu'elle possède vraiment une tradition à perpétuer, mais au cas où elle en trouverait une plus tard, elle était sûre que ses rejetons la transmettraient dans le Nouveau Monde et en plaisanteraient à la cafétéria du lycée. Si Dinah ne pouvait pas vivre totalement, elle voulait vivre en partie, être la mélodie d'une chanson jouée par sa progéniture.

B-A-I-S-E-R
D'abord vient l'amour, puis le mariage
Puis vient bébé dans son berceau.

« Vous êtes bien silencieuse. A quoi pensez-vous ? » dit Roy, en penchant la tête d'une manière charmante.

Dinah regarda sa lèvre supérieure et sourit. « A rien. Je ne suis pas encore bien réveillée.

— Vous ressemblez à un tableau, dit-il en se dirigeant vers la cuisinière. Je cherchais la signature sur votre main. »

Dinah ne tint pas compte du compliment. « J'ai trop de rouge à lèvres pour un petit déjeuner. » Elle essuya sa bouche avec le plat de sa main. « Voilà. Maintenant je ressemble à un tableau. » Elle était assise dans la cuisine de Roy et le regardait préparer le café.

Il lui jeta un coup d'œil par-dessus son épaule tout en passant le café. « Et un petit peu à une Florence Henderson qui aurait la migraine. Une gentille Florence Henderson. »

Dinah se demanda si elle allait répondre et préféra changer de sujet. « Votre bungalow est plus grand que le mien. »

Roy apporta une tasse de café et la posa devant Dinah. « Un peu de lait ?

— Oui, s'il vous plaît. Je veux bien de tout, même de l'huile de vidange si vous en avez. »

Roy sortit un carton de lait du réfrigérateur. « Si mon bungalow est plus grand que le vôtre, vous pouvez être sûre que je paie en conséquence. Ici, on paie les mètres carrés et les mètres de vue. »

Il versa le lait dans la tasse de Dinah. « Arrêtez-moi. » Roy versa pendant un temps qui parut fort long.

Finalement, elle dit « Merci ».

Roy la regarda bizarrement et s'assit devant son café noir et son muffin froid. « Dites-moi », commença-t-il en croisant ses jambes et en se penchant en avant. Dinah l'observait derrière sa tasse. « Qu'est-ce qui vous amène dans les Hamptons ? »

Elle lui jeta un regard vide ; elle n'avait pas pensé qu'il lui poserait cette question. « Quoi ? » Elle se sentait terriblement gênée.

Roy était amical. « Qu'est-ce qui vous amène ici — des vacances ? »

La peau de Dinah était pâle sous le soleil de midi. Elle ressemblait à une banale étudiante. Elle secoua la tête. « Des vacances. Des vacances forcées. Il y a une grève des écrivains à Los Angeles, donc...

— Vous êtes écrivain ? »

Dinah hocha la tête, l'air contrit. « Ecrivain de soap operas.

— Vraiment, dit Roy avec enthousiasme. Je suis écrivain moi aussi. Scénariste.

— Je sais. C'était un des arguments de vente, souligna Dinah tristement. Ou de location. L'agent immobilier m'a dit qu'il y avait des tas d'écrivains par ici. Vous étiez l'échantillon. » Elle haussa les épaules et mordit dans son muffin. « Je voulais faire partie de la communauté. »

Roy éclata de rire. « Les écrivains de Springs. La villa Médiocris. »

Dinah rit. Dans sa tête, ils étaient mariés, en train de prendre leur petit déjeuner, elle avait réussi. Il était ici, en chair et en os, un concept. Un appât. Le paradis. Et si elle était suffisamment gentille, elle pourrait y entrer. Sa grande récompense. Mme Kong. Elle sourit.

Son esprit lui décrivait les choses, comme un écho, une

traduction... simultanée, du visuel au verbal. Il les mêlait dans une sorte de décryptage syncopé. Il commentait ce qu'elle sentait, de l'émotionnel au mental, du chaud au froid, une traduction, le « Profil d'une œuvre » d'un monde compliqué. Il fourrait tout dans un sac de mots et engrangeait les choses dans son cerveau de manière ordonnée, calibrée pour un décodage facile, contrôlé, qui lui donnait une impression de sécurité. Dinah se cachait toujours derrière un pronom ou un adverbe, asséchée par ses pensées, perdue dans ses rêves.

« Vous êtes ici pour travailler ? demanda-t-elle poliment.

— Oui, répondit-il. J'écris. A l'origine, ce devait être des nouvelles mais elles se sont transformées en roman. Je fais la grève aussi, ce qui ne change pas grand-chose pour moi. Mon film sort cet hiver et j'attends jusque-là car je décrocherai un meilleur contrat après son lancement. Pourquoi est-ce que je vous raconte tout ça. Ça ne vous intéresse pas.

— Ça ne m'intéresse pas *follement*, mais c'est intéressant abstraitement. Les gens racontent leurs histoires pour susciter les réactions de l'autre. Vous savez, pour l'impressionner ou pour montrer qu'ils sont drôles, intelligents, séduisants ou qu'ils ont réussi. Pour donner d'eux une image flatteuse. Quelquefois j'ai envie de passer à une version abrégée. Demander directement aux gens de m'aimer ou de penser que je suis intéressante ou drôle. Peut-être leur donner les références de ceux qui ont pensé par le passé que j'étais intéressante ou drôle.

— Donc, la version abrégée de ce que je viens de vous dire serait que je suis quelqu'un et que je fais des choses qui ont une certaine valeur.

— Je vous crois sur parole. Vous avez l'air d'être quelqu'un, de toute façon.

— Et vous, quelle est votre version abrégée ?

— Je suis intéressante et drôle... » Elle s'arrêta.

« Ouais ? dit Roy.

— Et je traverse une mauvaise passe. Mon ex-mari a une nouvelle amie et il est très heureux. Quelle est la version abrégée ?

— Vous êtes humaine.

— Je suis obsessionnelle. Et il est ici.

— Ah. C'est pour ça que...

— C'est pour ça. Mais qui sait ? Peut-être que je ferai quelque chose de constructif. Comme me faire bronzer. Ou rentrer chez moi.

— Ne rentrez pas chez vous. Avec qui partagerais-je mes muffins tièdes ? Les gens d'ici ont de gros préjugés concernant les muffins. Et j'ai besoin d'un nouveau personnage féminin pour mes histoires.

— Où est votre femme habituelle ?

— Eh bien, j'ai une femme en hôpital psychiatrique et une maîtresse furieuse que je sois encore marié et qui pense que je devrais quitter ma femme pour l'épouser. Mais je ne peux pas quitter ma femme car elle se tuerait.

— En version abrégée, vous êtes très demandé.

— Trop demandé.

— Donc, vous ne voudriez pas avoir une liaison avec la nouvelle maîtresse de mon ex-mari.

— Je croyais qu'ils étaient heureux. »

Dinah haussa les épaules. « Je pensais que ça pourrait vous servir pour votre roman.

— En version abrégée, vous n'aimez pas l'idée que... »

Dinah se leva. « Ça fait beaucoup pour un seul jour. Je pense que nous devrions continuer cette conversation plus tard. Quand nous nous connaîtrons depuis plus longtemps. Plus longtemps que dix minutes. » Elle se dirigea vers la porte.

Roy se leva et la suivit. « Eh bien, je vous verrai plus longtemps, plus tard. A plus tard. »

Dinah sourit et ouvrit la porte. « Jusqu'à maintenant tout va bien, mais qui sait ? » récita-t-elle en faisant une sortie impeccable. Elle traversa le porche et disparut au coin de la maison.

L'air autour d'elle était plus léger que l'air, doux comme une haleine d'enfant, impalpable, radieux, pastel. La brume de quelqu'un qui se serait désintégré, quelqu'un de chaud et de consentant.

Quelqu'un de merveilleux.

Elle retourna dans son bungalow et laissa sortir Tony. Elle regarda le téléphone. Elle essaya de se retenir aussi longtemps que possible, c'est-à-dire quelques secondes, mais ne put résister. Elle souleva le combiné et composa le numéro, le numéro de Rudy, en espérant entendre le son de sa voix distraite. La ligne était occupée et elle resta au bout du fil un moment, se sentant d'une certaine façon en contact avec lui. Le signal occupé devenait le battement de son cœur, de son cœur brisé qui battait pour lui, battait pour elle, lui chantait un air de country music; un sentiment qui lui rongeait le cœur et lui peignait l'intérieur des côtes aux couleurs de la vulnérabilité. Elle passa la main dans ses cheveux, regarda danser la poussière dans le rayon de soleil, orpheline dans cette tempête d'œstrogènes, cette fête des œstros. Elle essaya de lire *Madame Bovary,* puis alluma la télévision. Elle tomba sur *Jane Eyre.* Edward disait à Jane : « C'est comme si un lien solide était attaché au côté gauche de ma poitrine, et qu'un nœud serré le rattachait à un point correspondant de votre petite personne. Je crains que si vous voyagez trop loin de moi, cette corde ne se casse et que je me mette à saigner lentement à mort. »

Dinah changea de chaîne. *Désir du cœur* était en plein milieu d'un flash-back.

Blaine regardait la télévision. Il y avait un match des Yankees. Rose était en train de taper sur son ordinateur portable posé sur ses genoux. Elle leva les yeux sur la télévision juste au moment où on rattrapait une balle. Le joueur descendit les marches vers les bancs d'attente et un de ses coéquipiers lui donna un coup de pied aux fesses. Rose hocha la tête et sourit en disant : « Quelle chance vous avez, vous, les hommes, d'avoir le sport pour cimenter votre solidarité masculine. Nous, les femmes, nous n'avons rien de comparable. »

Blaine regarda Rose avec impatience. « Oh, grand Dieu, cesse de te plaindre. » Il se leva et sortit en trombe de la maison. Rose posa son ordinateur et se précipita derrière lui. Elle ouvrit la porte et cria : « C'est ça, va-t'en ! Je sais où tu vas. Toute la ville en parle. Tu vas retrouver... »

Dinah ferma la télévision, elle décida qu'elle avait besoin de faire des courses et elle monta dans sa voiture.

Elle était au supermarché d'Amagansett, regardant d'un œil vide les étalages. Rudy aimait les fruits, non ? Oui. Rudy mangeait des fruits. De grosses pommes rouges... Blanche Neige, le Prince charmant. Peut-être qu'elle achèterait des bananes... Les bananes étaient bonnes pour la santé. Mais n'étaient-elles pas trop caloriques ? Sans doute, mais c'étaient de bonnes calories. Pas des calories vides, comme les autres. Et puis, les bananes étaient plus drôles que les pommes. De la nourriture de bébé, de la nourriture pour jouer. Les pommes vous faisaient mal aux gencives et elles étaient si *bruyantes*. Les bananes étaient tendres et douces. Dinah tendit une main décidée vers un régime de bananes, et là, juste derrière la balance, se tenait le beau-frère de Rudy, John Delman.

Dinah retira sa main, comme si elle venait d'être piquée... comme si ce geste allait faire disparaître l'apparition. John s'évanouirait et il ne resterait que les bananes. Mais le visage étonné de John disait, « Dinah, Dinah, je n'en crois pas mes yeux ! Comment vas-tu ? » Il s'approcha pour l'embrasser. Elle fut prise au dépourvu et s'accrocha à lui pour reprendre l'équilibre. John se recula. « Laisse-moi te regarder. Mon Dieu, je ne t'ai pas vue depuis...

— Comment vas-tu, John ? Tu as l'air en pleine forme. » Elle détestait qu'on la regarde, elle détestait qu'on lui dise qu'elle était regardée. Dans ces moments-là, elle essayait de se souvenir, sans succès, de ce à quoi elle pouvait ressembler. Et dans ces moments-là, cela semblait tellement important.

« Je ne peux pas me plaindre, vraiment pas. J'ai pris un peu de poids... mais j'en avais besoin, je crois. » John avait environ quarante-cinq ans, il était de taille moyenne et très, très maigre. Avec un petit nez, un nez qui semblait appartenir à quelqu'un d'autre, et une moustache. Son visage avait toujours été émacié. Comme celui d'un aristocrate ou d'un Indien. Un Indien aristocratique et démonstratif. Dinah avait l'impression, Dieu sait pourquoi, qu'il aurait pu faire de la publicité pour une sauce de salade.

« Comment va Laura ? » demanda poliment Dinah. Laura était la femme de John, la sœur de Rudy.

« Oh, bien, bien. Elle essaie toujours d'arrêter de fumer. »

Dinah sourit. Laura était la personne la plus excitée qu'elle ait jamais rencontrée. Aussi excitée que Rudy était calme. Toujours en train de rire, de pleurer ou de fumer. « Tu lui feras toutes mes amitiés, le pria Dinah.

— Mais, il faut que tu *passes* nous voir, s'exclama John. Ce n'est pas parce que tu t'es séparée de Rudy que tu dois te séparer de nous. Nous sommes toujours ta belle-famille. » Ses mains étaient enfoncées dans ses poches. Il les sortit et lissa sa moustache en regardant Dinah. Celle-ci prit une banane sur le comptoir qu'elle se mit à peler.

« C'est très gentil de ta part, John, dit-elle lentement, en mâchant sa banane. Mais je trouve ça un peu gênant.

— Ridicule, assura John avec effusion. Tu te fais des idées.

— Je me fais beaucoup d'*idées*, admit-elle la bouche pleine. Mais j'ai aussi des émotions.

— Eh bien, la seule manière de les dominer est de les aborder de front.

— Et je m'y prends comment ? » demanda-t-elle timidement, tout en pensant qu'elle préférait mille fois prendre les choses de biais.

« Tu peux venir tout de suite à la maison et déjeuner avec nous. »

Dinah se débattait mais elle était prise au piège, emportée dans le filet du monde de Rudy, graduellement tirée vers le centre où la réalité de Rudy se refermerait sur sa tête, la laissant assommée comme une bête prisonnière.

Elle acheta un régime de bananes, trois muffins au maïs et une petite boîte de sparadrap pour ses pouces qu'elle pansa en marchant. La situation était potentiellement angoissante et ses pouces étaient généralement les victimes de sa nervosité. Elle marcha jusqu'à sa voiture et aperçut John qui l'attendait pour qu'elle puisse le suivre jusque chez lui, où avait lieu le déjeuner si peu souhaité. N'était-ce pas cela qu'elle avait voulu ? Accéder à la vie de Rudy par la porte de service. Dévoiler le mystère de sa nouvelle union, en exposer les failles. Elle n'avait pas souffert au début de leur séparation, parce qu'elle ne l'avait pas vraiment perdu, juste égaré. Il continuait à exister dans un monde qu'elle pouvait atteindre quelque part. Un fait. Comme le Groenland. Il n'était plus à elle, mais il n'était pas non plus à quelqu'un d'autre.

Maintenant, non seulement il n'était plus à elle, mais il était aussi à quelqu'un d'autre. Elle l'avait perdu et quelqu'un d'autre l'avait trouvé.

Le Groenland avait véritablement disparu.

Elle suivit la BMW marron de John avec soumission. Servilité. Prête maintenant à entendre les dessous de l'histoire Rudy et Lindsay. Et si c'était une belle histoire ? Elle jurait de supporter le coup comme un homme. Mais comment les hommes le supportent-ils ? se demandait-elle en tournant à gauche dans Egypt Lane. En bon perdant, la tête haute, ce genre de choses. Comme un Anglais. Comme Oscar Wilde. Enfin, peut-être pas Oscar Wilde mais... qui alors ? J. B. Priestley ? Kingsley Amis ?

Dinah décida de s'adapter à la situation quelle qu'elle soit. Par-dessus tout, elle aimait foncer la tête la première. Etre entraînée par les circonstances, la situation. Elle était arrivée jusqu'ici, elle devait aller jusqu'au bout, quel que soit ce bout. Elle regarda autour d'elle. C'était une belle journée qui rayonnait de fierté, vibrait d'audace. Un jour parfait pour une décision... même s'il s'agissait de décider ce qu'elle faisait déjà. De choisir ce qui avait été choisi. La cloche avait sonné, l'humeur Roy avait appelé et Dinah appuyait sur l'accélérateur, prête à affronter l'assaut de la réalité, armée de son état d'âme préféré. La voiture de John s'engagea dans l'allée d'une maison grise et blanche. Dinah le suivit et gara sa voiture. Un chien poussa des aboiements hystériques derrière la grille et sortit en courant.

« Couché, Mitch », ordonna John tandis que le fox-terrier se jetait sur Dinah et pissait joyeusement sur ses chaussures.

Dinah se mit à genoux pour caresser le chien, le calmer. « Tout va bien », dit-elle tandis qu'il lui léchait les mains. « Oui, oui. Tu es un gentil chien. Hein ? Un très gentil chien. »

Un piaillement retentit à l'intérieur de la maison, suivi par un long rire gémissant. Dinah vit Laura s'avancer vers elle, les bras écartés, ses yeux bleus étincelants.

« Regarde qui j'ai trouvé au marché », dit John d'une voix tonitruante. Laura se précipita sur Dinah avec une rapidité que cette dernière jugea inquiétante. Elle recula d'un pas tandis que Laura lui tombait dans les bras, s'accrochant à elle comme si elle avait passé toute sa vie à la chercher. Dinah, abasourdie, la serra dans ses bras avec précaution; John les observait d'un air approbateur.

« Je n'arrive pas à y croire! Vraiment pas! hurla Laura dans les cheveux de Dinah. Tu es ici! Quand es-tu arrivée? Pourquoi ne nous as-tu pas appelés? »

Dinah avait l'impression que son cerveau était un gros bébé dont elle essayait d'accoucher par le petit trou de sa gorge. « Je viens d'arriver », disait le bébé, maintenant à l'air libre, bien vivant. « J'allais appeler. Essaie d'imaginer que je suis en train d'appeler. »

Laura eut l'air perplexe. Puis la phrase prit forme dans son esprit, se fraya un chemin dans les replis sombres de son cerveau et trouva une porte d'entrée. Ses yeux s'élargirent et elle éclata de rire. « Essaie d'imaginer que je suis en train d'appeler. » Elle répéta la phrase en l'accompagnant d'un rire en cascade, elle prit le bras de Dinah et l'entraîna vers la maison. « Alors, c'est moi qui réponds au téléphone », dit Laura. John les suivait en lissant sa moustache.

La maison était froide à l'intérieur. Froide et blanche. La façade, entièrement vitrée, donnait sur une terrasse face à la mer. Un oiseau poussa un cri au-dessus de leurs têtes et Dinah respira avec reconnaissance l'air tiède et salé. Pendant que Laura préparait le thé glacé, Dinah ouvrit une des portes coulissantes pour regarder la mer, la mer du monde de Rudy qui se refermait sur sa tête. Les bateaux voguaient, les enfants jouaient au loin, leurs cris portés par la brise. Laura apparut tenant un plateau.

« Et voilà », annonça-t-elle gaiement; ses cheveux noirs tombaient sur son visage. Ses yeux bleu pâle avaient l'air distant, ceux de quelqu'un qui se rappellerait soudain quelque chose de curieux ou de triste. « John prend une douche », continua-t-elle sur un ton contrit, comme si elle admettait qu'il se livrait à un étrange rituel de magie noire qu'elle ne comprenait pas. Dinah retrouvait le visage de Rudy dans celui de sa sœur — son nez aigu se dressait dans le doux visage, sa bouche sévère avait été amollie par un large éventail d'émotions jusqu'à la rendre pratiquement méconnaissable, mais Dinah la reconnaissait tout de même.

La bouche parla. « Toute cette affaire Quayle est incroyable, disait-elle.

— Quelle affaire ? demanda Dinah. Qui est Quayle ?

— Qui est *Quayle ?* C'est l'opposant de Bush pour les élections présidentielles. Où as-tu été ? On ne parle que de ça dans les journaux. »

Dinah blêmit, embarrassée. « J'ai été... » Elle réfléchit un instant, puis lança, « ... distraite. En voyage. Je n'ai pas été une bonne citoyenne. Ne le dis à personne. Est-ce que Quayle est dangereux ? »

Laura haussa les épaules. « Il est idiot. Mais un idiot peut être dangereux si Bush... » Elle soupira et changea de sujet.

« As-tu vu Rudy ? » demanda-t-elle innocemment, aussi innocemment que possible.

Dinah sourit, rentra le menton et fit non de la tête.

« Non. Pas ici. Je l'ai vu à L.A., mais pas ici. »

Laura pencha la tête en regardant Dinah. « Est-ce que tu comptes le voir ? »

Dinah eut un petit rire. « Je ne pense pas. Il a une nouvelle amie et... »

Laura s'enfonça dans son fauteuil en s'accrochant à sa tasse de thé comme si son équilibre en dépendait. « Alors il t'a tout raconté ? »

Dinah hocha la tête. « Tu la connais ? » demanda-t-elle sur un ton désinvolte. Elle croisa les jambes et adopta l'expression détachée, bienveillante, de quelqu'un qui aurait depuis longtemps renoncé à ces attachements superficiels que constituent les relations humaines ; une créature évoluée et sereine qui montrait un intérêt poli pour les coutumes sociales.

Laura semblait soulagée par l'apparence égale et sereine de Dinah. « Oui, eh bien, nous l'avons vue plusieurs fois depuis qu'ils sont ensemble. Elle est charmante, je trouve, réservée...

— Qui est réservé ? » s'écria John sur le pas de la porte, douché et changé, son chien sur les talons.

« Certainement pas toi, chéri », répondit Laura d'une voix impassible en se tournant vers lui. John s'assit près d'elle, ses cheveux mouillés brillaient au soleil. « Nous parlons de Lindsay, mon amour, expliqua patiemment Laura. La nouvelle amie de Rudy.

— Ah oui, dit John en mettant du sucre dans son thé. Une charmante fille. Elle lui fait beaucoup de bien, tu ne trouves pas, chérie ?

— Bien sûr, on ne peut pas vous comparer », attesta sur-le-champ Laura en se tournant vers Dinah, une lueur d'anxiété dans ses yeux bleu pâle. « Mais puisque vous n'arriviez pas à trouver un terrain... d'entente... quelqu'un comme Lindsay est ce qui pouvait lui arriver de mieux, après toi », conclut-elle gaiement, gaillardement.

Quelqu'un comme Lindsay, pensa Dinah. C'est probablement à ça qu'elle ressemble, quelqu'un comme quelqu'un, quelqu'un comme elle-même au lieu d'être elle-même complètement. Mais elle répondit : « Tu as tout à fait raison. C'est très bien pour lui. » Comme si elle était au-dessus de tout ça, libre enfin.

« Pourquoi n'apportes-tu pas cette salade de thon ? » déclara énergiquement John à sa femme. Dinah remarqua que son col de chemise était relevé de la manière ridicule dont certains hommes le portaient en ce moment, comme s'ils étaient en plein vent, le vent de la mode. Laura alla dans la cuisine, laissant Dinah seule avec John et son col indiscipliné.

« En fait, je suis très content pour Rudy, continua John chaleureusement, doctement. Je crois qu'il y a vraiment quelque chose entre lui et cette fille. Ça pourrait être la bonne. T'a-t-il parlé de sa nouvelle théorie des relations humaines ? »

Dinah marqua un temps avant de répondre : « Je ne crois pas.

— Eh bien, c'est très intéressant. Je ne voudrais pas déformer sa pensée. Attends un peu... » Il croisa ses mains derrière sa tête et plissa les yeux sous les rayons du soleil. Dinah attendait. « Je crois en gros que c'est de choisir quelqu'un et de faire tout pour que ça marche. »

Dinah digéra cette phrase. Finalement, elle répéta d'une voix sans timbre. « Choisir quelqu'un et faire tout pour que ça marche. »

John hocha la tête. « Ouais, quelque chose dans ce goût-là. Il dit que ce sera dur avec n'importe qui... non, attends, est-ce qu'il a vraiment dit ça ? Peut-être pas. Enfin, quelque chose comme choisir quelqu'un avec lequel on s'entend bien... pas de truc passionnel... et faire tout pour que ça marche. C'est ça. Trouver quelqu'un qu'on aime bien et cette amitié se développera éventuellement en amour.

— Je vois. » Dinah ne voyait pas du tout ; elle avait à peine envie d'écouter. John croisa les bras et regarda le soleil se refléter dans l'eau.

« Je pense qu'il va l'épouser. »

Cela lui coupa le souffle. Quelque chose au centre de son corps tomba avec un bruit sourd, laissant derrière lui une souffrance déchirante qui poussa un long cri. Le drame se produisait en coulisse pendant qu'elle disait d'une voix atone : « C'est formidable.

— C'est formidable pour lui. Après tout ce qui est arrivé entre vous, je ne pensais pas qu'il serait capable de refaire sa vie. Tu sais, tu as tout ton temps, mais lui est bien plus vieux que toi. S'il veut des enfants, il ne doit pas attendre trop longtemps.

— Tu crois qu'ils auront des enfants ? » demanda Dinah d'une voix caverneuse. Hypnotisée, vissée au sujet tandis qu'on lui infligeait la torture chinoise de la goutte d'eau.

« J'espère bien. Je sais qu'elle en veut. Elle est à l'âge où ça devient important, enfin, *ton âge.* » Dinah hocha la tête sans répondre. John était intarissable. « Je sais qu'ils cherchent un appartement à Manhattan. Je crois qu'elle voudrait commencer sur de nouvelles bases. »

Dinah devint sourde à cet instant. Un nouvel appartement à Manhattan. Elle n'avait jamais pu le convaincre d'en chercher un. Et des enfants. Mon Dieu. Mon Dieu. La salade de thon arriva. Dinah la poussa sur les bords de son assiette, Laura l'observait avec inquiétude, John maintenant parlait d'autre chose. Les derniers films, le temps, Barbara Bush, Marilyn Quayle. Elle regarda sa bouche s'agiter, but son thé à petites gorgées et finalement se leva pour partir. Elle était malade et silencieuse à l'intérieur d'elle-même. Elle embrassa Laura et promit d'appeler.

« Tu es sûre que tout va bien ? »

Dinah ne se souvenait pas avoir dit que tout allait bien pour commencer. Tout était possible. Rudy était fiancé et tout était possible. « Je vais très bien, dit-elle en montant dans sa voiture, enfin. Merci pour le thon. » Elle démarra et fila. Droit vers la maison de Rudy. Une flèche sifflant vers sa cible, en plein dans le mille, retour aux sources.

En conduisant, Dinah se sentait poussée par une force incroyable, maîtrisée, une force avec laquelle il fallait compter. Les circonstances présentes étaient loin d'être rationnelles, vraiment loin, mais tant qu'elle était au volant, elle pouvait maintenir l'illusion d'une certaine logique.

Elle arrêta à un feu rouge dans Amagansett derrière une voiture dans laquelle se trouvait un couple. L'homme et la femme rapprochèrent leurs têtes, deux pêches noires, et mordirent dans les fruits mûrs. Dinah imagina le jus qui descendait le long de leurs gorges. Où est ma pêche noire ? se demanda-t-elle.

Elle trouva la rue de Rudy, se gara à une distance raisonnable et sortit de sa voiture. Elle traversa la rue, tête baissée, et se glissa dans le jardin de la maison voisine. Elle monta l'allée, l'air assuré, regarda la maison de Rudy à travers le rideau d'arbres qui séparait les deux allées. Tout semblait tranquille dans la chaleur de l'été. Dinah s'essuya le front et continua à marcher.

La voiture de Rudy n'était pas dans l'allée. La voiture bleu pâle n'y était pas non plus. Ils ne prennent donc jamais la même ? pensa Dinah en se faufilant à travers les buissons pour entrer dans le jardin de Rudy. Elle jetait des regards autour d'elle, le cœur serré. Elle traversa rapidement le jardin et monta les marches du perron. Et s'il y a quelqu'un, oh, mon Dieu, qu'est-ce que je suis en train de faire ? On va m'arrêter, ne pas oublier de respirer, qu'est-ce que je dis si on m'arrête ? Salut, j'étais dans le coin ? Est-ce que par hasard je n'ai pas laissé mon maillot de bain rouge il y a trois ans ? Je devrais foutre le camp, commencer une nouvelle vie. J'ai commencé une nouvelle vie et regarde où ça m'a menée, pile dans le mille de mon ancienne vie, comme une rôdeuse. Elle était maintenant devant la porte de derrière et regardait deux paires de chaussures de plage, posées devant la porte. Elle et lui. Eux. Elle essaya d'ouvrir la porte qui n'était pas fermée à clé et se retrouva dans la maison. Elle franchit la frontière d'un comportement rationnel.

Elle s'arrêta. Non. Il y avait des limites. Même elle, le savait.

Qu'espérait-elle trouver ? Les preuves d'un mensonge ? Les vêtements de Lindsay ? Oui, c'était bien ça, peut-être avant tout. Elle voulait voir comment s'habillait la nouvelle amie de Rudy. Elle voulait être rassurée ou éclairée sur la personnalité de Lindsay. Et comprendre comment cela s'articulait avec la sienne. Soudain, tout cela lui parut condamnable, sordide et triste, stupide. Elle tourna les talons, prête à partir. C'est alors qu'elle aperçut la voiture de Rudy qui remontait l'allée.

Dinah fut clouée sur place, tout se figea autour d'elle. Le mobilier, la maison, le tapis, les murs, les portes, les arbres, le soleil la paralysaient momentanément tandis qu'elle regardait la Mercedes gris argenté de Rudy se garer. Puis le moteur s'arrêta, réveillant Dinah qui bondit, dans le sillage de ce silence. Debout dans le salon... Où se cacher ? Dans le placard du vestibule ? Allons, vite... ils arrivent... décide-toi... euh, euh, où ?... vite... vite... monte l'escalier. Non. Pas là. Où, alors ?... Le placard du vestibule. Vas-y... la porte... ouvre la porte. Dinah courut vers le placard tout en entendant la voix et les pas de Rudy, les bruits de pas, qui résonnaient sur les marches du perron. Elle se précipita, s'engouffra... Avait-elle fait trop de bruit ? Avaient-ils entendu ? Elle se glissa entre les manteaux, ferma la porte du placard aussi doucement que possible et se retrouva dans le noir. Le placard du vestibule était à mi-chemin entre la salle à manger et la chambre. La vie passait devant elle au ralenti, moqueuse.

Parfois, Dinah avait presque l'impression de savoir parfaitement ce qu'elle faisait. Mais c'était un sentiment extrêmement ténu, qui risquait de s'évanouir au moindre éternuement ou mouvement brusque. Maintenant, recroquevillée dans le placard entre les manteaux et les chaussures, elle réalisait que ce sentiment avait disparu. Entièrement disparu. Elle avait donc atteint la limite absolue du masochisme poli. Après ça, on entrait droit dans le porno. Dinah paraissait désirer l'intimité... mais elle choisissait toujours des gens qu'elle pouvait tenir à distance. Elle comptait là-dessus. Elle pensait vouloir désespérément se lier à un homme, mais si vraiment elle en avait eu envie, elle n'aurait jamais choisi l'homme en question. Elle l'avait choisi pour de bonnes et de mauvaises raisons. Peut-être que les termes de bon et de mauvais étaient un peu trop forts, disons plutôt pour des raisons valables et névrotiques. Toutes ces raisons se trouvaient irrémédiablement liées. On aime les choses mêmes qui vous font souffrir. On croit aimer en dépit de la souffrance mais, en fait, on aime cette souffrance qu'on supporte d'un air presque stoïque. Elle est porteuse d'un message qu'on connaît bien. Le message de notre enfance : « Tu n'es pas assez bien ».

L'air dans le placard était stagnant — il s'accrochait, affligé, à Dinah. Enfermée par un air de renfermé. Un air de grenier, sénile et tremblotant. Dinah se demandait si cette odeur existait déjà quand elle habitait encore avec Rudy. Elle enleva l'un des sparadraps qui protégeaient ses pouces et commença à déchirer la peau de son doigt. Eh bien, Roy mon vieux, tu nous as encore mis dans le pétrin, pensa-t-elle. Elle retint son souffle dans le silence du placard. Sa chaussure craqua. Elle ferma très fort les yeux, ferma son visage. Si elle ne voyait rien, elle ne pouvait pas être vue. Ce qu'on ne voyait pas ne pouvait pas vous blesser, à moins qu'il ne s'agisse d'un germe ou d'un gaz. La porte d'entrée claqua.

« Tu comprends, nous devrions retirer nos troupes du Japon et de l'Allemagne, et puis voir s'ils s'en tirent toujours aussi bien économiquement, racontait Lindsay derrière la porte, dans la cuisine. Hé, donne-moi ça. » Dinah ouvrit les yeux comme ressuscitée par le son de cette voix, celle de la nouvelle compagne de Rudy, sa tendre moitié numéro deux. Lindsay.

« Lindsay, on ne peut pas retirer nos troupes comme ça. Nous avons signé des traités avec tous ces pays. Bon, je vais prendre une douche. » Bruit de vaisselle cassée.

« Oh, mon Dieu, dit Lindsay. Laisse tout ça. Je m'en occupe. »

Rudy s'éclaircit la gorge. « Tu es sûre ?

— Oui. »

Les pas de Rudy se rapprochèrent, les lames du parquet grincèrent, il ralentit devant le placard. Le cœur de Dinah se mit à battre, le cœur révélateur, le cœur qui dit tout. « As-tu touché à mes tennis ? » demanda-t-il devant la porte, si proche qu'elle pouvait entendre sa respiration. Pouvait-il entendre la sienne ? Elle ferma son visage comme un poing et mit sa tête entre ses jambes, se faisant toute petite. Petite et silencieuse.

S'il vous plaît, mon Dieu, elle peut avoir Rudy, il peut avoir Lindsay. Mais qu'ils ne me trouvent pas. Je ne survivrai pas à cette humiliation.

« Où étaient-ils ? demanda Lindsay.

— Ici, sur le palier.

— Je les ai probablement mis dans le placard. »

Oh, mon Dieu. C'est fini. Ils vont me faire arrêter. Je dois rester toute petite. Je vais mourir.

« Quel placard ? » La poignée tourna. Ce n'est pas possible.

« Celui du premier », répondit-elle.

J'adore cette fille, se dit intérieurement Dinah. La poignée se relâcha.

« Chérie, ne touche pas à mes affaires, O.K. ? Je les laisse sur le palier pour les avoir sous la main quand je vais courir le matin. » Ses pas montèrent l'escalier.

« Désolée, cria-t-elle.

— Ça n'est pas grave », la rassura-t-il, au premier maintenant, dans leur chambre.

Lindsay fit couler l'eau dans l'évier et ouvrit la porte du réfrigérateur. Dinah l'écoutait avec un soulagement affectueux. Son cou lui faisait mal et elle avait des fourmis dans les doigts de pied. Faites que je m'en sorte, mon Dieu. Je vous le promets, je rentrerai chez moi. Je serai gentille. J'aurai une vie de couple normale. Et vous savez comme ça me coûte. J'écrirai un scénario, j'irai à l'église, au temple, quelque part, n'importe où ; mais faites qu'ils ne me trouvent pas. Même s'il l'appelle chérie. Je suis chérie. J'étais chérie. Nous sommes toutes " chérie ". Elle bougea légèrement pour détendre ses genoux.

Je suis une psychopathe, pensait-elle. Une hédoniste et une psychopathe. Elle se redressa légèrement, le visage enfoui dans les manteaux, dans l'obscurité, puis elle retomba sur une paire de bottes, avec un bruit lourd et étouffé. Dinah fit la grimace et attendit dans le silence qui revenait, guettant le pire. Mais elle entendit Lindsay chanter doucement en s'activant dans la cuisine « Pierrafeu, vive les Pierrafeu, une famille moderne de l'âge de pierre, habitants de Bedrock, ils sortent tout droit d'une page d'histoire » d'une voix aiguë et charmante.

Dinah sourit intérieurement dans son placard obscur.

C'était peut-être ça qu'on entendait par comportement

caractériel. Ce genre de situation n'arrivait probablement pas à tout le monde. Les impulsions devenaient des règles, des lois auxquelles il fallait obéir. Le cours des choses semblait d'abord assez ordinaire mais, en se développant, la rivière devenait fleuve, elle dépassait ses limites, fonçait au travers puis débordait complètement sur l'autre rive. Dinah refusait d'admettre cette réalité ; ce qu'on ne voyait pas n'existait pas, une opinion qu'elle professait et qui, entre autres, faisait d'elle une piètre conductrice. La sérotonine, c'est ainsi qu'on appelait ce fluide du cerveau qui lie les électrotransmetteurs. Et elle avait trop de sérotonine. Ou d'épinéphrine. Ou le contraire. Cela dépendait. Roy et Pam. Marée haute et marée basse. Où en était-elle ? Quelle vague l'avait emportée dans ce placard ? La sérotonine. Son état d'âme écrivait la musique et sa tête les paroles. L'opérette *Sérotonine.* « Promenons-nous avec les Pierrafeu, guidés par Fred en personne. »

Vraiment ? Dinah ne se souvenait pas de ce couplet. Eh bien, nous y voilà. Dinah se rappelait des publicités, des bandes-son de publicités qui s'étaient gravées dans son esprit, des mantras médiatiques, une technique de méditation qu'elle avait développée pendant les années où elle n'avait pas de télé ou de radio sous la main pour la bercer hors du temps et l'amener à la paix intérieure.

« Comment ça va ? » demanda la voix de Rudy au-dessus de sa tête, en descendant l'escalier.

« Très bien », articula silencieusement Dinah dans l'obscurité.

« Très bien, cria Lindsay dans la cuisine. Tu veux du riz blanc ou du riz complet ?

— Du blanc, répondit Rudy juste au-dessus de Dinah. Je fais attention à mon cholestérol, tu sais.

— Je n'aurais pas dû prendre du chinois, alors... on aurait pu aller chez un Japonais. »

Parfait, pensa Dinah en hochant la tête. Et voilà. La bombe est lâchée. La bombe émotionnelle. La bombe glacée. Toute cette nourriture chinoise qui rendait Rudy malade quand il la partageait avec Dinah, le faisait grossir à présent qu'il était avec Lindsay. Elle retira le sparadrap collé sur son autre pouce et commença à mordre dans les chairs qui repoussaient timidement.

« C'est parfait, assura la voix de Rudy, toujours dans l'escalier. Le poulet aux amandes ira très bien.

— Et les pois gourmands, ajouta Lindsay. Les pois gourmands sont bons aussi.

Dinah articula silencieusement : « Les pois gourmands sont bons aussi », tandis qu'elle écoutait les pas de Rudy passer devant le placard et entrer dans la cuisine.

« Les pois gourmands sont parfaits », acquiesça-t-il. Dinah les entendit préparer le dîner. La porte du réfrigérateur s'ouvrit et se referma. Le bac à glace émit un craquement, puis un, deux, trois et quatre glaçons tombèrent dans un verre. Un liquide coula sur les glaçons. Le tire-bouchon déboucha une bouteille. Les assiettes se posèrent sur la table, les chaises s'agitèrent.

Dinah écoutait avec attention, l'oreille collée contre la porte. Qu'avait cette fille de plus qu'elle ? Ou avait-elle quelque chose en moins que Dinah avait en trop ? Probablement. Elle avait moins d'opinions, elle était sans doute plus agréable, plus malléable, un cadre aimant pour le portrait en pied de Rudy, moins exigeante, plus attentionnée, moins d'ambition personnelle, plus d'ambition pour Rudy. Plus rassurante, plus attentive, moins intéressante, moins compliquée. Une femme, pour l'amour de Dieu, une femme. Eh bien, merde, je veux une femme, moi aussi. Non, non, ça n'est pas vrai, pas vraiment. Je veux un partenaire, un compagnon, un allié, quelqu'un à qui donner la poignée de main complice d'une sensibilité partagée. Quelqu'un que je trouve indéfiniment intéressant. Enfin peut-être pas indéfiniment, mais la plupart du temps. La plupart du temps. Que pense-t-il, même si je ne suis pas d'accord avec lui ? A quoi rêve-t-il, que va-t-il dire ?

Seul un rai de lumière brillait sous la porte. L'odeur âcre et dense du petit placard lui donnait envie d'éternuer. Dinah se frotta le nez avec vigueur. Elle déplaça avec précaution une botte en caoutchouc qui pesait inconfortablement sur sa jambe. Elle avait l'impression d'avoir été enfermée dans une vie après la mort, punie par un parent très religieux. Bannie dans un placard pour contempler Dieu et l'étendue de ses fautes.

Prisonnière d'une crypte à manteaux, un secret coupable que Rudy ne savait pas qu'il gardait.

« J'ai acheté de nouveaux livres de cuisine aujourd'hui », disait Lindsay, apparemment entre deux bouchées. Dinah se rapprocha silencieusement de la porte, car leurs voix étaient maintenant plus assourdies, plus lointaines.

« Vraiment ? » répliqua Rudy d'une voix légèrement étouffée, la bouche pleine. « Lequel ?

— Des recettes de Nouvelle Angleterre pour faire ce *chowder* aux clams dont je t'ai parlé, déclara Lindsay, et l'autre est une surprise. Pour demain. »

Dinah hocha tristement la tête dans l'obscurité. Une surprise culinaire. Oyez. Comment pouvait-elle se mesurer à une surprise culinaire ? Elle tira sur un long morceau de peau au coin de son ongle. La peau résista et Dinah dut l'arracher d'un coup de dents, faisant couler le sang. Elle suça sa plaie pensivement tandis que la conversation continuait.

« Tu ne devras pas mettre les pieds dans la cuisine de la journée », ajouta sérieusement Lindsay.

Dinah entendit le bruit d'une chaise qu'on repoussait et la porte du réfrigérateur s'ouvrir et se refermer. « Pourquoi toute la journée ?

— Eh bien, il faut quatre à cinq heures pour confectionner le *chowder*. Tu comprends, il faut préparer tous les ingrédients et les faire mijoter. Et puis synchroniser tout ça avec... la surprise... cela va me prendre presque toute la journée. Bien sûr, je te préparerai d'abord ton petit déjeuner. Du melon et du müesli. Et puis quelque chose de léger pour midi. Peut-être une salade de thon.

— C'est une bonne idée, du thon. Ou peut-être des tranches de dinde. »

Dinah baissa la tête, atterrée. Elle soupira discrètement. Du müesli et du thon. Je jette l'éponge. Je ne peux pas lutter. Je ne sais même pas ce que c'est que le müesli. La seule chose que je sache faire, c'est la tarte aux pommes et un mauvais sauté de veau. Elle essaya de trouver une position qui lui permette de s'allonger. Elle ne pouvait plus supporter de rester assise en écoutant cette conversation.

Grand Dieu, pensa Dinah en empilant des bottes pour se

caler la tête. Elle n'avait jamais vu Rudy porter tant d'intérêt à la nourriture. Peut-être que si elle avait quelqu'un sous la main, prêt à exaucer tous ses souhaits, elle mangerait elle aussi. Une maîtresse pour jouer les mères dévouées et aucun frère ou sœur pour vous voler son attention, quelqu'un à qui dédier tous ses gestes, comme la gouvernante dans *La Malédiction*, pendue à une corde. C'est pour toi, Damien. Dinah bâilla, prit une grande respiration et inhala un peu de l'air raréfié, renfermé. Cela la fit éternuer, un petit éternuement soudain et sonore. Mon Dieu, elle mit sa main devant sa bouche et attendit, terrorisée, les yeux exorbités dans l'obscurité qui l'entourait, bordée de la mince ligne blanche sous la porte.

« Tu as entendu ? » demanda calmement Lindsay.

Il y eut un silence pendant que Rudy réfléchissait. Une chaise bougea et il passa devant Dinah pour aller ouvrir la porte d'entrée « Je ne vois rien, dit-il en revenant. Ça n'est probablement rien. Peut-être une chauve-souris. »

Dinah ferma les yeux, soulagée, et se rallongea sur les bottes. Un goût oublié dans la bouche, un goût pas du tout culinaire. Le goût de quelqu'un qui mange au restaurant, commande son dîner par téléphone. Elle passa sa langue sèche sur ses lèvres et ferma les yeux. Elle n'allait pas penser à tout ça maintenant. Elle attendrait demain pour y réfléchir. Dieu m'est témoin... Est-ce que Dieu me regarde ?

Lindsay disait quelque chose. « Quand a lieu le feu d'artifice ? Samedi, c'est ça ? » Une chaise craqua, on ramassait les assiettes.

« Oui, samedi », répondit Rudy d'une voix presque inaudible ; l'eau coulait dans l'évier maintenant. « Samedi à la tombée de la nuit. Et il faudra qu'on parte tôt ou on ne pourra jamais se garer. »

Dinah changea de position dans le noir, mit un bras derrière sa tête, s'installa confortablement.

« Ne t'inquiète pas, je vais faire la vaisselle, proposa Lindsay. Va écrire. »

Dinah sourit, presque endormie. C'est vraiment dur, pensait-elle. Cette fille est parfaite.

« Tu es sûre ? » dit poliment Rudy, plus proche, juste devant le placard.

« Certaine », dit gentiment Lindsay. Dinah pouvait sentir son sourire ; il était apaisant. Les pas de Rudy montèrent l'escalier et passèrent au-dessus de la tête de Dinah, un préambule sonore au rêve. Il déambulait, comme un personnage de dessin animé.

« Rudy ? » appela Lindsay du bas de l'escalier.

Rudy était suspendu, accroché au fil de la voix de Lindsay. « Oui ? » demanda-t-il, immobile, attendant sa question.

Dinah était allongée précairement entre eux deux, presque endormie, rêvant d'eux, rêvant la réponse, rêvant la voix qui disait, « Tu crois vraiment qu'il y a des chauves-souris ? »

Le crissement monotone et régulier des criquets, leur cri aigu. Une longue note de musique, un bourdonnement effervescent, une supplication monocorde. Un filet sonore vibrait au-dessus de la tête de Dinah, montait désinvolte vers ses oreilles à travers l'aiguille sombre de la nuit. Un son fin et rond, lointain et circulaire, un courant rythmé de criquets, un courant qui entraînait Dinah le long du rêve.

Rudy se rend à deux soirées sans Dinah. Elle est furieuse et cherche des cachets dans l'appartement de Chuck et de Connie. Ils ont un nouveau bébé qui a une drôle de tête. Dinah s'en va, furieuse, sans avoir trouvé les cachets. Elle est suivie par un rat, un rat moucheté dont elle n'arrive pas à se débarrasser, ce qui l'ennuie un peu. Finalement, elle réussit à le semer et se retrouve soudain dans une émission de télévision qu'on tourne dans la rue. Il y a des roses quelque part. Dinah se sent soulagée, cela lui fait du bien. Un peu de gentillesse. Elle part à la recherche de Rudy, rassérénée par cette marque d'attention. Le chemin est long et compliqué. Finalement, elle retrouve son père entouré d'autres personnes, il porte une minerve. Il paraît qu'il y a eu des problèmes avec le bébé.

Dinah se réveilla en sursaut, courbaturée et désorientée, des lacets de chaussure collés contre son visage ; ses pouces lui faisaient mal, son cœur battait d'un rythme rapide, continu. Les criquets chantaient maintenant doucement derrière la porte, à l'extérieur de la maison. Dinah se dressa sur un coude, ses yeux commençaient à s'habituer à l'obscurité, distinguaient la ligne pâle sous la porte. Elle s'assit au milieu des manteaux, les repoussa du bras, guettant les signes de vie, de vie maritale. Les futurs jeunes mariés. La maison était silencieuse. Les criquets faisaient entendre leur chant cadencé, monotone. Ils la poussaient au départ, l'exhortaient à sortir. Elle se leva lentement, prudemment, et posa sa main sur la porte. Son cœur avait son battement du milieu de la nuit, une masse mal réveillée. Elle tourna la poignée et ouvrit la porte avec précaution. La maison était silencieuse. Elle réarrangea le fouillis révélateur de bottes et de chaussures pour rétablir l'ordre pré-Dinah et referma cette crypte. Elle se faufila dans la maison, passa la porte et se retrouva sur le perron. Elle s'arrêta un instant. Peut-être qu'elle aurait dû se glisser au premier pour apercevoir Rudy et Lindsay endormis. Elle les imagina serrés l'un contre l'autre comme deux cuillères bien imbriquées, rêvant le même rêve, digérant le même dîner. Des cœurs harmonieusement accordés, des cœurs enlacés qui ne faisaient plus qu'un, la tenaient à distance, au loin, hors champ. Elle rentra dans la maison et monta rapidement les marches, s'arrêtant sur le palier intermédiaire, paralysée par le craquement tonitruant du parquet. Elle gravit les dernières marches sans un bruit, prit le couloir qui menait à son ancienne chambre et hésita devant la porte, vacillant devant le précipice de la nouvelle vie de Rudy. Dinah enregistra leurs deux formes, allongées dans l'obscurité. Elle resta là les yeux secs, battant des cils, puis s'échappa vers sa vie à elle, où elle espérait un jour se sentir chez elle.

Les criquets entonnaient leur chant paresseux de deux heures du matin, la rosée brillait sur l'herbe tandis que Dinah, emportant avec elle les battements de son cœur et ses pouces mutilés, courait silencieusement vers sa voiture et disparaissait dans la nuit.

Après la copulation, la chauve-souris femelle émet un cri strident qui, selon certains chercheurs, indique aux autres femelles de choisir le même mâle.

9

DINAH décolla soigneusement une longue bande de chair sur son pouce et un mince filet de sang apparut. Elle pinça la peau, le filet se transforma en un point rond, tremblotant, qu'elle suça d'un air pensif. Elle n'avait pas voulu aller si loin. Faire couler le sang. Mais c'étaient les risques du grattage de pouce. Elle ne se rongeait pas les ongles, ils étaient même plutôt jolis et ils lui servaient essentiellement d'arsenal pour déchirer ses pouces jusqu'à ce que ceux-ci deviennent des moignons aux cratères vindicatifs, parsemés de petites cicatrices.

Par un jour gris et morose, Dinah roulait vers East Hampton à la recherche d'une librairie et d'un drugstore. Les arbres bordaient l'autoroute, une prière verte et béante, tournée vers le ciel pommelé. La route grondait sous ses roues, elle remonta ses lunettes de soleil sur son nez et accéléra.

Elle avait donc officiellement perdu l'esprit. Elle qui avait déjà peur de tant de choses. Peur d'être abandonnée devant la porte de la vie et d'écouter les rires qui venaient de l'intérieur. Les plaisanteries qu'on y échangeait étaient si confidentielles qu'elle ne pourrait pas les comprendre même si elle réussissait à entrer.

Il y avait quelque chose en elle que personne ne pouvait saisir, pas même elle. C'était là, juste à la lisière du langage, installé dans ce monde primitif. Traduit approximativement du sanscrit des sentiments, de l'indicible, du « comment pourrais-je l'expliquer ? » Une chose qui finirait par la déchirer.

Elle était un phare sur la mer déchaînée du monde, qui émettait des signaux avec ses yeux brûlants, aux aguets... Elle signalait les dangers et maintenait tout le monde au port, écrasé sur les rochers de sa personnalité. Le problème n'était pas vraiment qui elle était, mais ce qu'elle faisait à propos de qui elle était. Les barrières qu'elle dressait contre elle-même.

Un monde à distance. Vous le voyez, là-bas, à portée de main. Ecrasé sur son enceinte de rochers, bâti sur eux. Elle se comportait comme si elle était la question et que la réponse était non. Elle cherchait des humains à qui s'accrocher pour ne pas être emportée quand arrivait la tornade du « Où êtes-vous tous ? » et du « Super, on va tous crever ! ».

Elle avait parfois l'impression que son esprit était un message désespéré dans une bouteille à la mer, une bouteille de neurones qui flottait dans son crâne, abandonnée par un être plus intelligent et plus drôle qu'elle. Son esprit était une simple plaisanterie. Une farce attrapée. Tout à fait adapté au monde et complètement hors du coup. Fait pour autre chose. Une fantaisie mystérieuse. Une fantaisie *sérieuse*. Un vrai Big Bang.

La plupart du temps, elle essayait de trouver un équilibre entre son côté mortellement sérieux et son côté farce. Elle inspirait longuement et s'imaginait tenant ces deux pôles à distance pour pouvoir rester entière.

Elle se gara derrière le drugstore, sortit de la voiture et brossa les petits morceaux de peau accrochés à sa jupe dans le caniveau. Elle entra dans la boutique et passa les rayons au peigne fin à la recherche d'un trésor, d'un butin, de sparadrap pour ses pouces mutilés.

Elle acheta deux genres de sparadrap. Un en toile parce qu'on ne pouvait pas le retirer et un en plastique parce qu'on pouvait le retirer. Elle prit aussi des Tums, parce que c'était une manière amusante de manger du calcium et qu'elle ne voulait pas devenir bossue comme son arrière-grand-mère, bossue et aveugle. Evidemment, elle ne pouvait pas faire grand-chose pour empêcher sa vue de baisser, elle passerait cette épreuve quand l'heure serait venue. Avec une canne blanche.

Elle décida au dernier moment d'acheter de la crème décolorante au cas où les poils de ses bras deviendraient noirs pendant la nuit et passa à la caisse. Satisfaite maintenant qu'elle était prête à affronter la vie droite comme un *i*, le poil blondi et les pouces lisses.

Dinah paya ses achats et se précipita dans la librairie d'en face tout en enroulant du sparadrap autour de ses pouces. La section cuisine se trouvait juste à l'entrée du magasin sur le mur de droite. Elle consulta le rayon avec embarras. Les choix étaient si variés. *Les Joies de la cuisine* ; *La Cuisine sans cholestérol* ; la cuisine chinoise, japonaise, végétarienne ; les pains ; les soupes ; les desserts. *La Cuisine de Nouvelle-Angleterre*. La cuisine mexicaine, raffinée, arabe ; les salades ; les soufflés. Pourquoi pas. Pourquoi pas les soufflés. Si elle arrivait à faire des soufflés, elle pourrait faire n'importe quoi. Est-ce que Rudy aimait les soufflés ? Tout le monde aimait ça, non ? Et puis cela nécessitait un véritable talent de cuisinière. Le *chowder* de Lindsay aurait l'air ridicule en comparaison. Mais, pour assurer ses arrières, elle acheta aussi un livre sur les soupes. Les soupes, les soufflés et *Les Joies de la cuisine*. S'il y avait une joie à découvrir, elle ne voulait pas la rater.

Agrippant ses trois livres de cuisine, Dinah s'enfonça à l'intérieur de la boutique et se retrouva devant la section pratique. Elle choisit *Satisfaire les désirs de l'homme de votre vie sans vous sentir ridicule* ; *Couples intelligents, relations idiotes* ; *Faites-le revenir* ; et juste pour plaisanter, *Vos organes génitaux sont vos amis*. Entre ces manuels et les livres de cuisine, le week-end s'annonçait intéressant.

Elle était un peu gênée en présentant ses achats à la caisse mais la vendeuse ne broncha pas. Aussi Dinah ajouta-t-elle à sa pile, pour faire bonne mesure, *Des hanches de rêve en trente jours*. Avec toute cette cuisine en perspective, ça pouvait toujours servir. Elle attrapa son sac avec ses pouces emmaillotés et, en sortant de la boutique, se demanda soudain : « Qui suis-je devenue ? »

En traversant la rue, elle ajouta : « Qui qu'elle soit, espérons qu'elle sait cuisiner. »

Le soufflé qu'elle décida de confectionner était un soufflé sucré. Essentiellement parce que c'était un des plus faciles à réaliser et que les ingrédients semblaient simples. Elle corna la page du soufflé au yogourt, aux bananes et au rhum. Pour commencer. Elle s'arrêta au marché d'Amagansett, cette fois sans incident. Sans rencontrer de vieilles relations qu'elle ou Rudy connaissaient. Elle envisagea un instant de faire un soufflé aux carottes et au potiron, pour ne pas se limiter seulement à un dessert, mais il fallait des échalotes et comme elle ne savait pas ce que c'était, elle renonça à son projet.

Elle choisit aussi la recette de soupe qui avait l'air le plus à sa portée parmi celles proposées par son livre de cuisine. Mais même celle-ci semblait extrêmement étrange. C'était une soupe de légumes américaine, ce qui paraissait plutôt normal avant qu'on atteigne la liste des ingrédients qui incluaient du yucca, des poivrons rouges et de la semoule de maïs. Qu'était donc le yucca ? se demandait-elle, et elle était sur le point de renoncer, comme dans le cas des échalotes, quand elle tomba par hasard sur le légume au rayon des surgelés. Il s'agissait d'une chose blanche et gélatineuse. Elle trouva le reste des ingrédients et fit la queue à la caisse en espérant qu'on la prenait pour une femme au foyer. Quelqu'un qui aurait un mari et des enfants. Quelqu'un avec une vraie vie.

Dinah émergea triomphante dans le soleil brumeux de fin d'après-midi, croulant sous les paquets. La taupe du foyer. Perdue dans la forêt sombre du *royaume des ménagères*.

La soupe aux légumes américaine était en fait une soupe aux légumes sud-américaine. Le yucca ressemblait à du caoutchouc et avait vaguement le goût de bois. La recette indiquait qu'il fallait couper les légumes en dés. Ne sachant pas exactement ce que cela signifiait, Dinah improvisa, elle tailla ses ingrédients en ravissants petits dés microscopiques. Mais elle devint vite exaspérée par ce travail de fourmi et les cubes, de plus en plus gros, ressemblèrent de moins en moins à des dés. Elle se cassa deux ongles et imbiba ses sparadraps de jus d'oignon qui brûla ses écorchures.

Elle se rendit compte aussi en cours de préparation qu'elle aurait dû mettre l'oignon et l'ail à chauffer pendant qu'elle coupait les légumes, mais comment préparer l'ail ? La recette parlait d'ail émincé, ce qui évoquait quelque chose d'effroyablement petit, aussi Dinah passa-t-elle sa gousse d'ail dans la râpe à fromage, une opération qui se révéla assez inefficace puisqu'il était fort difficile d'extirper l'ail de la râpe. Les oignons ne la firent pas pleurer et cela lui parut bon signe : elle se sentit stoïque et efficace. Elle se concentra au maximum et fit la course contre la montre, surveillant du coin de l'œil les oignons en train de frire pendant qu'elle coupait en dés les carottes, les haricots verts, le céleri, les poivrons et le maudit yucca. Finalement, l'ensemble multicolore et exotique se retrouva dans une grande cocotte à feu doux et Dinah entama la confection de son soufflé.

Ces blancs d'œufs étaient une véritable plaie. Malgré toute sa bonne volonté, ils n'arrivaient pas à monter. Elle envisagea un moment d'aller acheter un batteur à œufs ou un mixer mais pensa : « Non, les femmes normales montent leurs œufs toutes seules, il n'y a pas de raison pour que je n'y arrive pas moi aussi. »

Cependant, après quinze minutes de combat acharné avec le bol et le fouet, après avoir essayé avec une fourchette et changé de main plusieurs fois, elle dut admettre qu'elle avait réussi seulement à faire un peu de mousse à la surface. Mon Dieu, cette histoire de cuisine virait au cauchemar. Mais elle refusa de se laisser décourager par cet échec, cette défaillance mineure, cette impuissance du blanc d'œuf. Elle décida donc que « mousseux » était peut-être une version miniature de « en neige ». Tout allait très bien au fond. Il lui semblait inconcevable que toutes les femmes du monde aient la force et la persévérance nécessaires pour réaliser des montagnes raides et neigeuses de blancs d'œufs. Le soufflé ne serait pas parfait. Mais ce serait quand même un soufflé. Rudy allait voir. Elle leur prouverait à tous. Elle les nourrirait tous. Enfin, peut-être pas tous.

Elle préchauffa le four et retourna à son Waterloo des blancs en neige, elle ajouta du sucre tout en continuant à battre les œufs comme le suggérait la recette. Ils étaient censés devenir « fermes mais brillants ». Brillants, certes, ils l'étaient puisqu'ils avaient toujours une consistance liquide, mais on ne pouvait pas prétendre qu'ils étaient fermes. Très bien. Elle sauta à l'étape suivante.

Elle avait choisi le soufflé au yogourt parce que cela lui semblait exotique et peu calorique. Et parce que les ingrédients n'étaient pas trop compliqués. Elle mélangea le yogourt et le *cottage cheese* jusqu'à ce qu'ils soient onctueux. Pas de problème. Puis elle ajouta les ingrédients restants : les bananes, le rhum, le sirop d'érable et le jus de citron. Tout semblait marcher comme sur des roulettes. Il fallait à présent incorporer les blancs en neige. Les blancs sans conteste liquides. Eh bien, mon Dieu, elle était juste une cuisinière débutante. Découragée mais résolue, elle versa les blancs liquéfiés dans la jatte et, pleine d'espoir, mélangea le tout pour arriver au résultat final : un truc crémeux et beigeasse. Comme elle n'avait absolument aucune idée de la consistance que devait prendre cette préparation, elle supposa que tout allait bien. Elle mit de côté sa crème surprise et enduisit de beurre un bol en céramique, la seule chose qu'elle eût sous la main. La recette précisait qu'il fallait « trois moules à soufflé individuels, beurrés et sucrés, passés au réfrigérateur et prêts à l'emploi ». Mais si on n'avait pas trois moules à soufflé ? Si on avait qu'un bol en céramique ? Oh, basta, il ne s'agissait que d'un premier essai.

Dinah versa la pâtée beigeasse préparée avec un soin tragique dans le bol et posa le tout sur le comptoir de sa cuisine. Le dessert était maintenant prêt. Prêt à passer au four. Et la soupe chauffait. Elle allait... quoi ? Elle allait... quelle heure était-il ? Un peu plus de six heures. Elle allait... passer ses bras à la crème décolorante. Ouais. Elle entrait dans la préparation intensive pour le Grand Singe. Mme Kong a préparé un dîner léger pour l'homme de sa vie, momentanément absent, et va maintenant se pomponner, blondir les poils de ses bras, s'adoucir la peau en vue du sacrifice à venir.

Elle prépara sa crème décolorante dans un bol, retira ses vêtements, ne gardant que ses dessous, et s'enroula dans une serviette. Elle étala la préparation sur ses avant-bras et regarda sa montre. Six heures et demie. Elle devait la laisser reposer quinze minutes avant de la retirer. Elle s'enduisit aussi d'un masque de beauté, pour faire d'une pierre deux coups. Ainsi déguisée en participante à un étrange rituel de midinette, Dinah décida de profiter de ses quinze minutes pour téléphoner. Elle éplucha son carnet d'adresses à la recherche d'un nom amical, quelqu'un qui ne lui demanderait pas ce qu'elle faisait dans les Hamptons, ni pour qui elle se prenait. Mais elle avait du mal à imaginer qu'un de ses amis ne poserait pas de telles questions. Connie était définitivement la personne à ne pas appeler. Elle tomba soudain sur le choix idéal. Au milieu du carnet d'adresses, sous la lettre K... Herb Kaufman, son père. Elle composa lentement et soigneusement son numéro en Bolivie. Quelle heure était-il là-bas ? Il ne devait pas y avoir un gros décalage horaire. C'était juste au-dessous des Etats-Unis, pas à l'autre bout du monde. Elle entendit le signal des communications longue distance et puis le téléphone se mit à sonner. A sonner et à sonner. Dinah l'écouta sonner pendant exactement douze minutes, soit 537 fois, avant de reposer le combiné et d'aller dans la salle de bains retirer sa crème décolorante.

Dinah remuait sa soupe d'un air pensif, hypnotisée comme s'il s'agissait d'une vision, d'un message, d'une télévision végétale. Une chaîne câblée végétale. La triste concoction pour le soufflé reposait patiemment dans le réfrigérateur avant d'entreprendre son imminent voyage dans l'antre du four. Dinah poussait de petits soupirs en touillant sa soupe. Elle se demandait à quel moment elle était devenue observatrice plutôt que participante. Quand avait-elle cessé d'être excitée par ce qui pouvait se produire ? Avait-elle toujours été aussi désabusée ? Maintenant, le déroulement des événements semblait sans surprise, ce qui était auparavant auréolé de mystère et d'excitation paraissait aujourd'hui presque terrifiant et sans intérêt. Elle avait été la compagne de Rudy et avait fui, pensant trouver plus — quelque chose de mieux, de différent — et ça avait marché, ça avait marché. Mais elle avait une sensation de répétition, de déjà vu, des variations sur un même thème : que pouvaient révéler les autres, que pouvait-elle révéler ? Elle observait, attendait, traversait une série d'histoires toutes semblables, descendait les rues entourée par une bande de jeunes adultes, débordant de possibilités, bras dessus bras dessous, souriant, en pleine discussion, une cigarette aux lèvres, se demandant ce qui allait arriver ce soir, ce qui les attendait au coin de la rue, quelle soirée, quelle fille, quel plaisir.

Dinah remuait sa soupe, déprimée d'avance par le résultat, elle était une femme au foyer incompétente et velléitaire. Non, non, non... Une minute. C'étaient des histoires à la Pam. D'accord, elle était aussi dans le coup, mais Pam était de retour. Elle se tenait derrière elle, la poussant un peu plus loin, un peu plus bas. Dinah se sentit soulagée. Si elle pouvait lui donner un nom, elle n'était plus autant en danger. C'était encore désagréable, mais ça allait finir, elle n'était pas si mauvaise que ça après tout. Dinah sourit à son pot de soupe d'Amérique du Sud. La terre d'adoption de son père. *Chez Pam.*

« Ne serait-ce pas l'odeur d'un bon repas ? » appela une voix. Comme si le message que contenait la soupe avait finalement été reçu cinq sur cinq, entendu.

« Oui, chef », répondit Dinah dans la direction de la voix. Un visage apparut à la fenêtre. Roy souriait timidement dans la lumière du crépuscule, Dinah sortit la spatule de la soupe et la posa sur le comptoir. Elle essuya ses mains sur son tablier comme une vraie professionnelle et se dirigea vers la porte.

« Vous n'auriez pas un petit plat à offrir à un artiste qui lutte pour survivre ? Enfin, je ne lutte pas vraiment en ce moment, conclut-il gaiement. Mais je fonctionne comme ça stylistiquement. »

Dinah était sur le point de lui ouvrir quand elle se rappela qu'elle avait toujours son masque de beauté. Elle fit la grimace. « Pouvez-vous attendre une minute... en continuant à broder sur le thème de la lutte ? » demanda-t-elle d'une voix plaintive.

Roy hésita un instant avant de répondre. « Bien sûr, dit-il finalement. Je vais probablement en faire un personnage de roman.

— Tout vient à point à qui sait attendre », promit-elle, et elle fonça dans la salle de bains, retira son masque et se maquilla très, très légèrement. Satisfaite de son apparence, compte tenu du temps qui lui était imparti, elle se dirigea vers la porte en faisant bouffer ses cheveux, se disant qu'elle aurait dû mettre plus de maquillage, que ce serait sa prochaine priorité.

« Vous aurez un petit plat si je vous le prépare, dit-elle en lui ouvrant. L'estomac est le meilleur chemin pour atteindre le cœur des hommes. Citez m'en un autre.

— Haut ou bas ?

— Haut. Comment allez-vous ? répliqua-t-elle en souriant.

— Très bien. » Roy se tenait gauchement devant la porte.

Dinah lui désigna la table de la cuisine. « Asseyez-vous.

Comment voulez-vous vos œufs ? demanda-t-elle en passant derrière le comptoir et en attrapant des bols, des couverts et des verres dans le placard. Dressant la table pour Roy.

« Il y a des œufs au menu », dit-il pensivement. Il retira sa veste tout en réfléchissant à son option œufs.

« C'est juste une figure de style. Nous avons de la soupe. »

Roy parut soulagé, puis surpris. « Seulement de la soupe ? »

Dinah lui expliqua qu'il s'agissait d'un dîner léger, un essai qui consistait en une soupe et un soufflé, des choses commençant par un S. Elle continua à parler tout en servant la soupe et en mettant le soufflé au four. Elle ouvrit une bouteille de vin et mit la radio en sourdine. Elle se sentait merveilleusement bien. Elle avait un homme sur lequel tester son numéro de femme d'intérieur. Et le pire, c'est qu'elle aimait ça. Elle aimait la soupe qu'elle avait préparée et que Roy trouvait délicieuse. Car elle aimait tout ce qu'elle réalisait, à l'exception des premiers scénarios qu'elle avait écrits pour *Désir du cœur*. Elle avait l'impression d'avoir accompli quelque chose de formidable, d'exceptionnel. Calée sur sa chaise, elle regardait Roy finir son second bol de soupe, très satisfaite d'elle-même. En parfaite osmose avec cet univers bourgeois. La conversation avait dévié sur les problèmes de couple. Roy parlait de sa femme et de sa petite copine.

« Je ne vois pas Karen en ce moment », dit-il en repoussant son bol vide. Ses yeux regardèrent vaguement quelque chose au loin, à gauche puis sur le parquet.

Dinah fit la moue, puis demanda : « Et Karen est... ?

— Mon amie. Elle est furieuse à cause de ma femme. C'est une situation encore potentiellement viable. Mais elle me soupçonne aussi d'avoir d'autres liaisons. » Il fixait maintenant Dinah dans les yeux, semblant la confondre avec Karen. « Ce qui n'est absolument pas vrai, affirma-t-il avec force. Ça n'est jamais arrivé. » Dinah l'observait : ses yeux bleus brillaient sous ses boucles brunes. « Elle imaginait que je voyais toujours une de mes ex, ce qui était complètement faux. Mais elle a refusé de me croire. En plus, toute cette histoire avec ma femme... Karen n'accepte pas que je ne puisse pas divorcer. Je lui ai expliqué que c'était extrêmement compliqué. Cindy est très fragile et... » Il soupira et regarda ses mains posées devant lui. « J'ai encore beaucoup d'affection pour elle. Mais Karen ne le comprend pas. Elle est très possessive et elle veut un enfant. » Il s'arrêta pour regarder Dinah. « Maintenant que j'y pense, Cindy aussi veut un bébé. Pour elles, je ne suis qu'un géniteur. Je dois honorer leurs horloges biologiques.

— On devrait faire de vous un étalon, répondit-elle en souriant.

— Avez-vous jamais eu ce désir, ce besoin biologique d'avoir un enfant ? »

Elle haussa les épaules et s'enfonça dans son fauteuil. « Je le suppose, oui, bien sûr. J'ai envie d'aller au bout de toutes les expériences possibles. Ça fait partie de mon lot féminin. C'est affreux d'être une femme parfois, croyez-moi. Nous devons essayer de convaincre les hommes de nous épouser ou bien prendre le contre-pied et prétendre que nous nous en fichons. Ou trouver autre chose. Tenez, la semaine dernière, j'étais dans une boutique, à la section lingerie, très sérieusement occupée à dénicher des dessous et des chemises de nuit. Je regardais tous ces trucs, traquant ma proie. Soudain j'ai levé les yeux et j'ai vu toutes ces autres femmes qui faisaient la même chose, et je me suis dit : “ Regarde-nous, toutes ces nanas dans l'antre de la féminité, absorbées par ce monde d'achats potentiels, pourquoi ? ” Pourquoi est-ce si palpitant ? Vous comprenez, qui est intéressé si Ultima sort une nouvelle gamme de rouge à lèvres ? Moi. Terriblement. Comme vous, les hommes. Vous devez regarder les matchs de base-ball. Vous savez pourquoi ? Non. Je ratisse les boutiques à la recherche de parfais sous-vêtements et de rouges à lèvres pendant que vous regardez les matchs.

— Je ne suis pas vraiment passionné par le base-ball, admit Roy presque timidement.

— Eh bien, soit. Vous êtes l'un des sept types qui n'aiment pas le sport.

— J'aime le hockey. » Il se pencha vers elle et posa ses coudes sur ses genoux.

« Et voilà, annonça-t-elle victorieusement. Un sport violent et excitant. » Dinah se leva pour ramasser les bols de soupe. Roy fit mine de l'aider, mais elle le força à se rasseoir. « Non, non », dit-elle en empilant les deux bols et en prenant les deux verres entre le pouce et l'index. « Je fais un essai de femme au foyer. » Elle les remporta dans la cuisine et les posa soigneusement dans l'évier. « Combien de temps puis-je tenir sans causer un désastre ? Je vous proposerais bien un café, mais... je ne sais pas faire du vrai café. Est-ce que vous voulez un Nescafé ? Ou alors du vin ? »

Roy réfléchit un instant. « Je veux bien du vin. Continuons sur notre lancée. Vous en avez encore ? Sinon, j'irai en chercher dans mon bungalow. »

Pendant que l'eau coulait dans l'évier, Dinah regarda dans le réfrigérateur. « Et une bouteille ! » s'écria-t-elle en la brandissant victorieusement. « Mais c'est à vous de l'ouvrir. Ouvrir les bouteilles est un truc d'homme. Je me suis occupée de la première seulement parce que nous n'avions pas encore eu de discussion importante sur le rôle des sexes. »

Roy se leva pour prendre la bouteille. Dinah lui tendit le tire-bouchon. « Vous êtes la première femme sexiste que je rencontre. »

Dinah ouvrit précautionneusement le four et étudia le soufflé. Elle prit deux gants de cuisine sur le comptoir et les enfila. Son visage paraissait tendu. « Je ne crois pas être vraiment sexiste, plutôt pratique. Aujourd'hui, les femmes peuvent enfin travailler, même si on nous paye moins bien, mais les problèmes domestiques restent malgré tout à notre charge. Donc, nous devons gérer les deux à la fois. Le boulot et le cauchemar ménager. » Elle sortit avec circonspection un truc piteux du four. « Je ne crois pas que cela soit censé ressembler à ça », dit-elle d'un air angoissé. Roy se rapprocha d'elle et regarda par-dessus son épaule.

« A quoi cela doit-il ressembler ? » demanda-t-il généreusement, en fixant le contenu du bol de céramique que Dinah tenait entre ses mains gantées.

« Pas à ça, assura Dinah en hochant légèrement la tête. Je crois bien que ça devait monter et avoir... une couleur plus appétissante. »

Roy retourna s'asseoir à table et reprit le débouchage de la bouteille. « Essayons quand même. Ça ne peut pas être si mauvais que ça. » Dinah lui lança un regard de gratitude et de doute mêlés.

« Quel dévouement », dit-elle en se dirigeant vers le placard pour sortir de nouveaux bols. « Je le baptise soufflé du Dévouement. Le soufflé ça-ne-peut-pas-être-si-mauvais-que-ça », continua-t-elle et elle déposa quelques cuillerées de la mixture dans chaque bol. Le bouchon sauta avec un bruit sec. Roy prit deux verres et leur versa du vin.

« De toute façon, le vin peut toujours faire passer le goût du soufflé.

— Bonne idée », déclara Dinah en déposant le dessert gris mystérieux devant lui. « Une cuvée spéciale anesthésiante. »

Un chien aboyait au loin tandis qu'ils goûtaient la préparation aplatie et sans goût préparée par Dinah. Roy savoura la première bouchée avec un air d'intense concentration. « Eh, ce n'est pas épouvantable en tout cas. On dirait un peu une sorte de... » Il laissa sa phrase en suspens, cherchant la comparaison adéquate. Mais, avant qu'il l'ait trouvée, Dinah l'interrompit.

« Ça a le goût de craie, annonça-t-elle, sinistre, en buvant une gorgée de vin.

— Mais d'une craie *originale* », proposa-t-il avec enjouement. « Un délicieux mortier. »

Dinah pencha la tête et le regarda avec affection. « Vous voyez bien, c'est vraiment le soufflé du Dévouement. » Dinah observait Roy par-dessus son verre, en espérant qu'il la trouvait sympathique. Moins parce qu'il lui plaisait que par besoin d'être aimée. Elle ne savait pas vraiment si elle aimait Roy, mais elle savait avec certitude qu'il *devait* l'aimer et qu'elle le trouverait sympathique jusqu'à ce qu'elle en soit sûre. Et elle serait très malheureuse si cela ne se produisait pas. Elle ne chercherait pas à savoir qui il était ou ce qu'elle allait faire avec lui, elle se disait simplement qu'il lui serait insupportable qu'il ne l'aime pas.

Roy et Dinah se regardèrent un instant juste un peu trop long, qui trahissait une certaine raison biologique. Un lien physiologique, l'accouplement involontaire de deux mammifères. Tous deux détournèrent immédiatement la tête. Dinah ferma les yeux pour contenir la tempête d'œstrogènes prête à la submerger. La fête des œstrogènes qui se nourrissaient d'elle. Changer de sujet. Trouver un sujet de conversation. N'importe lequel. Ils se mirent à parler tous les deux en même temps.

« Donc vous...

— Pourquoi avez-vous...

— Allez-y », proposa-t-il généreusement.

Elle fit non de la tête, souriante. Rougissante. « Non. Vous.

— Donc vous comptez vous réconcilier avec ce type? demanda Roy d'un air interrogateur en se calant sur sa chaise.

— Qui ? » s'exclama Dinah, l'esprit ailleurs, avant de redescendre sur terre. « Oh, mon ex-mari ! » s'écria-t-elle. Elle avait complètement oublié son existence et se sentit parfaitement idiote. « Vous voulez dire revivre avec lui ? » Dinah contempla le soufflé d'un air sérieux, contempla ses sentiments et répondit à la question qu'elle se posait elle-même. « Non, non, nous n'étions pas très heureux ensemble. Je ne sais pas vraiment ce que je fais ici. Je suis dans un processus. L'œuf avant la poule.

— Ah », dit ironiquement Roy, complètement désarçonné. « Eh bien, c'était mon autre question. Etes-vous l'œuf ou la poule ? »

Dinah éclata de rire et prit une gorgée de vin. « Ou, comme dirait Mae West, êtes-vous content de me voir ? » contre-attaqua-t-elle doucement.

Roy reprit. « Non, mais c'est comme... eh bien... quel est le problème ? Vous ne supportez pas qu'il aime quelqu'un d'autre, c'est ça ? » Roy croisa les jambes, posa son verre et s'essuya le front.

Dinah haussa les épaules, fit une grimace embarrassée. « Je suppose. Peut-être. Je dois l'admettre, ça me dérange. » Elle leva les yeux vers Roy. « Que feriez-vous ? Je veux dire si Karen ou...

— Cindy, compléta Roy.

— Cindy. Que feriez-vous si Karen ou Cindy voyaient quelqu'un d'autre ? »

Roy sourit et regarda ses mains croisées. « C'est déjà arrivé. Karen sortait avec cet acteur. C'était affreux. Je suis à peu près sûr qu'elle le faisait pour me faire souffrir. J'avais commencé une thérapie de couple avec Cindy à l'époque, et Karen voulait que j'arrête. Alors elle m'a trompé avec cet acteur.

— Et alors ?

— J'ai arrêté. Le pire, c'est qu'elle m'excitait davantage

quand elle couchait avec lui, et je ne voulais pas l'entraîner dans une relation où elle devait avoir d'autres amants pour que je continue à m'intéresser à elle. »

Dinah hocha la tête, hésitante, essayant de mettre de l'ordre dans ce discours un peu confus. « Vous voulez qu'elle s'intéresse à quelqu'un d'autre pour pouvoir la récupérer ?

— Exactement. Et vous savez, je pense qu'il me faut peut-être ce genre de relations. Peut-être que je suis un de ces types qui ont besoin d'une femme qu'il faut conquérir sans cesse. »

Dinah se pencha et encercla son verre de ses mains. « Eh bien, c'est aussi ce que j'aimais chez Rudy. Il était toujours intéressé par moi d'une manière pas vraiment intéressée. Et le pire c'est que c'était presque suffisant. J'aurais presque pu être heureuse.

— Presque. Mais pas complètement », remarqua Roy, très pragmatique. Dinah prit un air légèrement offensé.

« Mais je ne veux pas être satisfaite. Que ferais-je alors ? »

Roy eut l'air surpris. « Hein ?

— Que ferais-je si j'étais satisfaite ? Je ne serais pas motivée. Comment progresserais-je ?

— Ah, approuva Roy, soulagé. Je comprends et je suis d'accord, mais je ne pense pas que *cela* doive être ce qui vous motive. Vous comprenez, il y aura toujours des trous noirs. Vous trouverez toujours des défis à relever. Je ne crois pas qu'il faille les chercher dans le couple. Vous voyez ce que je veux dire ? » Roy regarda Dinah d'un air interrogateur, échauffé par le sujet. « Vous voulez un vrai défi ? Dieu vous en préserve, mais supposons que vous ayez un enfant invalide. Voilà une motivation. »

Dinah n'avait pas l'air convaincue. « Eh bien...

— Ce que je veux dire, c'est que la vie vous réserve bien des surprises. »

Dinah sauta du coq à l'âne. « Que doit faire une femme pour vous ? Est-ce que Cindy cuisine ? Fait vos bagages ? Vous masse le dos ?

— Euh, elle est en clinique actuellement, dit-il avec embarras.

— Je sais. » Dinah écarta cette réalité d'un geste de la main. « Je veux dire avant. *Idéalement.*

— Oh, *idéalement*. Je peux me passer de tous les services que je peux acheter. Donc, on ne peut pas acheter... »

Dinah l'interrompit avec enthousiasme : « Les massages de dos ?

— Si, on *peut* acheter des massages. »

Dinah hocha stupidement la tête. « Bien sûr, oui, je le sais bien.

— On ne peut pas acheter un point de vue et une sensibilité », lui rappela Roy gentiment. Elle sourit d'un air soulagé, contrit.

« Et le sexe. Enfin, on *peut*...

— Non, on ne peut pas acheter ce genre de relations sexuelles. Des relations sexuelles qui comptent. »

Ils se renfoncèrent dans leurs fauteuils, pensifs, épuisés. Une mouche tournait autour de la vaisselle empilée dans l'évier et finit par se poser sur une fourchette sale. Tony grogna dans son sommeil, allongé sur le canapé. Roy regardait dans le vide et soupira presque mélancoliquement.

« Je n'ai encore jamais réussi à être vraiment amoureux, transporté et à avoir ce... devenir cet... Cette immense fusion de l'âme et pas... pas simplement... être quelqu'un qui voit quelqu'un d'autre. » Il sortit un morceau de bouchon de son verre entre le pouce et l'index. Dinah le regardait faire, concentrée.

Roy continua. « Soit je suis trop atteint pour me rendre compte que c'est la femme de ma vie, soit ce n'est pas la femme de ma vie. Elles ne sont pas les femmes de ma vie. De toute façon, le résultat est le même et elle doit supporter le résultat. Elles doivent supporter le résultat.

— Ouais, admit Dinah un peu désenchantée. Parce que c'est la parfaite excuse et ce n'est pas pour rien. » Elle s'arrêta un instant pour rassembler ses pensées, ses yeux noisette brillaient d'amusement. « Les hommes attachent de l'importance à... », commença-t-elle en regardant Roy intensément, prête à lui sortir le grand jeu. « Vous êtes prêt ? dit-elle avec humour.

— Prêt, répondit-il, en s'enfonçant dans son fauteuil, les bras étendus sur la table.

— O.K. », commença-t-elle, en comptant sur ses doigts pendant qu'elle énumérait sa liste. « Au sexe, au travail... tout cela est interchangeable selon l'âge de l'interrogé... sexe, travail, nourriture, sport, et enfin, à contrecœur, aux relations humaines. » Roy s'apprêtait à intervenir mais elle ne lui en laissa pas le temps. « Et les femmes pensent... » Elle avait serré les poings, prête à attaquer le compte de la liste féminine. « Relation, relation, relation, travail, sexe, shopping, régime, nourriture. » Roy hocha la tête, l'air incrédule. Dinah se sentait un peu ridicule. « Ce n'est pas une théorie prouvée à cent pour cent, mais cela vous donne une idée générale du problème. »

Roy s'essuya le front avec la main.

« Ouais, je crois que j'ai saisi l'idée générale. Les femmes pensent beaucoup aux relations. »

Ils restèrent silencieux un moment. Une bise soufflait par la fenêtre. Un train siffla au loin, mélancolique. La mouche tomba dans l'eau huileuse et se débattit avec énergie pour se libérer.

« J'ai beaucoup de mal à être seul, avoua finalement Roy.

— Vous êtes seul en ce moment.

— Non, dit Roy, mi-blessé, mi-amusé, je suis avec vous.

— Vous comprenez très bien ce que je veux dire », répliqua-t-elle sur un ton légèrement condescendant.

Roy se balança sur son siège, fuyant le regard de Dinah. « Ouais, eh bien... Je suis beaucoup au téléphone et en dehors de ces moments-là... » Il haussa les épaules. « C'est difficile. J'ai du mal à m'endormir.

— Moi aussi.

— Je dors beaucoup mieux avec quelqu'un.

— Je supporte assez bien la solitude. En fait, j'aime ça. J'ai appris à l'aimer ces dernières années. Mais j'ai encore du mal à m'endormir. J'ai toujours eu du mal.

— Ça m'angoisse terriblement. Ça m'angoisse de me retrouver tout seul avec ma tête, avec mes pensées. J'ai toujours été comme ça. C'est pour ça que je bois.

— Je bois généralement quand je suis intimidée ou quand je dois faire quelque chose d'exceptionnel. Généralement sexuel. » Pourquoi avait-elle dit ça ? Elle avait bu ce soir. Elle lâcha son verre et s'enfonça dans son fauteuil, l'air coupable, en priant le ciel pour que Roy ne se fasse pas la même remarque. Il n'en avait pas l'air. Il pencha la tête et il la regarda avec curiosité.

« Vous n'êtes pas sexuelle en général ?

— Je ne crois pas. J'essaie en tout cas. » Dinah commença à tirer sur le sparadrap qui enveloppait son pouce. Discrètement. Sous la table.

« Et pourquoi donc ?

— Je ne sais pas. J'ai été élevée de manière assez stricte et... c'est un domaine difficile à contrôler. Je veux dire, être engagée dans une relation sexuelle totale... »

Roy l'interrompit, se pencha en avant, les yeux pétillant de malice. « Sexuelle totale ? » demanda-t-il sur un ton légèrement incrédule.

« Vous savez, l'acte de procréation », expliqua-t-elle d'une voix hésitante, les yeux baissés, rivés sur ses genoux. Comment en étaient-ils arrivés là ? pensait Dinah terrifiée. Ça doit être de ma faute. Au moins en partie.

« Faire l'amour ? » suggéra Roy.

Dinah fit la grimace. « L'expression " faire l'amour " m'a toujours fait penser à une recette de cuisine. Vous savez, avec de la vanille, de la cannelle et de la levure de bière.

— Avoir des rapports sexuels, alors ? »

Dinah rentra le menton. « On pourrait dire ça, oui, dit-elle sans le regarder. Une fois que vous en êtes là... et je parle en tant que femme... alors tous les espoirs vous submergent. Avec le sexe viennent les suppositions. Les élucubrations mentales. Est-ce qu'il m'aime ? Est-ce qu'il va m'appeler ? Qu'est-ce qu'il veut dire ? Est-ce que ça va marcher ? On rentre dans les rites vaudous et on cesse d'être autonome. Tout est fait en fonction de l'autre. »

Elle regarda par la fenêtre, imaginant les gens qui vivaient dans le coin, un homme de Long Island qui se pressait au loin pour la rejoindre, apparaissant dans le paysage. Le paysage changeant, brouillé, béant. Comme si celui-ci offrait à Dinah son fils unique, la seule chose humaine qu'il puisse produire. Elle attendit de voir ce que le paysage lui apportait et se rendit compte soudain qu'il lui avait probablement apporté Roy.

« Ça a l'air un peu sinistre », remarqua-t-il. De quoi étaient-ils en train de parler ? Oh, oui, l'inévitable sujet de conversation entre garçons et filles.

« C'est pourquoi j'essaie de m'arranger. Je ne m'attends pas à vivre une folle relation. Si l'autre reste calme, ça me va. » Le sparadrap céda. Dinah le replia et le jeta discrètement sous sa chaise.

Roy avait l'air totalement perdu. « Je ne crois pas que je vous suive.

— Ça n'a pas d'importance. Je divague. J'adore embrasser. Quand j'embrasse, c'est comme si tout mon esprit faisait du baby-sitting... mais je ne veux pas être une allumeuse. » Etait-ce une manière de se faire de la publicité ? Tous deux se posèrent la question. Elle attaqua le sparadrap de son autre pouce.

« Hein, hein. C'est agréable d'embrasser.

— N'est-ce pas ? » Dans quel genre de conversation étaient-ils embarqués ?

« Bien sûr, je suis aussi un fan de sexe. De... comment avez-vous dit ? L'acte de procréation ? »

Dinah éclata de rire. « Les rites vaudous de procréation. C'est que... je ne parle pas couramment sexe... je le parle un peu... c'est plutôt une seconde langue.

Il rit et hocha la tête. Leurs yeux se rencontrèrent à nouveau et le sparadrap se décolla.

« Rites vaudous de procréation », répéta Roy dans un murmure. Dinah sentit la chaleur lui monter au visage. Ses mains étaient faibles et nues sans sparadrap. Elle se leva.

« Il va falloir que j'aille me coucher », dit-elle en jetant un coup d'œil vers sa chambre, puis vers Roy.

Il se leva. « Ouais, moi aussi. » Elle le suivit jusqu'à la porte. Ils étaient face à face.

« Eh bien... », commença-t-elle, en lui tendant la main, exposant un de ses pouces. « Bonne nuit, finit-elle par dire de manière neutre.

— Bonne nuit. Et merci pour... la craie amicale.

— *Originale,* le corrigea-t-elle.

— *Originale* », répéta-t-il. Ils avaient épuisé toutes les possibilités de conversation. Ils ne bougeaient pas. Paralysés. Tenus dans le champ de force invisible des phéromones. Roy se pencha soudain et l'embrassa. Dinah lui rendit son baiser. Le désir se mêlait au soulagement.

La mouche prisonnière de l'évier se dégagea soudain de l'eau et vola vers la lumière.

« Qu'est-ce que nous sommes en train de faire ? murmura Roy haletant.

— Presque rien », marmonna faiblement Dinah contre sa bouche, en l'encerclant de ses bras, en caressant sa chemise blanche. Henry Stark. Les jeudis soir. Non, ce n'était pas Henry. Qui était celui-ci ? Pas Rudy, elle en était certaine. Qui étaient ces hommes qui se nourrissaient d'elle ? Elle glissait les doigts dans ses cheveux. Elle le respirait, il la respirait, caressait son cou. Il pressait son corps durci contre son corps alangui. Ils titubèrent jusqu'au canapé, s'y effondrèrent, Roy au-dessus de Dinah. Le chien endormi sauta furieux au bas du canapé et s'installa sur le plancher. Dinah et Roy parlaient entre deux baisers, une conversation plus intime maintenant.

« Inattendu, dit-il.

— Quoi ?

— Ça.

— Le lycée.

— Le lycée ?

— C'est comme au lycée. Tu es mon petit copain. Andy Hardy. » En fait, le film s'intitulait *Andy Hardy trouve l'amour,* pensa-t-elle. Mais est-ce que Roy était l'amour ? Non, sans doute seulement Andy Hardy. Un Andy Hardy de plus. Quel était le nom de la fille dans ce film ? Judy Garland. Non, pas le nom de l'actrice, celui du personnage. Elle ne s'en souvenait plus, ne le retrouvait pas. Elle se rappelait seulement la phrase : « Nous pouvons aller dans la grange. »

« Il faudra que tu portes mon médaillon », disait-il maintenant, répondant à son sourire, les mains dans ses cheveux. Elle le poussa sur le dos, s'installa sur sa poitrine et l'embrassa, après avoir pris le dessus, enfin. Elle ne pouvait garder les hommes qu'en les tuant. En les tuant doucement. Son nouvel Andy Hardy. Le nouveau qui n'était pas Rudy, lui.

« Je vais te faire un pinçon », dit-elle, les coudes appuyés de chaque côté de la tête de Roy, les mains croisées. Il lui mordit gaiement le menton.

« Nous irons au bal de fin d'année », promit-il.

Ils se serrèrent plus étroitement tandis qu'elle disait : « T'es sérieux ? Oh, oui, vraiment ?

— Absolument. » Leurs deux visages s'imbriquèrent. Elle glissa la main dans ses cheveux noirs épais. Ils se mangeaient le visage, une pêche en train de dévorer une pêche. Savourant la douce chair. Les paumes de Dinah étaient moites. Il la renversa avec douceur. Une voiture passa lentement sur la route.

« Qu'est-ce que nous sommes en train de faire ? demanda-t-il à nouveau.

— Ça », répondit-elle en l'embrassant, autant pour pouvoir fermer les yeux que pour l'embrasser. Leurs fronts se touchaient. « Nous étions si nerveux. Cela nous a aidés à nous détendre. »

Il rit, une goutte de sueur coula sur son front et se perdit dans ses cheveux. « Oui, nous étions nerveux. Peut-être que le soufflé était aphrodisiaque.

— *Anglodisiaque* », plaisanta-t-elle, en se déplaçant légèrement, en posant ses jambes sur les siennes.

« Quoi ?

— Le soufflé ne peut être qu'anglodisiaque. Pour prétendre être autre chose, il aurait fallu que j'ajoute beaucoup plus de mélanine, nous sommes les seuls responsables de la situation. »

Il rit. « Je vois.

— Je me sens mieux maintenant. Pas toi ? »

Il l'embrassa. « Beaucoup mieux. »

Ils sentirent la montée du désir. Leur baiser était brûlant, il les irradiait de sa chaleur, chauffait sa tête à elle, son sexe à lui. Une flamme éternelle temporaire. Un cœur qui bat, bat, bat. Un martèlement agréable. Une poussée, puis le calme. Un affrontement sensuel. La chaussure qui tombe sur le sol avec un bruit sourd. Celle qui était en équilibre précaire pendant tout ce tumulte. Dinah n'attendait plus que les chaussures tombent, elle les cherchait par terre quand elle en avait besoin.

« Roy », souffla Dinah, pour le plaisir de prononcer son nom.

« Dinah », murmura Roy, en la poussant sur le dos.

Elle l'attira vers elle. « Si j'avais l'habitude de dire des choses gentilles, je les dirais en ce moment. »

Les mains de Roy caressèrent doucement ses seins, un nuage devant son soleil. Le battement de leurs cœurs, la musique effrénée du désir, de la proximité, du sang neuf, conquérant. Il tendit la main pour éteindre la lampe près du canapé. Son bras heurta le visage de Dinah qui inspira fortement. Cet homme n'était pas Rudy. Qui était-ce ?

« Oh, je suis désolé », s'écria-t-il en reculant pour la regarder. Elle avait caché son visage contre la poitrine de Roy, les dents serrées.

« Ça va, dit-elle, embarrassée. Ça fait partie du jeu. »

Les mains de Roy trouvèrent son visage, il lui prit doucement le menton. Il posa son nez sur son nez, sa bouche sur sa bouche. « Je ne veux pas te faire de mal », murmura-t-il gentiment en l'embrassant, en suçant sa lèvre inférieure. Dinah se sentait mal à l'aise, cela lui rappelait quelque chose. Elle avait déjà entendu ça, fait ça, se souvenait de la fin, du gros plan avant la fin. « Je ne te ferai jamais de mal », répéta-t-il. Ses mains la caressaient, glissèrent jusqu'à ses fesses. Dinah se raidit légèrement et se dissocia de la situation. Les paupières closes, elle voyait apparaître et disparaître le visage de Rudy. Vraiment ?

« Physiquement ou émotionnellement ? » demanda-t-elle d'une voix désinvolte, en repoussant un cheveu sur son front. Elle ouvrit les yeux pour faire disparaître Rudy et réapparaître Roy.

Il l'attira contre lui et lui donna un baiser court et profond. « Ni l'un ni l'autre.

— Alors, ne le fais pas », dit-elle avec la même désinvolture et elle se dégagea de son étreinte.

Roy la retint. « Où vas-tu ? » plaisanta-t-il en la tirant par le bras.

Dinah résista. « Ne le fais pas », redit-elle d'un ton maussade. Il comprit soudain qu'elle était sérieuse et lui lâcha le bras. Elle s'assit sur le canapé. Il se recula, observant la silhouette de Dinah dans la pénombre. Elle remit de l'ordre dans ses vêtements, dans sa personnalité. Une chaussure tomba, avec un bruit sourd imperceptible pour une oreille humaine, tomba quelque part dans la pièce. Tony, le chien, l'entendit et se réveilla après un rêve merveilleux. Il se dressa soudain, aux aguets.

« Qu'est-ce qui se passe ? » demanda Roy en posant une main sur la jambe de Dinah, essayant de la retenir, retenir,

retenir. Viens te briser sur mes rochers. Une sirène. Le chant de la séduction.

Mais Dinah n'entendit que la sonnette d'alarme. « Tu ne veux pas me faire de mal, déclara-t-elle, en arrangeant ses vêtements. Eh bien, je me suis soudain souvenue que moi non plus, je n'y tiens pas.

— Grand Dieu », cria-t-il en s'adressant au plafond qu'il ne pouvait pas voir. « Je n'ai pas l'intention de te blesser! Comment le pourrais-je ? » Il s'assit, un homme condamné. Condamné à ce monde peuplé en partie par les femmes. Il se leva à la recherche d'une cigarette et sortit un paquet à moitié écrasé de la poche arrière de son jean.

« Je ne sais pas, dit-elle d'une voix épuisée. Je suis sûre que c'est un mystère pour toi aussi. Mais tu trouveras bien un moyen. » Elle tendit la main. « Donne-m'en une. » Il lui offrit une cigarette et palpa sa chemise pour trouver des allumettes. Il alluma la cigarette de Dinah, la flamme illumina brièvement leurs visages. Deux prisonniers dans une cellule, dans un tank. Combien de fois vais-je recommencer ? pensait Dinah. Ce truc avec les types. Qui sont-ils ? Elle soupira en exhalant la fumée. Celle-ci dansa devant son visage, puis disparut dans le noir.

Tony se leva, marcha jusqu'au canapé et sauta à côté de Dinah. Elle le caressa machinalement, elle regrettait le tour qu'avait pris la situation et essayait de compenser en se montrant gentille avec le chien.

« Mon Dieu », dit Roy d'une voix enfantine, incrédule. « Je t'ai rencontrée aujourd'hui et nous sommes déjà en train de parler du mal que je pourrais te faire. »

Dinah avala profondément la fumée. Ses yeux la brûlaient. Elle s'enfonça dans le canapé. « Eh, on y arriverait bien un jour, alors pourquoi attendre ? »

Roy s'assit à côté d'elle. « Pourquoi attendre ? Je vais te dire pourquoi. Parce que c'est agréable. La période entre la rencontre et le " je ne veux pas que tu me fasses souffrir " peut être vraiment formidable. »

Elle le regarda, ses yeux s'étaient habitués à l'obscurité. « Je te l'ai dit, je ne parle pas couramment sexe », conclut-elle à voix basse.

Elle se leva et alla dans la cuisine, elle fouilla le placard à la recherche d'une soucoupe qui pourrait servir de cendrier. Elle ferma la radio, se rassit sur le canapé et posa la soucoupe entre eux, après y avoir déposé ses cendres. Elle se demandait quelle tête elle avait, contente qu'il fasse noir. Oh, quelle importance. Roy soupira et croisa les jambes, pensivement.

« J'ai tout le romantisme d'une cause perdue, dit-il finalement. Comme la guerre d'Espagne. »

Dinah le regarda. « La guerre d'Espagne était romantique ?

— Bien sûr. Tu n'as pas lu *Pour qui sonne le glas ?* »

Il y eut un silence. Il tomba sur eux, les emprisonna dans sa chaude obscurité, les sentant se débattre, pris au piège.

« Tout est si calme », reprit-elle tristement, en passant sa main libre dans ses cheveux. Le silence vint confirmer sa phrase. « Oh, mon Dieu, dit-elle sur un ton d'excuse. Je suis désolée. Mais les hommes prétendent toujours qu'ils ne veulent pas vous blesser, tu sais ? En fait, non, tu ne sais pas. Pas de mon point de vue. Qu'est-ce que vous croyez ? Qu'on est éperdument amoureuses de vous ? Qu'on rêve de passer notre vie avec vous ? Que je suis une nana de plus prête à m'immoler sur le temple de ta disponibilité ? J'ai certes une tendance à fantasmer, mais j'ai aussi un solide côté pratique pour contrebalancer les choses. » Elle s'arrêta soudain et tira une autre bouffée de sa cigarette. « Ça n'a pas d'importance », ajouta-t-elle calmement, tandis qu'elle soufflait la fumée. Ils restèrent assis dans le noir, en silence, fumant leurs cigarettes.

Roy parla enfin : « Je n'ose plus rien dire maintenant. » Il hocha la tête, abasourdi : « Je voulais juste qu'on soit bien ensemble. »

Dinah soupira, souriant légèrement. « Nous nous ressemblons beaucoup d'une certaine manière, je crois. »

Son ton conciliant rassura Roy. « Dans quel sens ? »

Dinah écrasa sa cigarette. « Eh bien, nous faisons tous les deux notre numéro de charme, commença-t-elle, pensive. Nous gagnons. Nous avons la même fonction. Nous nous annulons l'un l'autre. Des idiots du village. Et tu sais ce qu'on dit. Il ne faut pas trop d'idiots dans un même village. »

Roy se pencha pour éteindre sa cigarette et mi-figue, mi-raisin répondit : « Je vois », mais il ne voyait pas vraiment.

« Tu comprends, je considère qu'il y a deux types d'hommes.

Les papas et les compagnons. Et tu es un compagnon. » Elle retira délicatement un morceau de tabac collé sur sa langue.

« Oouh, tu as vraiment réfléchi à tout ça », constata Roy avec admiration en allumant une seconde cigarette. « Tu en veux une autre ? » proposa-t-il poliment. Elle fit non de la tête. « Qu'est-ce qu'un compagnon ? » lui demanda-t-il. Sa cigarette qui dansait au coin de ses lèvres lui donnait un air de gangster.

« Un compagnon est facile à vivre... il cherche à être approuvé... et un papa est quelqu'un dont on cherche à obtenir l'approbation... et qui vous la refuse. Tu comprends, le problème finalement entre nous — toi et moi —, en dehors du fait que tu es engagé dans deux autres liaisons, c'est que nous ne pouvons pas nous séduire, précisément parce que nous sommes en train d'essayer de nous séduire. Nous guettons les réactions de l'autre au lieu d'en avoir nous-mêmes. Nous sommes prêts à tout pour faire réagir l'autre mais incapables de sentir quoi que ce soit. Nous sommes charmants plutôt que charmés, séducteurs plutôt que séduits. Nous avons toujours besoin de conquérir, de persuader, d'attirer. D'entraîner les autres sur les récifs de notre indifférence. » Elle prononça ces derniers mots d'une voix chantante, envoûtante.

Roy hocha la tête. « Tu as *vraiment* réfléchi à tout ça. »

Dinah se pencha en arrière, les mains posées sur les genoux. « Je pense toujours à ça. C'est mon boulot. Mes circuits de pensée fonctionnent avec du discours. Je lis dans les esprits. Je passe le plus clair de mon temps à lire mon propre esprit.

— Si tu veux détruire la possibilité que nous devenions quoi que ce soit, personne ne peut t'en empêcher », nota Roy sur un ton légèrement exaspéré. Dinah haussa les sourcils, surprise. « Tu sais ce que je crois ? Je pense que tu fais tout ça avant que je ne le fasse moi-même. Je crois que ce genre de comportement s'appelle en langage scientifique “ la course vers la sortie ”. Tu te retrouves peut-être toute seule mais tu y es arrivée la première, donc...

— De toute façon », l'interrompit Dinah, les joues rouges, en faisant semblant de bâiller, « tu n'as pas besoin d'une complication de plus dans ta vie. Restons amis. » Elle le regarda, l'air affable. « Pourrais-tu me rendre un service, maintenant que tu ne vas pas être mon second mari ? »

Roy mit ses mains sur son visage et gémit : « Qu'ai-je fait pour mériter ça ?

— Forcément quelque chose, répliqua Dinah d'une voix douce. Alors, le feras-tu ? »

Roy leva la tête : « Quoi ? »

Maintenant que les négociations avaient abouti, ils pouvaient se détendre. Rassurés par l'absence de prévisions à long terme. Maintenant, ils pouvaient simplement être amis, prendre du bon temps sans avoir à le comptabiliser pour un avenir meilleur, radieux. Maintenant qu'ils savaient tous les deux qu'ils n'allaient nulle part, ils pouvaient profiter du voyage.

Dinah ne s'autorisait pas à attendre quelque chose d'eux... des hommes. Comme ça, ce qu'on ne lui donnait pas ne lui manquait pas, puisqu'elle n'en voulait pas de toute manière. Elle devenait vite amie avec eux, mais sur un mode défensif. Cette amitié cachait une séduction plus profonde, plus déterminée. Elle demandait à être acceptée comme une égale. Pas vraiment comme une femme, mais comme un copain. Un consort. Une consortionniste. Elle prendrait un peu de celui-ci et de celui-là et de n'importe quel autre, et au bout du compte elle se sentirait satisfaite. Ce festin d'amis grappillés l'immuniserait contre le repas complet d'un seul homme.

« Où crois-tu que tout ça te mène ? » Elle ne se posait jamais la question. Elle choisissait des hommes pour se sentir protégée. Elle conspirait pour qu'ils la désirent, s'installent avec elle, *procréent*. Elle se sentait coupable. Terrorisée.

En chemin, elle se réchaufferait aux rayons passagers de la gloire. Une identité partagée, une identité double. Un jour, tous ces gens qui auraient eu droit à son affection l'entoureraient. Elle serait une fille, une femme, une maman, une grand-mère, une arrière-grand-mère, une fille formidable, marchant gaiement vers la tombe. Le fantasme tenace d'une double identité la tenait sous son charme maléfique.

Non.

Elle vivrait en esprit. Là, tout là-haut, dans sa tête où ils ne pourraient pas l'atteindre. Du sommet de son phare mental, au-dessus des mers déchaînées, elle observerait le carnage et le désastre.

Elle se sentait parfois à l'aise dans les crises et la confusion... cela lui donnait une bonne dose d'énergie. A d'autres moments, elle ne savait plus qui elle était. Elle se comportait de la même manière avec tout le monde. Mais ça n'était peut-être pas plus mal. Cette uniformité. Elle se demandait quand elle serait capable de ressentir les choses plutôt que de les décrire. Plutôt que de les comprendre seulement. Elle voulait éprouver ce qu'elle décrivait, expérimenter ce qu'elle expliquait.

Dinah voulait bien faire, être comprise par ceux à qui elle s'adressait. Elle était fière de pouvoir nommer les choses. Elle était fière de pouvoir saisir ce que la plupart des gens avaient peur d'affronter et n'arrivaient pas à nommer. Elle, elle pouvait les nommer. Elle pouvait les dominer et les envoyer balader. C'était à elle. L'information était à elle. N'est-ce pas ? Elle en jouissait. Elle adorait ça. Elle adorait faire son effet. Dinah se sentait à l'écoute d'elle-même seulement quand elle était avec les autres. Ce n'est que contrainte et forcée qu'elle pouvait se faire comprendre. Clairement.

Il leur fallut un temps fou pour se garer. Ils avaient pris la voiture de Roy car Dinah trouvait normal que ce soit l'homme qui conduise. Et puis, en dehors de cet aspect « répartition des tâches », Roy possédait une petite MG vert foncé, une voiture plus jolie que celle de Dinah, plus compacte et plus facile à garer.

Il y avait un embouteillage à l'intersection, les voitures attendaient pour tourner sur la voie principale. Ils se rendirent compte en descendant vers la plage qu'un kilomètre avant le parc de la baie il n'y avait déjà plus une place pour se garer.

« Nous aurions dû partir plus tôt », remarqua Dinah qui voyait les familles sortir de leurs voitures, croulant sous les provisions et les glacières, et se diriger vers les imminentes festivités, avec une ribambelle d'adolescents et de bambins.

« Ne t'inquiète pas, cette poupée est formidable pour se glisser entre deux voitures. » Courbé sur son volant, Roy fixait le pare-brise pour trouver une place. De minuscules troupeaux d'humains cheminaient lentement vers la partie de la baie d'où on verrait le mieux le feu d'artifice. Des bateaux flottaient sur la mer dans la lumière du crépuscule.

« Peut-être qu'on devrait laisser tomber », suggéra Dinah en se renfonçant sur son siège et en croisant les bras. « C'est peut-être un signe qu'on ne puisse pas se garer facilement.

— C'est un *défi* », grogna Roy, sarcastique, en jetant un bref coup d'œil à la jeune femme avant de se concentrer à nouveau sur les files de voitures rangées de chaque côté de la route. Il se sentait mieux maintenant que Dinah avait maîtrisé le problème de leur brève étreinte, maintenant que la radio jouait en sourdine, maintenant qu'ils se concentraient sur quelqu'un d'autre, pas sur lui. Il avait parlé avec Cindy et Karen le jour même, deux conversations plaisantes et sans incident. Il s'était débrouillé pour être charmant avec elles, sans qu'elles soupçonnent que sa gentillesse était en partie due à la culpabilité qu'il ressentait après sa nuit avortée avec Dinah. Il n'avait pas vraiment trompé les deux femmes de sa vie et se sentait soulagé que son statut d'homme fidèle n'ait pas été ébranlé.

Dinah rabattit le pare-soleil, se regarda dans le miroir et lissa ses cheveux. Elle se dévisagea d'un œil critique, plein d'espoir, remonta le pare-soleil et se renfonça dans son siège, déçue. Son visage n'avait pas changé. C'était toujours le même. « Je ne comprends pas pourquoi tu as tellement envie d'y aller, fit-elle remarquer sombrement. Si tu racontes toute cette histoire dans ton roman, je te tue. »

Roy eut un petit rire sinistre. « Hé, ce sont les conneries que je fais *au lieu* d'écrire, pas *pour* écrire. » Il aperçut une place minuscule au sommet d'une petite côte sablonneuse. « Oohh », s'exclama-t-il en se dirigeant vers la petite colline.

« Oohh quoi ? » demanda Dinah. Elle regarda dans la direction que prenait la voiture et découvrit l'emplacement ambitieux que Roy avait choisi. « Oohh, *ça ?* » dit-elle tandis qu'ils montaient la côte en dérapant dans le sable. « Oohh, *ce truc ?* rectifia-t-elle. Ce n'est pas une place, c'est... » Mais elle ne trouvait pas de mot pour la décrire et, quoi qu'il en soit, Roy déployait des efforts herculéens pour y faire entrer la MG.

« Écoute », dit-il en regardant par-dessus son épaule et en tournant vigoureusement le volant tandis que la petite voiture poussait des gémissements à fendre l'âme. « Veux-tu, oui ou non, torturer ton ex-mari ? demanda-t-il entre deux manœuvres héroïques.

— Oui, mais... »

Roy lui coupa la parole, articulant avec difficulté pendant qu'il reculait pour éviter un arbre mal placé. Le sable vola de tous côtés. Dinah cacha son visage dans ses mains. « ... et n'as-tu pas affirmé que conduire était un " truc d'homme ", et ne suis-je pas pour l'instant l'homme en question ?

— Oui », acquiesça Dinah, le visage toujours caché dans ses mains, en recroquevillant ses jambes. Pliée en deux pour se protéger contre cette place ridicule. La voiture rugit et fit un bond en avant. Roy coupa le moteur et se détendit, victorieux.

« Donc, moi, l'homme officiel, je déclare — il souriait malicieusement — que l'heure des tourments a sonné. »

Où qu'on porte ses regards, et même au-delà, un tapis humain recouvrait tout l'espace. Des hommes enjambaient des hommes, marchaient sur des hommes, en couples ou en groupes, assis sur des couvertures ou sur des serviettes. D'autres faisaient la queue pour acheter des sandwichs ou des boissons. Une ambulance se tenait prête, vaillante, omniprésente. On sentait vibrer l'événement imminent, tout près d'avoir lieu. C'était une nuit chaude et claire. Une brise asthmatique souffla un instant sur la foule pour l'apaiser.

Roy et Dinah suivirent le chemin bordé de grands arbres noirs en direction de la marée humaine qui attendait impatiemment le début des festivités. Ils approchaient et tandis qu'ils dépassaient l'ambulance, Dinah sentit son cœur s'accélérer. Quelque part dans cet endroit surpeuplé, Rudy se promenait calmement avec Lindsay. Dinah prit la main de Roy. « Ne le prends pas pour toi », assura-t-elle pendant qu'ils se frayaient un chemin dans la cacophonie générale. Des bébés pleuraient au milieu des rires, des conversations, d'un brouhaha de bruits et de bavardages. Des verres en plastique abandonnés gisaient çà et là. L'odeur du... qu'était-ce exactement ? Oui, celles du maïs grillé et du poulet cuit au barbecue flottaient dans la brise nocturne. Des bateaux étaient amarrés, leurs silhouettes sombres se découpaient sur la baie.

Près du port d'embarcation, on apercevait une maison éclairée, un buffet était dressé dehors, à côté d'une petite piscine vide. Certaines personnes avaient allumé des bougies et Dinah cherchait du regard Rudy et Lindsay en s'accrochant à Roy, son voisin et son complice. On entendait marcher des radios portatives et des chiens aboyaient dans la nuit.

« Prenons un verre », suggéra Roy, et il entraîna Dinah dans la queue qui menait à une buvette.

« Tu es si pragmatique », susurra Dinah en s'appuyant contre lui. Sa courte robe noire se balançait légèrement au vent. « C'est dans ces moments-là que je regrette presque que tu ne sois pas mon second mari.

— Presque n'est pas suffisant », murmura Roy, moqueur. Dinah lui serra le bras, en scrutant les passants dans l'espoir d'apercevoir la silhouette austère et attachante de Rudy.

Leur boisson à la main, ils se faufilèrent dans la foule à la recherche d'un endroit où s'asseoir. Ils passèrent à côté d'une petite vieille courbée par les ans.

« Moi dans quatre ans », déclara Dinah. Quand la femme les dépassa, Dinah se rendit compte soudain qu'il s'agissait de la voyante à qui elle avait promis de revenir avec plusieurs centaines de dollars. Elle tourna la tête et regarda Mama se diriger vers la buvette.

« Qu'est-ce qui se passe ? demanda Roy.

— Rien », assura Dinah innocemment. Un homme gigantesque aux grandes oreilles décollées marchait vers eux. « C'est toi tel que je t'imagine dans un rêve, en train de danser avec les démons », informa-t-elle Roy joyeusement. Au même moment, un énorme crachat alla s'écraser sur la jambe de ce dernier. Il encaissa le coup stoïquement.

« Ce n'est rien, le rassura Dinah. Juste une blessure superficielle. »

Un micro grésilla. « Mesdames et messieurs, bienvenue au douzième festival annuel du feu d'artifice de la baie de Boy », annonça une voix mâle de Nouvelle Angleterre. Une voix de Boston. Il y eut un tonnerre d'applaudissements et des cris d'enfants. Dinah et Roy réussirent à trouver une bande de terre humide, cernée par des familles, en bordure d'une haie. Ils s'accroupirent pour ne pas salir leurs vêtements, serrèrent leurs verres en carton entre leurs mains et regardèrent le ciel, attendant qu'il se passe quelque chose. Les haut-parleurs entonnèrent la musique de *Rocky*.

« Ton morceau favori, murmura Dinah.

— Chut », la réprimanda un des enfants assis à côté d'eux. Roy fit semblant de regarder Dinah avec de gros yeux. Une petite lumière brillante, la première fusée, montait vers le ciel. La foule frémit tandis qu'elle frappait le point mort de leur vision et se transformait en une myriade d'étoiles, un chrysanthème électrique qui couvrit un instant le ciel noir, telle une aurore boréale devenue folle, illuminant la foule massée sur le rivage. Les spectateurs applaudirent à tout rompre tandis que la fleur étincelante se décomposait, n'était déjà plus qu'un souvenir. Les festivités avaient officiellement commencé.

Roy et Dinah échangèrent un sourire. Il retira galamment son pull et l'étala sur le sol pour qu'ils puissent s'asseoir.

« Je ne te mérite pas, murmura-t-elle.

— Je suis bien d'accord. »

Le ciel explosa du haut en bas en trois couleurs, puis siffla et se tordit avant de retomber dans l'obscurité. Tous regardaient en l'air, la tête renversée. Des Américains bouche bée, les yeux rivés sur le paradis des merveilles. Le ciel scintillait et étincelait, explosait de couleurs et de lumières, comme il devrait le faire plus souvent, se disait Dinah. Un merveilleux court-circuit de la télévision du paradis. Un éclairage ravissant, chorégraphié, effervescent, glorieux. Des centaines de lanternes joyeuses se balançaient et allaient s'écraser sur le ciel bleu nuit. Des étoiles en fusion se fondaient dans le noir, un saule pleureur enflammé sanglota, répandant sur l'eau ses lueurs d'argent, de vert, d'or, de rouge, de bleu, de magenta. Saint de la fête parmi les saints, patron de l'ici et maintenant, un Jésus farceur électrique crépitait, baptisait les spectateurs au nom du plaisir, l'After Eight des dieux. Une armée de lucioles, d'étoiles filantes montant vers le ciel tiraient coquettement leurs traînes de fumée derrière elles. L'Alka Seltzer électrique des cieux, pétillant et rafraîchissant.

Le ciel dégoulinait de richesses, explosait de trésors, chatoyait de mille feux. Après quelques instants, Dinah oublia qu'il n'en avait pas toujours été ainsi. Elle ne voulait pas s'en souvenir. Elle serra ses genoux contre elle et regarda le ciel jouer un de ses meilleurs tours. Faire des roulades, s'asseoir, se perdre en entrechats et en grands écarts, saluer, s'asseoir... un, deux, trois... un.

Pour le final, on joua *America* de Neil Diamond. Le ciel s'illumina de rouge, de blanc et de bleu. Les spectateurs poussèrent des cris d'extase. Une rivière de lumière se déversa, asséchant les cieux. Le spectacle toucha son apogée patriotique, vacilla, chancela et retomba dans le noir. Dans le bleu nuit. Les étoiles, pâles en comparaison, clignotaient faiblement à la fin du spectacle.

Dinah et Roy regardèrent avec attention le ciel recomposé et émergèrent de leur rêve scintillant.

« Eh bien, soupira Roy.

— Bon sang », souffla Dinah. Ils se levèrent, encore étourdis, et époussetèrent leurs vêtements. Roy plia son pull mouillé. Alors soudain, dévisageant Dinah, puis Roy, apparut Rudy suivi de Lindsay.

Le cœur de Dinah prit la poudre d'escampette, son assurance s'évapora dans l'air nocturne. Roy regarda Dinah, puis Rudy et Lindsay, les sourcils froncés comme s'il cherchait à les identifier.

« Dinah », s'exclama Rudy sur un ton étonné et fasciné. Lindsay rejeta ses cheveux blonds en arrière, dégageant son visage lumineux et ouvert. Elle portait un caftan de coton blanc, brodé d'or au col et aux poignets.

« Bonjour, Rudy », dit Dinah avec un demi-sourire. La première moitié d'un sourire, celle qui mord. *Les jeux sont faits*[1]. Eh bien, voilà, on y était. Les gens se pressaient autour d'eux, indifférents, tandis que se dissipait la fumée du feu d'artifice. La sirène d'un bateau se fit entendre au loin. Un enfant pleurait quelque part. Ils étaient tous les quatre embarrassés, silencieux. Roy se balançait d'un pied sur l'autre. Le silence les encercla et se referma sur eux. Finalement, Roy jeta un regard interrogateur à Dinah et tendit la main vers Rudy.

« Roy Delaney, dit-il gentiment. Ravi de vous rencontrer. »

Rudy prit sa main sans quitter Dinah des yeux. « Rudy Gendler », lança-t-il lugubrement, tout en serrant la main moite de Roy. Puis il regarda Lindsay avec embarras. « Lind-

1. En français dans le texte *(N.d.T.)*.

say — une lueur de compassion brillait dans ses yeux —, c'est... », Rudy hésita — qui était-elle déjà ? Dinah prit la relève avec décontraction.

« Dinah, dit-elle en tendant une main au pouce bandé. Dinah Kaufman... ravie de vous rencontrer. »

Lindsay lui rendit poliment sa poignée de main, tout en observant Rudy du coin de l'œil, elle sentait qu'il était tendu et essayait d'en deviner la cause. Dinah nota que Lindsay n'était pas maquillée, ses cheveux encadraient un visage pâle aux yeux verts bordés de longs cils et un malicieux nez en trompette. Dinah porta intinctivement la main à son visage, couvert de fond de teint, aux yeux faits et aux lèvres peintes. Elle se sentait artificielle. Une poupée maquillée. Elle retira son rouge à lèvres avec le plat de sa main.

Roy, les mains enfoncées dans les poches de son pantalon couleur crème, se balançait d'un pied sur l'autre, l'air malicieux. Après tout, ce n'était pas son drame, pour une fois. Rudy ouvrit la bouche pour parler, mais Roy lui coupa la parole.

« Eh, dites, commença-t-il, presque joyeusement, n'étiez-vous pas mariés ou un truc dans ce goût-là ? » Il regarda Dinah et Rudy avec gaieté. Le visage de Lindsay, déjà pâle naturellement, devint livide. Elle jeta sur Rudy un regard d'horreur glacée. Dinah enfonça violemment ses ongles dans le bras de Roy.

« " Un truc dans ce goût-là " est le terme exact », murmura Rudy, mal à l'aise. Il se tourna d'un air suppliant vers Lindsay qui avait posé la main sur son cou comme pour se rassurer, se porter bonheur. Celle-ci engloba du regard Dinah et Rudy, comme pour les associer, puis elle dévisagea seulement Dinah.

« Je vois, dit-elle d'une voix égale. Vous êtes *cette* Dinah. » Elle l'évaluait avec ce qui lui restait de calme. Roy eut un petit rire nasillard.

« Combien y a-t-il de Dinah ? interrogea-t-il ironiquement, pour détendre l'atmosphère. Je veux dire à part Dinah Shore et le chat d'*Alice aux pays des merveilles...* »

Dinah lui lança sa version d'un regard meurtrier qui le réduisit au silence. Les haut-parleurs firent une annonce à propos d'un enfant perdu. Dinah eut l'impression que c'était un signe. Un signe ou une métaphore. Quelque chose en tout cas.

Lindsay attendait que Rudy prenne la situation en main. « Eh bien..., commença Rudy, en passant machinalement sa main sur sa chemise, j'ai été ravi de...

— Hé », coupa Roy gaiement, en posant sur ses trois interlocuteurs un regard optimiste et joyeux. « Pourquoi n'allons-nous pas tous les quatre boire un verre ? Comme ça, vous pourrez évoquer le temps passé, Dinah et vous. C'est ma tournée. »

Rudy, Lindsay, Dinah et Roy étaient assis autour d'une minuscule table dans un café de fortune, installé près d'une piscine de Boy's Bay. Leurs silhouettes se découpaient sur le brouillard de chaleur compacte qu'aucun souffle de vent ne venait troubler. Ils étaient silencieux. L'air était lourd des paroles qu'ils ne prononçaient pas. La contemplation avait remplacé la conversation. Des lanternes chinoises se balançaient gaiement derrière eux, portées par les mots suspendus, le presque-dit. La sueur coulait sur le front de Rudy, luisait légèrement à la lumière pâle des lanternes ; sa chemise bleu ciel collait à sa chaise. Dinah croisait et décroisait les jambes en regardant Lindsay. Elle détaillait les cheveux soyeux couleur de miel, les tristes yeux vert pâle qui contemplaient quelque chose de rassurant au loin, le visage aux traits fins, ouvert aux émotions, à Rudy, les lèvres pleines, légèrement entrouvertes. Dinah détourna le regard. C'était le visage d'une enfant séduisante et pure. Souple comme une courbe parfaite, drapée sur son siège plutôt qu'assise. Dinah s'agita maladroitement sur sa chaise, consciente de son poids qui la rivait à terre, l'y ancrait solidement, tandis que Lindsay semblait finir en commençant, un elfe impondérable. Une gerbe de blé, de lumière, un rayon de lune, de la lune Rudy. Dinah, elle, était bien assise. Une planète dangereusement proche, prête à créer une collision dans l'espace entre deux mondes. Plus assez d'orbite pour effectuer sa rotation. En regardant le visage délicat et lumineux de Lindsay, ce visage bravement tourné vers l'avenir, vers sa lumière, Dinah se rendit compte qu'elle n'aurait jamais dû être là. Qu'est-ce qui lui avait pris ? Elle voulait rentrer chez elle. Même si chez elle il n'y avait pas Rudy. Même si sa vie était minable et étriquée sans lui.

Rudy s'éclaircit la gorge. Dinah répondit en passant sa main dans ses cheveux. Elle sentait son corps se dilater. Les gens passaient autour d'eux, se frayaient un chemin dans cet air inamical. Soudain Roy fit claquer ses mains sur ses genoux, tirant tout le monde de sa rêverie, les ramenant dans le présent, l'infortuné présent.

« C'était quelque chose ce feu d'artifice ! » lança-t-il avec une gaieté un peu forcée, en jetant un regard plein d'espoir sur la petite assemblée.

« Merveilleux », assura Dinah, surprise par le son de sa propre voix. Elle sourit artificiellement et hocha la tête. Un nuage de fumée de cigarette passa à côté d'eux. Lindsay toussa machinalement.

« Quand es-tu arrivée ? » demanda Rudy en se tournant vers Dinah, s'orientant à la lumière de cette étoile qui avait été un temps si proche de lui. Elle fronça le nez, pesant sa réponse.

« Voyons, quel jour sommes-nous arrivés, chéri ? » demanda-t-elle à Roy. Deux jeunes garçons coururent au milieu des tables en poussant des cris. L'un tenait un feu de Bengale à la main.

« Nous *venons* d'arriver », répondit Roy, en regardant joyeusement Rudy et Lindsay. « Et *vous ?* » continua-t-il en se penchant vers Lindsay. Elle serra ses mains croisées, jeta un coup d'œil à Rudy, puis regarda Roy.

« Nous avons passé presque tout l'été ici », dit-elle nerveusement. Roy acquiesça. La conversation avait tourné court une fois de plus, le moteur était coupé. Roy continua de hocher la tête, s'arrêtant seulement pour s'essuyer le front. Rudy l'observait, les sourcils froncés.

« Que faites-vous dans la vie ? » demanda-t-il finalement en croisant ses mains sur sa poitrine. Jambes et bras croisés, il était entièrement replié sur lui-même, attendant une réponse.

« Moi ? » dit Roy en se désignant du doigt comme pour se distinguer et distinguer l'activité qu'il portait en lui.

« Que faites...

— Je suis écrivain. Pour le cinéma. Le cinérama. Non, je plaisante... pas à propos du cinéma, mais du cinérama. Vous, je sais ce que vous vous faites. Vous êtes auteur dramatique. Un de nos grands auteurs dramatiques contemporains. » Rudy plissa les yeux, cherchant à détecter l'ironie sous le compliment.

« Je l'avais surnommé Saint-Just. Saint-Le Mot juste », glissa Dinah. Elle sourit avec difficulté, en tirant sur ses joues qui étaient devenues subitement très lourdes. Elle se tourna vers Lindsay. « Rudy m'a dit que vous étiez décoratrice. »

Les yeux de Lindsay s'agrandirent d'étonnement. « Quand vous a-t-il raconté ça ? » dit-elle en regardant Rudy et Dinah.

Rudy décroisa ses bras et ses jambes et, soudain vulnérable, s'éclaircit la gorge. « A Los Angeles, affirma-t-il d'un air décontracté. Je l'ai vue quand je suis allé à Los Angeles. Je pensais t'en avoir parlé. Tu ne t'en souviens pas ? » Lindsay dévisagea Rudy, le souffle coupé.

Roy se pencha, son beau visage arborait une expression faussement innocente. « Qui a soif ? » demanda-t-il en les regardant tous, le sourcil dressé dans l'expectative. Une abeille mondaine en train de féconder ses fleurs favorites avec le nectar délicieux de sa gaieté. « Je ne sais pas ce que vous en pensez, mais ce feu d'artifice m'a complètement desséché. Rudy ? Un verre ? »

Rudy eut l'air presque soulagé. « Avec plaisir », acquiesça-t-il, les mains de nouveau croisées devant lui, les yeux bleus brillants, indéchiffrables. « Je pense que nous devons aller les chercher nous-mêmes. Là-bas. » Il montra par-dessus la tête de Dinah un endroit en direction de la maison. Roy se leva d'un bond et regarda Rudy.

« Eh bien, les garçons iront chercher les verres pendant que les filles gardent la forteresse. »

Rudy n'avait pas l'air enthousiaste mais il se leva à son tour. « D'accord », dit-il en repoussant sa chaise.

Un haut-parleur annonça que la tombola allait avoir lieu et que le premier prix en était une Mobylette et une semaine à l'auberge de Gurney.

« Un rhum Coca pour moi », annonça Dinah avec autant de gaieté qu'elle pouvait en rassembler.

« Un verre de vin, s'il te plaît », demanda Lindsay à Rudy. Un minuscule éclair de panique brilla dans son regard tandis qu'elle repoussait ses blonds cheveux en arrière, révélant son large front brillant. Roy et Rudy se frayèrent un chemin dans la foule en direction de la maison. Dinah jeta un coup d'œil à Lindsay et tira ses lèvres pour esquisser un sourire. Soudain, elle tourna la tête et cria aux deux garçons qui avaient déjà disparu.

« Et peut-être des cigarettes ! »

Lindsay la regarda avec tristesse, tel un épi de blé aux yeux mélancoliques se balançant dans un air renfermé. « Je ne pense pas qu'ils aient entendu », dit-elle d'une voix hésitante.

Dinah redressa son dos rond, douloureux. « Je ne fume pas vraiment, de toute façon. Du moins, pas régulièrement. Je me disais juste... » Elle s'interrompit et haussa les épaules. « Ça avait l'air d'une bonne idée sur le moment », conclut-elle à contrecœur, en se renfonçant sur sa chaise et en contemplant le ciel plein d'étoiles.

« Vous écrivez des soap operas », reprit Lindsay d'une voix presque enjouée. Les deux femmes se dévisageaient, sur la défensive, des moustiques bourdonnaient autour de leur tête. Des effluves de hot dogs flottaient délicatement dans l'air nocturne.

« Un, corrigea Dinah. J'écris un soap opera. *Désir du cœur.* »

Lindsay hocha la tête. Elle se tenait bien droite sur sa chaise, sa robe de coton légèrement entrouverte révélait un minuscule diamant rond, accroché autour de son cou, qui brillait au moindre mouvement. « Je crois en avoir entendu parler. Je ne regarde pas souvent la télévision. Je travaille généralement pendant la journée et j'essaie de passer le reste du temps à l'extérieur. J'aime jardiner. »

Dinah écrasa un moustique sur son bras. « Rudy l'a mentionné.

— Quoi ? » Une ligne trembla entre les yeux vert émeraude de Lindsay. On donna le coup d'envoi de la loterie.

« Que vous aimiez jardiner.

— Je vois », répliqua Lindsay, la ligne ne disparut pas. Dinah eut soudain envie d'éternuer. Elle mit sa main sur son nez pour se retenir. Lindsay la regardait et demanda généreusement : « Et vous, vous avez des hobbies ?

— Des hobbies ? Mon Dieu, je ne sais pas. Le mot hobby a

toujours eu pour moi une connotation, vous voyez ce que je veux dire, comme la collection de timbres ou le canoë-kayak ou...

— Le jardinage », l'interrompit sèchement Lindsay, les lèvres serrées. La ligne s'était durcie entre ses yeux.

L'estomac de Dinah émit un grognement, elle mit une main sur son ventre pour le faire taire. « Non », affirma-t-elle avec énergie, en soulignant sa phrase de l'autre main. « Pas le jardinage. C'est d'une certaine manière moins... conservateur. » Elle regarda par-dessus son épaule en direction de la maison, cherchant de l'aide. Il n'y en avait pas à l'horizon. Elle passa sa main sur sa joue, sur son front. Pour vérifier sa température. C'était bien ça, elle était patraque. Nerveuse et patraque à cause de cette conversation sur les hobbies. A cause du feu d'artifice et des hommes. « Le jardinage semble être une activité... très zen. Apaisante. Simple.

— Eh bien, c'est effectivement apaisant, mais je ne sais pas si c'est vraiment simple.

— Non, je ne veux pas dire simple dans le sens de facile... mais dans le sens de fondamental. Pur », assura Dinah. Le diamant de Lindsay étincela, accrochant son regard. « Hé, j'aimerais bien pouvoir avoir un hobby. L'écriture était un genre de hobby mais maintenant que c'est devenu une obligation et non plus un plaisir... » Elle haussa les épaules, découragée.

Lindsay la regarda avec candeur, comme si l'offense était presque oubliée, puis passa sa langue sur ses lèvres. « Vous devriez essayer le jardinage, proposa-t-elle doucement.

— *Je n'y manquerai pas* », proféra Dinah avec soulagement, en se penchant en avant pour bien marquer sa détermination. Un filet de sueur coula sous son sein gauche et glissa vers sa taille. Elle croisa et décroisa les jambes. Lindsay chassa un moustique qui tournoyait près de son visage. Les deux femmes, immobiles, arrivaient au bout du couloir de leur première conversation.

Rudy a raison d'être avec cette fille, pensait Dinah. Et moi, je devrais me trouver un type moins mâle. Je ne suis pas assez femelle pour un mâle vraiment mâle. Il y a trop de concurrence d'énergie. Deux yangs ne font pas un yin. La voyante m'a prédit que des hommes doux croiseraient mon chemin. Un Japonais doux... comme un animal domestique.

« Qu'est-ce qui vous amène à Long Island ? » demanda Lindsay, tirant Dinah de sa rêverie.

Elle fronça légèrement les sourcils et soupira. Pourquoi tout le monde lui posait-il cette question ? Fallait-il en conclure qu'elle n'avait pas l'air à sa place ? Sans doute. « Rien de spécial, admit-elle timidement. Il y a une grève des écrivains à Los Angeles, et j'ai eu l'idée de venir ici.

— Vous connaissez beaucoup de gens dans le coin ?

— Beaucoup ? Non, non, pas beaucoup. Non. Et vous ?

— Quelques-uns. Pas beaucoup. Mais je suis ici avec Rudy. »

Dinah hocha mécaniquement la tête. « Je sais. Ça doit être agréable.

— Oui, dit Lindsay avec énergie. Vraiment agréable. » Les deux femmes se regardèrent, sur le qui-vive, prêtes à presque tout.

Pourquoi suis-je ici ? pensait Dinah. Qu'est-ce que je voulais ? « Ça doit être agréable », répéta-t-elle tristement, en chassant de la main un insecte imaginaire. L'animateur donna le nom du gagnant de la loterie. La Mobylette avait trouvé son maître. Quelqu'un au bord de l'eau poussa un cri de joie et sauta en l'air. Dinah plissa les yeux pour l'apercevoir dans la foule.

Lindsay tira sur sa jupe et se redressa. « Roy a l'air charmant. »

Dinah approuva distraitement. « Oui, n'est-ce pas ? Nous ne sommes pas vraiment ensemble, vous savez, nous venons de nous rencontrer. C'est mon voisin au Cottage Salter.

— Ah. C'est dommage.

— Eh bien, oui, peut-être. Je ne le connais pas encore assez bien pour sentir à quel point ce serait terrible qu'il ne soit pas dans ma vie.

— Je vois.

— Roy a une vie personnelle assez compliquée. Il n'a pas besoin de quelqu'un qui la complique davantage.

— Je croyais que vous ne le connaissiez pas vraiment bien.

— Eh bien, vous n'avez pas toujours besoin de bien connaître les gens pour bien les connaître. »

Lindsay fronça les sourcils. « Qu'est-ce que vous voulez dire par là ? »

La question désarçonna Dinah qui réalisa soudain ce que sa remarque avait d'étrange. « Rien, je...

— Nous voilà ! » Roy fondit sur elles, les verres à la main, dissipant la tension en milliers de petites particules qui se répandirent dans l'air autour d'eux. La soirée pesait sur eux comme un âne mort. Roy posa délicatement le rhum Coca devant Dinah, et Rudy le verre de vin blanc devant Lindsay. Les deux hommes avaient pris des bières.

« Désolé d'avoir été si long », remarqua Rudy en regardant d'abord Lindsay, puis Dinah d'un air soupçonneux. « Mais il y avait la *queue* », expliqua-t-il en s'asseyant. Roy s'assit lui aussi et prit une longue gorgée de bière. Sa chaise grinça.

« Est-ce que vous avez eu une conversation agréable ? » demanda-t-il gaiement à Dinah.

Dinah lui jeta un de ses regards les plus noirs, comme s'il était responsable de tout. Lindsay. Rudy. Les hommes. Les femmes. Tout. « Oui, répondit-elle sèchement. Nous avons parlé hobby.

— Hobby », Roy hocha la tête, d'un air faussement intéressé. « Vraiment ? Nous avons un peu parlé d'écriture », dit-il en se tournant vers Lindsay et Dinah. Celle-ci réussit à réprimer un sourire.

« Ecriture et sports », ajouta Rudy, et il prit la main blanche de Lindsay dans la sienne.

Dinah se sentit soudain malade et seule. Un *alien,* un *cyborg,* une chose non désirée. Tout le monde autour d'elle marchait par deux — ou, dans le cas de Roy, par trois — prêt à embarquer dans l'arche de Noé qui se préparait à lever les voiles. Prêt au contrôle de couples qui aurait inévitablement lieu, elle en était sûre.

« Que feraient les hommes sans le sport, hein ? J'aimerais bien le savoir », dit Roy en écrasant un moustique et en s'essuyant la main sur son pantalon.

Dinah se tortilla sur sa chaise, elle jeta un bref regard sur les mains enlacées de Rudy et de Lindsay puis détourna les yeux.

« C'est formidable que les hommes aient le sport pour cimenter leur amitié, énonça-t-elle d'une voix déconfite. Nous, les femmes, n'avons rien de comparable. »

Rudy regarda Dinah avec impatience et avala une gorgée de bière. « Et le basket-ball féminin ?

— Et le volley-ball ? » ajouta joyeusement Roy.

Lindsay avait l'air mal à l'aise, des nuages s'amoncelaient sur son visage lumineux. Quant à Dinah, elle n'en croyait pas ses oreilles... elle dévisagea Rudy puis Roy tandis qu'ils parlaient. « Avez-vous jamais regardé les sports d'équipe féminins ? » demanda-t-elle de sa voix la plus suave, la modératrice d'un débat pour le Bénéfice du Doute.

Lindsay acquiesça vigoureusement. « C'est monstrueux », dit-elle d'une voix basse, complice, en esquissant un sourire.

« Ces équipes féminines ressemblent à ces femmes qui vous fouillent dans les aéroports.

— *Exactement.* » Lindsay sourit à Dinah, l'affront des hobbies était presque oublié. « Vous ne pouvez pas sérieusement prétendre, reprit Dinah, que les sports jouent le même rôle pour les femmes que pour les hommes.

— Et la couture », dit Roy en clignant de l'œil en direction de Rudy. « Et le MLF ? Sans parler de l'égalité des droits ?

— Soyez sérieux, renchérit Dinah. Qu'avons-nous de comparable au sport, nous les femmes ?

— Je ne sais pas », dit Rudy qui souhaitait changer de sujet, celui-ci risquait trop de réveiller un vieux cheval de bataille de Dinah. « Les femmes ne semblent pas avoir de problèmes pour se lier d'amitié, les hommes si, c'est pour ça que nous parlons de sport... mais pas seulement de sport.

— De sport et de travail, poursuivit Roy avec ingénuité.

— Exactement. Et les femmes parlent des hommes, assura Lindsay.

— *Exactement* », reprit Dinah en souriant.

Roy et Rudy échangèrent un long regard ennuyé. Roy pencha la tête, les yeux fixés sur Dinah. « Je croyais que vous aviez parlé hobbies, dit-il malicieux.

— Les hobbies comme moyen d'arriver aux hommes », contre-attaqua Dinah.

Rudy soupira. « Vous ne pouvez pas savoir à quel point j'en

ai assez de toute cette discussion hommes-femmes que les femmes mettent sur le tapis.

— Quelle discussion hommes-femmes ? » demanda Dinah en décroisant les jambes et en se penchant en avant dans une attitude de conspiratrice. Lindsay, retranchée dans son quartier général, observait elle aussi attentivement Rudy.

« Je ne sais pas, répondit-il, légèrement exaspéré. Tout ce truc comme quoi c'est un monde d'hommes. » Il regarda Roy et haussa les épaules, découragé.

« Mais si tant de femmes en parlent, c'est qu'il y a peut-être une certaine part de vérité là-dedans... », insinua Dinah.

Roy hocha la tête et se mit à rire. « Quel genre de vérité ? Une vérité objective ? »

Dinah se pencha encore plus en avant sur sa chaise et s'adressa à lui. « Eh bien, peut-être pas. C'est un sujet plutôt émotionnel. Il faut sans doute être une femme pour le comprendre. »

Lindsay se pencha aussi, entraînant avec elle la main de Rudy. « Les femmes sont des citoyens de seconde classe », attesta-t-elle, puis elle rectifia après avoir regardé Rudy. « Enfin, disons, d'une classe et demie.

— C'est un monde d'hommes », résuma Dinah, en frappant la table avec le plat de la main pour bien souligner son propos. Rudy leva les yeux vers elle, il allait lui poser une question, mais il se ravisa et se tourna vers Lindsay. « A quel niveau ? »

Elle soutint son regard, en tripotant son pendentif de sa main libre. « Eh bien, mon Dieu, à presque tous les niveaux », dit-elle. Des rougeurs apparurent sur sa gorge pâle. « Economiquement, politiquement, ce sont les hommes qui mènent le monde. » Elle s'arrêta abruptement sur cette vérité première et baissa les yeux vers son verre de vin blanc.

« Hé, écoutez, dit Dinah, il est beaucoup plus facile d'être un homme qu'une femme sur cette planète. A tous les niveaux. Biologiquement, vous pouvez procréer presque indéfiniment. Nous pas. Même édenté et aveugle, vous pouvez fonder une famille. Vous pouvez repousser la décision de vous marier et d'avoir des enfants tandis que l'épée de Damoclès plane au-dessus de nos têtes. Et puis, soyons sérieux, les hommes gagnent plus d'argent que les femmes. »

Rudy fronça légèrement les sourcils. « Ça n'est pas juste. »

Dinah se cala dans son siège. « Parfait. Eh bien, peut-être que tu peux en discuter avec les personnes concernées et arranger l'affaire. Egalité, mon cul. »

Roy se pencha et regarda ironiquement Dinah. « Les actrices de porno sont mieux payées que les acteurs. »

Dinah fit une grimace, mais Rudy prit un air concerné. « C'est vrai ? »

Roy acquiesça joyeusement. Dinah soupira. « Parfait. L'humiliation contre des dollars. »

Rudy haussa les épaules. « Vous ne pouvez pas blâmer les hommes de leur avantage biologique...

— Ce n'est pas votre faute, c'est votre monde, dit Dinah. Mais ça dure depuis longtemps et...

— Alors, c'est la faute de *tout le monde,* conclut Roy.

— Les hommes occupent la plupart des postes politiques », remarqua Lindsay. Son visage avait repris sa pâleur naturelle et sa main libre reposait sur le bras de Rudy, en signe de conciliation.

Roy termina sa bière et posa la bouteille vide sur la table avec un grand geste. Un joueur d'échecs.

« Et l'Angleterre ? objecta-t-il ironiquement à Lindsay. Et le Pakistan ? » continua-t-il en regardant Dinah. Elle sentit son cœur battre la chamade.

« Exactement », appuya Rudy.

Dinah le dévisagea. Qu'est-ce qu'elle lui avait jamais trouvé ? Puis elle regarda Roy. Qu'est-ce qu'elle trouvait à ces hommes ?

« Et l'Islande, nom de Dieu ? suggéra Dinah avec un rire sarcastique. Et certaines tribus d'Amazonie dans la partie nord de l'Amérique du Sud ! Mais on parle du reste du monde ! De tout le reste de ce foutu monde ! » acheva-t-elle, hors d'haleine. Lindsay tripotait nerveusement le diamant qui scintillait sur son cou. La fumée d'un cigare flotta devant son visage et elle toussa discrètement, en mettant sa main devant sa bouche.

Rudy s'agita sur sa chaise qui émit un grincement. « Une partie du problème, c'est peut-être que les femmes ne se font pas confiance. Est-ce que vous voteriez pour une femme qui se présenterait à la présidence ? »

Lindsay se tourna vers Rudy et le regarda curieusement.

« Peut-être pas. Car effectivement les femmes ne se font pas confiance.

— Ouais, renchérit Dinah, parce que notre culture nous a appris à considérer l'homme comme un être supérieur. Une culture où les hommes peuvent remplacer leurs femmes par une plus jeune sans que ça gêne personne.

— Et nous ne vous en tenons pas responsables », ajouta gentiment Lindsay en serrant le bras de Rudy. « Nous ne prétendons pas juger. Nous nous contentons de décrire la situation telle qu'elle est.

— La situation telle qu'elle semble être », acquiesça Dinah en hochant vigoureusement la tête.

Roy se pencha, encerclant sa bouteille de bière vide avec ses bras. « Est-ce que cette femme qui était candidate à la vice-présidence — cette bonne vieille Geraldine Ferraro... est-ce qu'elle n'a pas pleuré après avoir perdu ?

— Je t'en prie, c'est vraiment le genre de conneries qu'on entend partout, protesta Dinah. C'est exactement ce que les hommes disent des politiciennes. Je ne suis pas certaine qu'elle ait vraiment pleuré. Et puis, Nixon a pleuré, lui aussi, crétin. Personne ne parle de...

— Que veux-tu dire, personne n'en parle ? Bon Dieu, sois réaliste, dit Roy d'une voix acerbe.

— Non, *toi,* sois réaliste », dit Dinah.

Rudy les interrompit. « Ecoute. Les hommes doivent réussir avant tout. Les femmes aussi, mais la pression sur elles est moins forte. Ça n'est pas un désastre si une femme rate sa carrière, reconnaissons-le.

— Ouais, récita Dinah. Les hommes protègent les foyers, les femmes pondent les enfants. Les hommes riches et les femmes belles. Les vieux barbons avec les femmes jeunes et sensuelles... »

Rudy l'interrompit, le visage dur, fermé. « Les gens incroyablement beaux me mettent mal à l'aise. C'est comme quelqu'un qui aurait un pouvoir incroyable sans avoir rien fait pour le mériter. »

Lindsay sirotait nerveusement son verre de vin blanc, à côté de Rudy tandis que Dinah le regardait d'un air froid. « Si un vieil homme riche épouse une femme belle et pauvre, c'est l'histoire de Cendrillon, dit-elle. Je fais la même chose et je m'envoie en l'air avec un va-nu-pieds. Souvenez-vous de cette rumeur à propos de Cher quand elle est partie avec ce jeune type...

— Rob Camilletti, précisa Lindsay.

— *N'importe* », dit Dinah, en jetant un bref regard complice à Lindsay, puis en se tournant vers Rudy et Roy. « On a prétendu que quand elle l'avait vu, elle avait demandé à quelqu'un de lui donner un bain et de l'amener sous sa tente. Eh bien, Cher a affirmé qu'elle n'avait jamais dit ça. C'est exactement le genre de conneries qui *circulent*. C'est comme ça que ça marche. Les hommes sont valorisés pour ce qu'ils font — le pouvoir et l'argent, ou le succès —, et les femmes pour leur beauté — un accident de naissance.

— Ou une bonne chirurgie esthétique, ajouta Lindsay. Si une femme ne se marie pas, elle reste vieille fille. Si un homme est dans le même cas, c'est un célibataire à conquérir.

— S'il est riche, dit Roy tristement. Et les gens peuvent hériter de l'argent aussi facilement qu'ils peuvent hériter de la beauté. »

Dinah fit une grimace. Lindsay la regarda, puis baissa les yeux sur ses genoux. Rudy sourit. « Et n'oubliez pas. Les femmes bénéficient des sept années supplémentaires. »

Les deux femmes lui jetèrent un regard vide. Une sirène de bateau mugit au loin.

« Les femmes vivent sept années de plus que nous, rappela Rudy. Je t'échange ces sept années contre mon supposé pouvoir en ce monde. »

Dinah serra les lèvres. « D'accord », dit-elle.

Rudy rit d'un air moqueur. « Oh, bien sûr, tu dis d'accord, mais j'ai vu des gens à la fin de leur vie et sept années, ça compte à ce moment-là. »

Dinah se pencha vers lui, les mains si serrées que ses jointures étaient blanches. « J'étais récemment chez le docteur et je lui parlais d'un de mes collègues, il m'a demandé son âge et quand j'ai répondu quarante-deux ans, il a dit : “ Eh bien, c'est jeune... pour un homme. ” Et tu sais pourquoi il était jeune pour un homme et pas pour une femme ? A cause de la procréation. Tout se joue là-dessus pour recommencer sa vie..., se donner une seconde chance. Nous cessons d'ovuler vers quarante ans tandis que le sperme s'en donne à cœur joie jusqu'au bout. Alors, les sept années supplémentaires, on s'en fout. Vous pouvez toujours remettre indéfiniment le moment de vous engager, il vous suffit de trouver des femmes toujours plus jeunes dont le compte à rebours biologique n'a... »

Roy l'interrompit en lui caressant l'épaule, ce que Dinah interpréta comme une manière paternaliste de la calmer.

« Et la chute des cheveux ? demanda-t-il avec douceur. Les femmes ne perdent pas leurs cheveux alors que les hommes... »

Lindsay coupa Roy. « Tous les hommes ne perdent pas leurs cheveux. Vingt pour cent d'entre vous les perdent à vingt ans, trente pour cent à trente ans, quarante pour cent à quarante ans et ainsi de suite. » Elle regarda Dinah. « Mon frère est dermatologue. Et chauve.

— Donc, tu prétends que si nous vivons jusqu'à cent ans, nous perdrons tous nos cheveux, conclut Rudy, pince-sans-rire.

— Nous disons simplement que la moitié d'entre vous sont chauves à la quarantaine tandis que nous avons *toutes* des seins avachis et ramollis », dit Dinah.

Roy hocha la tête distraitement en se renfonçant dans son siège. « De toute façon, on est à un point de transition. La plupart des femmes travaillent aujourd'hui et l'équilibre du pouvoir est en train de changer de mains. Les femmes deviennent responsables.

— Ouais », appuya Dinah ironiquement, en passant la main dans ses cheveux. « Maintenant les femmes doivent travailler *et* s'occuper de leur couple.

— Oh, Dinah, je t'en prie, supplia Rudy d'une voix exaspérée, quand t'es-tu jamais occupée de notre couple ? » Il jeta un coup d'œil à Lindsay et replongea le nez dans sa bière.

« Quand est-ce que je me suis occupée de notre couple ?! Et toi, quand t'en es-tu occupé ? Je suppose que notre relation s'est désagrégée parce que je n'ai pas rempli ma part du contrat... ce qui n'était pas une part, mais la totalité... et ce n'était pas un contrat, crois-moi. » La couleur s'était retirée de son visage et semblait s'être concentrée sur sa gorge. Elle mit la main sur son cou. Il était brûlant. Elle avait la tête vide et fixait d'un air féroce son verre sur la table.

Lindsay l'observait avec compassion. « Nous sommes la génération charnière, allégua-t-elle presque timidement. On nous a préparées à être de bonnes épouses — trouver un bon mari et avoir des enfants — puis, à l'adolescence, nous nous sommes rendu compte que nous devions aussi travailler. Ou ne faire que ça. Je n'ai jamais très bien compris quelles étaient les options, le message était plutôt confus.

— Eh, les filles, accrochez vos ceintures et cessez de pleurnicher, lança Roy sur le ton de la plaisanterie. Soyez des hommes. »

Rudy essaya sans succès de réprimer un sourire.

« Vous devriez instaurer la semaine de la femme hétérosexuelle, continua Roy en riant. Votre mot d'ordre pourrait être " Je suis ravie d'être une fille. " » Rudy lui fit écho, en riant : « Ou celui d'Helen Reddy : " Je suis une femme, écoute mes rugissements. " »

Roy riait à perdre haleine... les deux hommes ne pouvaient plus s'arrêter ; Rudy avait une main devant la bouche et les yeux pleins de larmes. Les deux femmes échangèrent un regard plein de sous-entendus tandis que Lindsay retirait sa main de celle de Rudy et finissait son verre.

« Oh, mesdames, allons. » Roy faisait un effort pour reprendre son sérieux. « Ne l'oubliez pas... les femmes sont capables d'avoir plusieurs orgasmes.

— Et des règles et vingt-trois pour cent de graisse de plus que vous, renseigna Dinah.

— Et les joies de l'accouchement, ajouta Rudy. Et une maturité sexuelle plus longue et plus tardive.

— Bien sûr, il faut bien compenser la ménopause », dit Lindsay en tirant un rideau de cheveux lissés derrière son oreille.

« Et combien de femmes connais-tu qui atteignent plusieurs orgasmes ? ajouta Dinah.

— Sans matériel de secours ? demanda Lindsay en riant.

— Ouais. » Dinah éclata de rire en la regardant avec affection, les yeux brillants. « Parce que Dieu sait que vous ne nous donnez pas beaucoup d'aide orale, les *cunnilinctus* sont réservés aux premiers rendez-vous... et au moment où vous pensez qu'on va vous quitter. »

Rudy rougit et regarda Dinah d'un air désapprobateur. Lindsay rit silencieusement, les yeux pleins de larmes. Rudy reporta sur elle sa réprobation tandis qu'elle baissait la tête, les épaules secouées par des éclats de rire. Roy se pencha vers Dinah avec intensité.

« Ouais, au moins vous n'avez pas besoin d'avoir des érections. Et si on n'y arrive pas ? Bien sûr, on peut toujours quand ça n'a pas d'importance. Mais parfois on n'y arrive pas — et même *plus souvent* que parfois — et c'est humiliant. »

Dinah contemplait son verre, impassible. « Vingt-trois pour cent de graisse supplémentaire, entonna-t-elle sur un ton incrédule. Tout ça pour tenir chaud au fœtus... et pourquoi pas une couverture ? Voilà ma conclusion.

— Ou un bon feu », ajouta Lindsay. Les deux femmes échangèrent un long sourire amical, chaleureux puis détournèrent timidement les yeux.

« Et la crise cardiaque qui nous guette à trente-neuf ans ? s'exclama Roy. Tandis que vous n'avez rien à craindre avant la cinquantaine, bien protégées par vos œstrogènes.

— *Hantées* par nos œstrogènes », rétorqua Dinah qui commençait à en avoir assez de cette conversation ; elle regarda ses mains posées sur ses genoux. Tout particulièrement celle qui ne portait pas d'alliance. Il y eut un silence, lourd de sous-entendus. Rudy fixait l'espace vide devant lui, Lindsay ses mains croisées, Roy sa bouteille de bière vide et Dinah un moustique qui s'accrochait à sa main sans alliance.

Roy soupira et s'étira. « En fait, on en revient toujours à ce que disait mon père : " Les hommes pensent que les femmes sont folles et les femmes prennent les hommes pour des enfants. "

— Ouais, souffla Dinah, des proverbes de ce genre il y en a des tas. Et pourquoi pas : " Les hommes détestent les femmes pour ce qu'elles font et les femmes détestent les hommes pour ce qu'ils sont ? " »

Lindsay se pencha vers Dinah. « Ou : " Les femmes ne sentent pas ce qu'elles savent et les hommes ne savent pas ce qu'ils sentent. " »

Roy se pencha vers Lindsay pour l'interrompre. « Est-ce que je peux revenir sur quelque chose que vous avez dit ?

— Bien sûr, dit-elle, soupçonneuse.
— Je me demandais juste quel genre de matériel provoque l'orgasme multiple. C'est bien les vibromasseurs ? »

Ils se tenaient à la croisée des chemins — prêts à regagner leurs voitures. Dinah serra la main pâle et froide de Lindsay, en espérant lui passer le flambeau qu'elle portait depuis des années. « J'ai été ravie de vous rencontrer » ; elle essayait de lui communiquer quelque chose au-delà des mots — bonne chance, amitié, paix —, quelque chose. « Vraiment », ajouta-t-elle en pressant la main de Lindsay pour bien souligner ce mot.

« Moi aussi », déclara Lindsay, en hochant vigoureusement sa tête blonde. « Moi aussi. »

Dinah prit le bras de Roy d'une main et leva l'autre pour faire un signe d'adieu.

« Bonne nuit, dit Roy gaiement.
— Bonne nuit », dit Rudy à Dinah.

Elle sourit. « Ne refais pas nos erreurs, dit-elle.
— Je vais pleurer, affirma Rudy sur un ton mélodramatique. Je vais pleurer comme Nixon. »

Et tandis que Rudy et Lindsay les regardaient, Dinah et Roy disparurent derrière la colline, à travers les arbres, en direction de leur voiture.

Elle souhaita une bonne nuit à Roy, bon vent à tout cela et rentra chez elle, dans sa tanière. Tony était, comme toujours, très excité de la voir. Dinah le laissa sortir et se prépara à aller au lit, démontant la personnalité qu'elle avait péniblement assemblée pendant toute cette journée. Avant d'éteindre la lumière et de se rendre, pieds et poings liés, à la police du sommeil, Dinah composa une nouvelle fois le numéro de son père et écouta le bruit rythmé de la sonnerie qui résonnait dans le vide, pour rien. Elle raccrocha et s'endormit.

Les hippopotames ont parfois un comportement étrange en communauté. Un père peut décapiter son fils et un adolescent soudain déchiqueter sa mère avec ses énormes canines. C'est pourquoi les femelles essaient de simplifier leur vie quotidienne en restant entre elles et en ne se mêlant aux mâles qu'au moment de la copulation.

10

Elle rêva qu'elle avait un enfant et qu'elle ne savait pas qui en était le père. Cela pouvait être l'un des deux hommes. Mais le plus remarquable, c'est que l'accouchement se passait très bien. Elle ne comprenait pas pourquoi tout le monde en faisait un plat. Et le bébé ! Le bébé était incroyable. Si heureux et si vivant. Dinah se disait qu'elle avait beaucoup de chance d'avoir un enfant exceptionnel. Un bébé formidable naturellement, sans qu'elle ait à faire d'efforts. En le regardant de plus près, elle remarquait qu'il était métissé de noir. Il avait des cheveux noirs, courts et crépus. Elle n'arrivait pas à comprendre comment il était devenu noir, mais cela n'avait aucune importance. Puis elle lui donnait le sein et l'expérience était très différente de ce qu'elle avait imaginé. Le bébé n'avait pas très envie de téter. Il semblait trop occupé à chercher des choses à manger. Elle espérait que Rudy ne serait pas trop fâché de ne pas être le père et qu'il voudrait toujours faire un enfant avec elle. En fait, elle espérait que le sujet ne viendrait pas sur le tapis. Le sujet du bébé formidable.

Puis elle rêva qu'elle était au tribunal de l'Administration de l'Aviation fédérale et que le jury était sur le point de rendre son verdict concernant la récente catastrophe de la relation de Rudy et Dinah. La boîte noire était posée sur la table devant le juge. Sous les yeux des jurés, il ouvrait la boîte pour écouter la dernière conversation que le couple avait eue avant de s'écraser et de mourir brûlé. Dinah avait follement envie de voir, d'entendre, de les arrêter. Le juge appuya sur le bouton et Dinah se réveilla en sueur, chauffée par les rayons du soleil.

Elle se sortit du lit avec un soupir. Ce qui ne te tue pas te rend plus fort. N'était-ce pas une phrase de Nietzsche ? Nietzsche qui détestait les femmes et était mort syphilitique ? Ce qui ne tuait pas les hommes les rendait plus forts. Ce qui ne tuait pas les femmes... leur permettait de faire le petit déjeuner des hommes. Elle alla dans la cuisine et ouvrit le réfrigérateur pour prendre trois œufs. Elle les cassa l'un après l'autre, les battit dans un bol et les jeta dans une poêle où grésillait du beurre. Elle détacha trois tranches de bacon et les mit dans une casserole à feu doux, puis elle s'ouvrit une canette de Coca Light. Elle appela Tony qui émergea paresseusement de la chambre et trottina vers la porte d'entrée que Dinah tenait ouverte pour lui. Soudain, le chien se mit à courir et, en remuant la queue, se précipita sur Rudy Gendler. Celui-ci s'avançait vers le bungalow avec la tête de quelqu'un qui écoute une musique jouée dans une pièce à côté. Une musique lointaine et merveilleuse.

« Est-ce que je peux rentrer ? » demanda-t-il.

Dinah passa la main dans ses cheveux en bataille et lissa à contrecœur sa chemise de nuit froissée. « Bien sûr, dit-elle d'une voix douce. Je commençais juste à t'oublier... mais... bien sûr. » Elle lui fit signe d'entrer et Rudy la frôla en passant la porte. Tony marchait sur ses talons, tout excité. « Je faisais le petit déjeuner. Tu en veux ?

— Oui. *Toi,* tu cuisines ?

— C'est une simple phase », assura Dinah. Elle mit les œufs brouillés dans une assiette et la posa devant Rudy qui s'était attablé. Elle retourna le bacon, et sortit du réfrigérateur de quoi se préparer un autre petit déjeuner et du jus d'orange pour Rudy. Elle battit trois autres œufs, dégraissa le bacon frit et posa délicatement les morceaux dans l'assiette de Rudy, sous son regard attendri. Il commença à manger lentement en observant Dinah s'affairer dans la cuisine, une activité qui lui était tout à fait inhabituelle. Dinah remuait lentement les œufs dans la poêle, comme hypnotisée par cette activité. « Comment m'as-tu trouvée ? demanda-t-elle.

— Par ma sœur, répondit-il entre deux bouchées.

— Ah, oui. »

Leur conversation semblait désincarnée, embaumée. « Peut-être que si j'avais commencé à cuisiner plus tôt, nous serions toujours ensemble », continua-t-elle en faisant glisser les œufs dans une assiette. Comme si elle parlait d'un couple qu'elle connaissait à peine, qui n'était qu'un cas de figure.

Rudy avala sa bouchée et soupira. « Ce n'est pas une question de cuisine, Dinah... C'est sa... sa conviction absolue, parfaite qu'elle me veut. Elle en est sûre. Toi, tu n'étais jamais sûre. Oh, tu m'aimais, bien sûr, mais tu n'étais jamais certaine de vouloir être avec moi. Elle veut être avec moi plus que... tout — pas à l'exclusion de tout, mais plus que tout. Et c'est vraiment agréable. Tu étais ma compagne, mais tu ne voulais pas rester. »

Dinah regardait sa main droite. « Mon ongle est en train de se casser, dit-elle d'une voix douce en montrant son doigt. Tu vois, juste à... »

Rudy fit un geste pour la faire taire. « Laisse-moi finir. Elle n'est peut-être pas la compagne que tu étais, mais elle est *là*. Je n'avais pas l'énergie de t'attendre plus longtemps. Je veux une vie de couple. Et elle m'aime assez pour me la donner. Toi, tu m'aimes simplement et cela ne m'apporte pas la paix... cela ne t'apporte pas la paix. J'ai besoin de paix. Mon travail était complètement à la dérive à la fin de notre relation. Avec tout ce bruit et cette fureur. Je ne pouvais pas travailler, cela me rendait fou et cela continuerait à me rendre fou. Avec mon genre de vie, ce n'est pas possible. » Il s'arrêta soudain et prit une grande aspiration.

Dinah posa ses œufs au bacon sur la table et s'assit en face de lui, après lui avoir jeté un bref coup d'œil. Elle sirota son Coca Light d'un air pensif. Rudy fixait le bord de son assiette. Un coup de klaxon retentit dans le lointain. Tony regardait Rudy avec humilité, espérant que son comportement patient et pathétique lui vaudrait une petite récompense. Mais Rudy ne le voyait pas, absorbé par son désir de clarifier les choses. De se débarrasser de toute obligation d'une manière élégante et compatissante, décidée, comme s'il était lucide et parfaitement à l'aise. Il regarda Dinah, retira de ce regard une bonne partie de lui-même, la garda en réserve, et s'éclaircit la gorge.

« J'ai besoin d'être reconnu », dit-il pensivement en remarquant soudain l'attitude du chien. « Peut-être que ma prochaine pièce sera vraiment un succès, je m'imposerai et la pression sera moins forte. » Il coupa un petit morceau de bacon et le donna à Tony qui le happa d'un air affamé et reconnaissant. Rudy retira vivement sa main. Dinah l'observait comme si elle accumulait tous ces détails pour plus tard. Détachée, seule.

« Comment peux-tu être plus reconnu que tu ne l'es à l'heure actuelle ? »

Rudy soupira et balaya du geste l'argument. « Je ne sais pas. Peut-être qu'il s'agit juste d'un jeu que je joue avec moi-même pour rester productif ou quelque chose comme ça... mais tout le problème est là. Je suis très ambitieux, donc je dois me donner des buts. » Il lui jeta un regard presque implorant. « Je dois faire quelque chose ou alors, qu'est-ce que je vais faire ? »

Dinah sourit tristement et regarda par la fenêtre. Elle souhaitait être indifférente au dénouement qui allait inévitablement suivre. A ce dénouement précis.

« C'était tellement clair que nous n'étions pas faits pour vivre ensemble. » Elle haussa les épaules. « J'essayais d'amasser quelques indices qui prouvaient le contraire... Qu'est-ce qu'on dit ? “ Plutôt l'enfer ”, tu sais, si l'on ne peut pas vivre avec lui et pas vivre sans lui, autant vivre à côté de lui.

— Dinah, jamais plus je ne m'investirai autant qu'avec toi. Je ne veux pas jouer. Je m'en suis tellement voulu de m'être conduit comme un idiot dans notre relation. Ecoute... Tout est défendable — être ensemble, ne pas être ensemble —, jusqu'à ce qu'on atteigne la limite et qu'on attaque autre chose. Hé, tu n'as jamais vraiment aimé vivre avec moi... tu disais que tu me trouvais si... quel était le mot ? Si critique. » Dinah s'agita sur sa chaise et croisa les jambes.

« Avec toi, je n'étais jamais à la hauteur. J'avais l'impression de tout faire de travers. Soit tu étais furieux contre moi, soit... tu ne l'étais pas. Mais tu n'étais jamais vraiment heureux. Je veux dire, tu me punissais ou tu ne me punissais pas. Ne pas être punie était ma récompense. Tu sais, on traite mieux les chiens. Si tu n'avais pas exactement ce que tu voulais, tu n'avais rien du tout. »

Rudy poussa le reste de ses œufs brouillés dans un coin de son assiette et s'éclaircit la gorge. « Alors, Dinah... pourquoi reviens-tu ? Si je suis si dur que ça, pourquoi n'es-tu pas ailleurs, soulagée ? »

Dinah rit. « Je ne suis pas du genre à me sentir soulagée. Et puis — elle haussa à nouveau les épaules — je t'aime.

— Ouais, eh bien, soupira-t-il. Je t'aime aussi, mais... »

Dinah l'interrompit. « Je suis *celle* que tu veux, mais je ne te donne pas *ce* que tu veux, alors...

— Nous ne pouvons pas vivre ensemble. Nous ne nous rendons pas...

— Je sais. Ce n'était pas rationnel de venir ici. Et mon amour pour toi ne l'est pas non plus.

— Ton paradoxe, c'est que tu es un centre d'attention fasciné par d'autres centres d'attention. »

Dinah rit. « C'est comme mélanger de l'huile... avec de l'huile.

— Chérie, tu ne t'intéresses pas vraiment aux choses ménagères. On ne peut pas partager un foyer avec toi. »

Elle avala une gorgée de Coca. « Eh, il est plus facile de domestiquer une intellectuelle que d'intellectualiser une femme au foyer. »

Rudy hocha distraitement la tête. « Ouais, mais ça peut être intéressant, tu sais... d'aider quelqu'un à se cultiver, de le guider, de le regarder apprendre et s'affirmer.

— Une sorte d'université des Petites Copines ? Mais, de toute façon, si tu te comportes comme ça, elles apprennent simplement à te plaire. Il ne s'agit pas d'un désir ou d'une passion personnelle. Ce n'est pas une impulsion naturelle. Et je ne parle pas de Lindsay. Je la trouve sympathique. Elle a l'air intelligente.

— Elle *est* intelligente. Elle est réservée... et bonne. Mais écoute, je ne peux pas m'empêcher de vouloir ce que je veux. Des tas de gens forment des couples. Et je ne veux pas qu'on me donne l'impression que je suis dépendant parce que j'en ai envie aussi. Je ne veux pas être critique. Je veux faire partie de l'équipe. Et je m'aperçois que c'est dur de devenir membre. Et souvent je ne peux pas supporter le *son* de ma voix. Je me dis : " Assume ! Dis ce que tu penses ! " Parce que je ne dis pas ce que je pense la plupart du temps. »

Dinah le regarda fixement, elle tenait sa canette tiède de Coca d'une main et de l'autre grattait la peau de son pouce à vif. Elle sourit. « C'est drôle. Tu as peur d'être ridicule. J'ai peur d'être ridicule. »

Rudy fronça les sourcils, puis se détendit et fit une légère moue d'approbation. « Je pense que c'est normal.

— Je pensais bien que tu dirais ça, dit-elle en riant légèrement. Tu es tellement cynique. »

Il pencha la tête, en souriant. « Je ne suis pas si cynique que ça. Je suis cynique de manière tout à fait raisonnable pour mon âge et mon expérience. » Il se pencha en avant, posa ses mains sur la table, l'air vulnérable. « Dinah, ta vie est plus riche que la mienne et j'ai toujours eu peur d'être entraîné par toi. Dans un sens, je veux être entraîné... mais d'une bonne manière. Ecoute, toute situation demande des compromis... Tu ne crois pas que je le sais ? Je commence à entrevoir quels seront les compromis avec Lindsay et je ne sais pas si je serai capable... » Il soupira. « Mon Dieu, le mariage. Toutes les illusions que les gens entassent sur un plateau le jour de leur mariage. C'est tellement compliqué et tellement tordu, comment peut-on dire " ... et je serai pour toi... et toi et moi serons... et nous... et nos vies seront... " J'ai envie de hurler : " Qu'est-ce que j'en sais ?... Qui sait ce qui va arriver ? " Les femmes douces sont ennuyeuses et les femmes intelligentes difficiles à vivre. Finalement, vous êtes toutes difficiles. »

Dinah avait la bouche pleine d'œufs brouillés et de bacon qu'elle avala d'un seul coup. La bouchée se coinça dans sa gorge, peut-être que le bacon s'était mis en travers et que les œufs cimentaient le tout. Elle devint écarlate et se sentit étouffer. Elle mit sa main devant sa bouche et se leva. Rudy contemplait son assiette.

« Eh bien, ce n'est pas drôle », dit-il. Il leva les yeux vers elle et réalisa qu'elle n'était pas en train de rire. « Qu'est-ce qui se passe ? Ça va ? »

Dinah se dirigea vers l'évier en essayant de déglutir. Elle n'y arrivait pas. Ses yeux se remplirent de larmes. Elle fut submergée par la panique. Elle se tourna vers Rudy. Elle ne pouvait pas parler, ni respirer.

« Oh, mon Dieu, s'exclama Rudy. Oh, mon Dieu, viens ici. » Dinah était rouge écarlate. Elle s'approcha de lui, pliée en deux, essayant de se souvenir des gestes qu'il fallait faire en cas d'étouffement. Rudy se mit derrière elle et lui donna une grande claque dans le dos. Rien. Dinah cherchait sa respiration. Elle ne la trouvait pas. Rudy se mit derrière elle, l'enlaça et la frappa à deux mains au niveau du plexus solaire. Une fois. Deux fois. Trois fois, et un amalgame de petit déjeuner vola dans les airs. Elle suffoquait, serrée dans les bras de Rudy.

« Respire, lui dit-il gentiment. Respire. » Dinah s'assit lentement par terre et baissa la tête. Son cœur battait à tout rompre, son crâne lui faisait mal. Rudy s'agenouilla à côté d'elle, elle mit son bras autour de sa taille et posa sa tête sur son épaule. Ils étaient assis sur le sol de la cuisine, silencieux, l'un contre l'autre.

« Ton cygne noir de l'enfer a survécu, constata-t-elle finalement.

— Nous n'avons pas qu'une âme sœur... tu verras », murmura-t-il après un moment.

Les yeux de Dinah brûlaient, sa gorge était sèche et douloureuse. « Je ne crois pas. J'aimerais bien y croire, mais je n'y crois pas. » Elle soupira. « Je crois... je crois que l'amour est... une chose rare et... quand on le trouve...

— Tu ne serais pas heureuse à New York. Et tu finirais toujours par rentrer à Los Angeles.

— Tu as un don de double vue ou quoi ? Tu devrais investir à la Bourse. Comment le sais-tu ?

— Le résultat de mes observations.

— Tes observations ou tes peurs ?

— Les deux, probablement. Les rapports de couple devraient d'abord être un plaisir.

— Bien sûr, *le tien.*

— Dinah... d'accord, pas *d'abord*, le plaisir est plutôt un produit dérivé, mais... » Il s'éclaircit la gorge et reprit : « Ecoute, ça n'a pas marché. Et mon psychanalyste dit que les gens ne changent pas... pas fondamentalement.

— Alors pourquoi aller voir un psy ? »

Rudy secoua la tête. « Eh bien... on peut changer un petit peu. » Il s'éclaircit à nouveau la gorge avant de continuer. « Je pense que tu m'as dit tout ce que tu ne pouvais pas dire à tes parents quand tu étais enfant. Tous les reproches que tu ne pouvais pas exprimer ou verbaliser à l'époque. » Rudy s'arrêta et soupira. « Tu sais, Dinah, quelquefois je ne veux pas être compris. Je veux juste être... quelqu'un. Etre compris peut être si... indiscret.

— Alors, qu'est-ce que tu veux être? Admiré, servi ou transformé en quelqu'un d'autre ? »

Rudy se contenta de la regarder et remit une des mèches de Dinah en place. Il laissa glisser sa main le long de sa joue. Elle l'observait sans mot dire. Il se pencha vers elle et approcha ses lèvres des siennes. Elle le repoussa d'un geste brusque. Ils se dévisagèrent, tous deux surpris par sa réaction. Rudy la poussa à son tour. « Pourquoi continues-tu à me poursuivre si tu ne veux pas de moi ? »

Le visage de Dinah était brûlant. Ecarlate. Sa chemise de nuit froissée, trempée de sueur, collait à son dos. Elle poussa Rudy plus fort cette fois, ayant le sentiment de lutter pour sa vie.

« *Moi* ?! cria-t-elle. Moi, je *te* poursuis ! »

Ils haletaient tous les deux. Rudy la frappa en essayant de se contrôler. Après tout, elle n'était qu'une fille. Dinah lui sauta à la gorge.

« C'est toi qui as commencé ! Tu es venu à Los Angeles et tu as couché avec... »

Rudy agrippa les mains serrées autour de son cou. Son visage bronzé était livide, ses yeux exorbités. Il se dégagea facilement et écarta Dinah. Elle s'assit sur le plancher, sa chemise de nuit entortillée autour de ses genoux.

« Tu veux juste que... »

Rudy l'interrompit. « Je ne veux pas... »

Dinah tira sur sa chemise de nuit pour couvrir ses genoux. « ... je t'attende, s'écria-t-elle. Que je passe ma vie à t'attendre, à penser à toi pendant que tu... »

Il balaya d'un geste l'argument tout en se relevant. « Fais ce que tu veux ! Bon Dieu, tu n'en vaux vraiment pas... »

Mais Dinah ne lui laissa pas le temps de finir sa phrase, elle se jeta sur lui, l'envoya au tapis et essaya maladroitement de lui marteler la poitrine, déchirant sa chemise de nuit. Il la repoussa, cette fois plus violemment. Elle s'effondra, épuisée et hors d'haleine. Tony accourut en remuant la queue pour participer à ce jeu. Rudy maintenait Dinah clouée au sol avec une telle force que ses jointures étaient blanches. Il voulait la tenir à distance, au loin... enfin. Quand il fut convaincu qu'elle ne tenterait plus de l'attaquer, il la lâcha et entreprit de se relever.

« Espèce d'égoïste... », souffla-t-elle.

Rudy, plié en deux, les mains sur les genoux, reprenait son souffle. « Je ne peux plus faire ça », dit-il comme s'il se parlait à lui-même. Une prise de conscience, un soulagement.

« Sans cœur... », murmura-t-elle. Elle s'assit, replia ses jambes contre sa poitrine et tira sa chemise de nuit sur ses genoux. Elle s'appuya contre le mur et regarda Rudy à travers ses paupières mi-closes.

« Restons-en là, proposa-t-il.

— D'accord », admit-elle avec difficulté, en avalant sa salive.

« Voyons, Dinah, supposons que je change et que je ne sois plus inflexible ou insatisfait... arrogant... que je perde tous les défauts que tu me trouves... qui peut dire si tu voudrais toujours de moi ? Supposons que j'aie un acccident de voiture et que je devienne la personne idéale ?

— Ouais. Et alors ? Où veux-tu en venir ?

— Je veux simplement dire que... peut-être, ce que tu aimes, c'est te plaindre et m'engueuler. »

Dinah dévisagea Rudy un long moment, digérant cette remarque, étudiant son visage, le mettant en perspective. Elle avait l'impression de hanter la même maison, mais celle-ci avait été redécorée. Elle regarda sa main droite. « Mon ongle est cassé, observa-t-elle. Il a disparu. »

Rudy se tenait dans l'embrasure de la porte, l'air calme. Dinah leva les yeux vers lui. Elle commença par ses pieds puis remonta lentement jusqu'à son cher visage sur le point de sortir de sa vie. « C'est la fin donc. Plus de contact. »

Rudy, qui s'apprêtait à sortir, hésita un instant.

« Je ne vois pas pourquoi nous ne pourrions pas nous parler

de temps en temps », suggéra-t-il à voix basse, sans la regarder. Dinah se contenta de le dévisager avec toute l'impassibilité qu'elle pouvait rassembler, le menton posé sur les genoux. Tony, assis entre eux, tournait ses regards désespérés de l'un vers l'autre. Rudy se gratta le menton et soupira : « Mais je suppose que c'est vouloir le beurre et l'argent du beurre.

— Le beurre et la *voix* du beurre », assura Dinah en fermant les yeux et en appuyant son front sur ses genoux pour ne pas voir le dernier regard que lui jetait Rudy.

Il s'éclaircit la gorge et lança : « Tu sais, si tu étais venue à New York la fois où je t'ai dit de ne pas venir, nous serions probablement toujours ensemble. »

Sur ces mots, il referma la porte, faisant tomber le balai sur la radio qui se mit en marche.

Tu m'as fait quitter mon foyer,
T'as pris mon amour et tu t'es tiré
Depuis que je suis tombée dans tes bras.
L'amour c'est des larmes et des peines ;
Je ne suis plus du tout la même
Depuis que je suis tombée dans tes bras.
Oh, c'est trop bête et c'est trop triste
Mais je suis folle de toi.
Oh, tu m'aimes, puis tu me quittes,
Que me reste-t-il à moi ?
Je t'aime encore, tu vois.
Jamais j'en verrai le bout,
J'ai le blues pour presque tout
Depuis que je suis tombée dans tes bras,
Depuis que je suis tombée dans tes bras.

Dinah soupira. « Au revoir, murmura-t-elle. Merci de m'avoir sauvé la vie. »

Tony s'approcha de Dinah et essaya de grimper sur ses genoux pour lui lécher le visage. Elle le caressa distraitement, elle avait l'impression que ses paumes étaient glacées. L'anxiété. Elle serra ses mains l'une contre l'autre pour les tordre véritablement. Elle se tordit les mains, comme un personnage de roman français, mais elle le fit en tenant un chien sur les genoux et en écoutant cette chanson triste et moqueuse, comme un personnage de roman américain. « Au revoir », répéta-t-elle, le visage enfoui dans le pelage marron et blanc de Tony. Elle se sentait terrifiée et brisée. Elle serra le chien contre elle et éclata en sanglots. Tony lui lécha le visage. Dinah pleura de plus belle, en se disant que d'une certaine manière, il comprenait sa souffrance et lui témoignait son affection. Le chien recula et essaya de se mettre sur le dos pour qu'elle lui gratte le ventre. Dinah le repoussa en sanglotant. « Tout a un prix », dit-elle. Elle se mit péniblement debout, éteignit la radio, puis se traîna jusqu'à la chambre, se mit au lit et tira les draps sur sa tête.

Elle se sentait effrayée et parfaitement calme. Habituée au pire. Elle n'arrivait pas à comprendre cette chose en elle qui était à la fois vulnérable, assurée et elle-même. Elle était effrayée et bien au chaud. Nichée dans sa peur. Dissimulée derrière la parole. Tapie entre un pronom et une proposition.

Elle était le genre de fille qui aime aplanir les choses, aussi recherchait-elle les situations accidentées. Aussi se retrouvait-elle, en ce moment, dans un enfer qui représentait pour elle le paradis. Un combat à mort. Un monde de merde. Sa faiblesse, en vérité, faisait partie de sa force. Sa force était le résultat de sa faiblesse. L'un ou l'autre. Aimer l'amenait là où elle n'était pas désirée. C'est pourquoi elle refusait de suivre le mouvement.

Elle se pencha et essaya d'accoucher de ce brillant échantillon de souffrance qu'elle portait en elle. Mais non, mais non. Comment pouvait-elle être cette femme ? Pas cette femme-là, pas cette femme. Non. Elle ne voulait pas être cette femme perdue qui s'apitoyait sur elle-même... Non. Elle voulait être une femme insouciante. Oui. Oh, oui.

Aussi posa-t-elle sa tête, sa peur lâche et encombrante. Elle se laissa glisser dans cette marée noire qui la malmenait, embrasait les draps d'un blanc angélique qui maintenant la brûlaient. Allongée, Dinah essayait de calmer cette chose sur laquelle elle trébuchait, encore et toujours, en pensée. Qu'aurais-je pu faire, qu'est-ce que je peux faire ? Un homme comme un parapluie qui me protégerait du mal... Ça n'est pas la bonne méthode, ça ne marche pas. Ça l'avait menée dans les sombres forêts, les sombres paroles, loin de chez elle, perdue là où il fallait apprendre à renoncer. Pour trouver en elle-même ce qu'elle avait cherché en lui. Ce n'est pas la bonne méthode, ça ne marche pas. Accrochée à une planche sur une mer déchaînée. Rudy est ma planche, songeait-elle, je suis la mer déchaînée. Elle espérait qu'une voix chaude s'élèverait comme un soleil sur ce monde glacé.

Son esprit torturé, brûlant... Oh, trouver une petite perspective pour calmer ce feu qui la dévorait. Dinah avait l'impression de se regarder de l'extérieur. Elle roula sur le lit, attrapa le téléphone et, une fois de plus, composa le numéro de son père. Elle écouta hypnotisée le rythme monocorde de la sonnerie.

Au moment où elle allait raccrocher, une voix répondit. La voix endormie de son père. « Papa ? » interrogea Dinah ; ces mots montaient du plus profond d'elle-même, comme un mantra, presque une prière. « Papa, c'est moi...

— Salut, bébé, il y a un temps fou que je ne t'ai pas parlé, dit-il.

— Je t'ai réveillé ? » demanda-t-elle, en se recroquevillant... Elle posa sa tête sur ses genoux, accrochée au téléphone comme à une bouée de sauvetage.

« Non, non, je me reposais simplement, quoi de neuf?

— Papa... Est-ce que tu penses qu'une femme mariée doit savoir cuisiner ? »

Il rit. « Eh bien, je ne sais pas, mon cœur... Je suppose que c'est agréable mais cela n'est pas forcément essentiel. Je veux dire, ta mère ne sait pas cuisiner, c'est certain. Comme aucune de mes femmes, d'ailleurs.

— Ouais, mais tu les as toutes quittées.

— Tu peux le dire, s'exclama-t-il en riant. Mais pas parce qu'elles ne savaient pas cuisiner.

— Pourquoi alors ? »

Il soupira. « Je suppose que je suis romantique. C'est infantile, je sais. Je suis un vieux fou. Mais... aimer et être aimé, eh bien, voilà ce qui compte pour moi. Et je cherche toujours la même chose... la passion. Je sais que ça finit mal, mais j'ai connu de grandes passions et c'est ce que je chercherai toute ma vie. Hélas, la passion, tu le sais, est de courte durée. Trois ans semblent être ma limite maximale. Le problème aujourd'hui, c'est que les gens vivent ensemble plus longtemps parce que leur espérance de vie est plus longue. » Il y eut un court silence dans lequel Dinah se blottit, buvant les paroles si rares de son père. Finalement, celui-ci demanda :

« Pourquoi, bébé ? Est-ce que quelqu'un a essayé de te faire faire la cuisine ? »

Dinah rit et ferma les yeux. « Non, papa, pas vraiment. C'est juste que... » Elle laissa sa phrase en suspens.

« Dinah, certaines personnes sont faites pour le mariage, d'autres pour l'amour. »

Dinah se redressa. « Que veux-tu dire ? »

Son père eut un long rire étonné. « Eh bien, peut-être que tu es comme moi. J'ai toujours été attiré par des femmes qui ne voulaient pas de moi. Je trouvais leur... indifférence séduisante. Je ne sais pas, je crois que mes circuits fonctionnent bizarrement en amour. Je n'étais pas intéressé par les femmes qui m'aimaient, je les trouvais ennuyeuses. Eh bien, aujourd'hui, à mon âge, je réalise que j'aurais mieux fait de m'ennuyer plutôt que de me faire tuer. » Dinah penchait la tête, essayant de comprendre son père. Elle caressa distraitement Tony qui dormait à côté d'elle. Il continua : « Donc, il me semble, après quatre mariages, alors qu'il est probablement trop tard pour moi, que certains d'entre nous doivent choisir leur compagnon avec leur tête, plutôt qu'avec leurs... sentiments... leur cœur. Cette... excitation que nous ressentons quand nous rencontrons certaines personnes n'est pas du tout de l'amour, mais... une sorte de névrose, et une bonne raison de s'enfuir plutôt que de se lancer dans l'aventure. Je me suis toujours lancé dans l'aventure, mais ne fais pas ce que j'ai fait, fais ce que je dis. Va là où tu es désirée. Les relations devraient apporter la sécurité... le... l'affirmation de soi... au lieu de tous ces autres trucs. Parce que ces trucs-là meurent de toute façon, et alors avec qui se retrouve-t-on ? Regarde-moi. Je suis tout seul. Oh, je ne changerais ma vie pour rien au monde. Je ne renoncerais pas à cette passion. A ces passions. Mais tu es encore jeune, tu es encore jeune. Tu es intelligente. Choisis quelqu'un qui a une tête comme la tienne. J'aimerais te voir avec un homme qui te rende heureuse.

— Moi aussi, papa, dit-elle d'une voix douce. Papa ?

— Oui, fille.

— Aimerais-tu être une femme ? »

Il réprima un bâillement tout en répétant : « Est-ce que j'aimerais être une femme ? Non, je pense que c'est plus difficile d'être une femme. Je suis déjà assez compliqué comme ça. Qu'est-ce qu'on a dit ? " Les hommes sont victimes de leur sexualité et les femmes sont victimes des hommes. "

— Qui a dit ça ?

— Je ne sais plus, mon ami Sydney de Palm Springs, je crois. » Il soupira. « Quatre mariages, tu imagines ? Tu sais, parfois je me dis que c'était un moyen de rester jeune. Tu regardes un visage qui vieillit — un visage de ton âge — et tu te dis : " je suis vieux. " Tu regardes un visage jeune et tu dis : " je suis jeune ". Peut-être que c'est une manière de s'approprier la jeunesse. Quelquefois, j'ai l'impression d'être un vampire. J'adore le début d'une relation. Je me nourris de cette viande tendre des premiers jours. Une situation pleine de promesses et puis... on atteint l'os de ce qu'on est réellement. » Il rit. « Pendant que je te parle, mes fausses dents sont sur la table de nuit. »

Dinah sourit, serra plus fort ses genoux, aima encore plus son père, l'aima dans un élan pour aimer, être aimée, pour combler la distance entre elle et... et quoi ? Tout. Tout ce qui se tenait à distance. Le rire derrière la porte.

« Est-ce que ça va, ma chérie ? continua son père.

— Oui, papa, je vais bien... Je voudrais juste jouer un accord majeur après un accord mineur. Tu sais, à moins que je me batte, je n'ai pas l'impression qu'il se passe grand-chose. »

Son père rit. « Eh bien, bébé, tout ce que je peux te conseiller, c'est de ne pas chercher à atteindre le fond des choses. Crois-en mon expérience, ce salaud est insaisissable. Mais, je te le promets, si je trouve le fond des choses, je t'en ramènerai une dose. Hé, ça rime ! Que penses-tu de ça ? » Dinah éclata de rire. Elle éteignit la lumière et se mit sous les couvertures.

« C'est super, papa.

— O.K., mon ange... Je vais me rendormir maintenant.

— Moi aussi, papa. Bonne nuit.

— Je t'aime, bébé.

— Moi aussi, papa. »

Elle fit ce que fait toute personne saine d'esprit quand elle a le cœur brisé, allongée sur son lit. Elle alluma la télévision. Il y avait une émission consacrée aux gens qui avaient d'effrayantes difformités faciales. Le présentateur disait : « Si chacun d'eux mettait ses problèmes sur la table, je parie qu'ils ne voudraient pas échanger les leurs avec ceux du voisin. »

Oui, pensait Dinah. Oui. Le cœur brisé par une difformité. Oui. Que disent-ils maintenant ? Les enfants qui souffrent de ce genre de handicap sont souvent sensibles et très doués. Oui ? « Je veux que les gens aillent au-delà des apparences et se rendent compte que je suis quelqu'un de bien. » D'accord. Oui. La vie donne parfois aux gens en leur retirant quelque chose. Les unijambistes ont parfois une démarche remarquable. Elle changea de chaîne. C'était l'heure des nouvelles. Des malades du SIDA avaient envahi le *Federal Building* pour protester contre la difficulté... l'impossibilité d'obtenir de l'AZT ou du DDI à moins d'être riche ou mourant. Mettez tous vos problèmes sur la table. Elle songea à remettre de l'ordre dans sa personnalité, à s'élire présidente de sa propre vie. Hé, elle était en bonne santé. Elle avait un boulot, une voiture, un chien, une maison, et aucune difformité faciale. Que ferait-elle face à un Vrai Problème ? Parfois, elle pensait qu'elle se débrouillerait mieux avec un autre genre de problème et qu'elle se montrerait à la hauteur de la situation. Grandes Illusions, Petits Dénouements. Rien à espérer.

« Le premier arrivé au bout de ma douleur a gagné », dit-elle à Tony. Il remua la queue, tout excité. Dinah gratta son crâne laineux. « Tu as gagné. »

Elle avait l'impression d'être quelqu'un qui ne trouverait jamais de compagnon, quelqu'un dont l'âme sœur était une créature rare et fragile qui habitait en Chine ou en Mongolie extérieure et mourrait sûrement avant d'arriver aux États-Unis.

Elle changea de chaîne. Laurence Olivier se tenait près de Merle Oberon qui agonisait dans une chambre du Yorkshire.

« Cathy, vous m'aimiez... quel droit aviez-vous alors de m'abandonner ? Quel droit... répondez-moi... Pour le pauvre caprice que vous inspirait Linton ? Ni la misère, ni la déchéance, ni la mort, ni aucune peine venue de Dieu ou de

Satan n'aurait pu nous séparer... et vous, de votre plein gré, vous l'avez fait. »

Dinah poussa un grognement et changea de chaîne. « Je *suis* Heathcliff », affirma-t-elle à Tony qui rampait vers elle, en remuant la queue, et qui lui lécha le visage.

Sur l'écran, Rose, à l'avant d'une voiture, regarde Blaine qui se tient sous la neige, dans une pose théâtrale. Ils se dévisagent, hypnotisés, à travers les gros flocons de neige de soap opera qui s'accrochent sans fondre sur la veste de Blaine. Rose écrit son numéro de téléphone sur un morceau de papier et le tend à l'homme blond sous la neige. Il glisse le papier dans sa poche. « Tu es une fille formidable », dit-il en se penchant et en lui donnant un bref baiser sur la bouche. « Dans quel sens ? » demande Rose d'une voix timide, en baissant ses paupières bordées de longs cils. « Dans le meilleur sens du terme. » Blaine sourit de son sourire étonné, transfiguré-par-la-grâce, puis s'éloigne sous la neige virevoltante, les mains enfoncées dans ses poches. Rose le regarde partir, un sourire rêveur aux lèvres, tandis que la caméra fait un gros plan sur son visage ravissant et mélancolique. Fondu-enchaîné sur une publicité pour Oil of Olaz.

Dinah fouilla dans son sac et sortit un stylo, elle mit la maison sens dessus dessous à la recherche d'une feuille, n'en trouva pas et finit par écrire au dos d'une enveloppe.

Mon esprit comme un bolide fonce à travers tes paroles. Je peux les entendre autour de moi, m'enveloppant de leur approbation. Le bourdonnement du moteur, de mon esprit qui s'emballe. Je fonce, fonce vers l'instant suivant, bondis, fends le vent. Le capot de la voiture, le crâne, les yeux du pare-brise, le volant de ma bouche. A fond sur l'autoroute. Dérape. Joyeux compère. Il est mon joyeux compère. Je me suis élevée toute seule, en espérant que quelqu'un me relaierait dans cette tâche pleine de subtilités, pleine d'un ô si tranquille désespoir. Mon esprit-voiture ronronne, son moteur tourne, il roule droit sur ma main. Je m'adoucis en toi, me glisse dans tes recoins pour un coup d'œil, un être ici maintenant.

Ma folie, mousseuse, fond dans ma bouche avec un goût délicieux. Ici dans la paume de ma tête où il m'aime, boum une bosse, *je touche le plafond,* boum une bosse, *je m'écrase contre mes limites, elles me serrent. Quelqu'un a surenchéri sur mon offre pour l'immortalité. Il est quelque part dans le non-mort, le nouveau non-mort, le non-mort vivant. Aidez-moi à voir tout ça comme un tout,* boum une bosse, *le plafond. Le moteur s'arrête. J'attends dans le noir, essayant de lui donner une forme par le langage, ou est-ce un tout ? Ou est-ce un tout ? Ou est-ce un tout ? Surfer sur les vagues de l'esprit, sentir les flots.*

Toutes ces histoires d'amour ne me conviennent pas. Ce n'est pas la bonne taille, plus hystérique que taillée sur mesure. Je t'aime, c'est une chose ronde, ronde et lisse, boum une bosse, *tic-tac. Une chose intelligente fait claquer le fouet de sa folie, zèbre mes hanches, me chevauche jusqu'à l'aube, me chevauche comme une bête.*

La maison est foulée mais pas cassée. Elle attend d'être battue.

Je suis qui tu veux mais mon quoi est coupable, et c'est là ce qui ronge ma qui-étude. Dieu, pensais-je, j'aime ton que-étude. Am, stram, gram.

Cela peut être tellement apaisant de démêler l'écheveau du monde. De laisser la pelote rebondir, rebondir, rebondir sur l'escalier de la page.

« Hello ? »

Une voix à la fenêtre. La voix de Roy. Un soleil s'éleva dans ce monde froid. Dinah se redressa et posa son stylo. « Roy ? interrogea-t-elle, hésitante.

— Oyez, répondit-il. Est-ce qu'il reste du soufflé du dévouement ? »

Dinah sourit, sauta de son lit et s'élança vers la porte. Il se tenait dans l'embrasure, encadré par la lumière du soleil, un journal sous le bras, souriant. Elle le dévisagea joyeusement. « Tu ressembles à un héros, dit-elle.

— Quel genre de héros ? demanda-t-il, soupçonneux.

— *Mon* héros. »

Roy la regarda plus attentivement. « Est-ce que ça va ? » Dinah haussa les épaules et se dirigea vers la cuisine, Roy lui emboîta le pas. « Le Prince charmant était ici, hein ? Je l'ai vu dans l'allée. »

Dinah remplit deux verres de jus d'orange. « Je finirai seule, soupira-t-elle.

— Tu ne peux pas parler de finir à ton âge.

— Ouais, mais tu sais ce qu'on dit... plus on vieillit, plus le choix devient maigre et les prétendants gros. » Dinah s'assit et posa sa tête contre la table.

« Qui dit ça ?

— Mon amie Connie. » Dinah leva les yeux, vulnérable, presque suppliante.

« Il dit qu'il m'aime, mais... »

Roy s'assit en face d'elle, l'air sérieux. « Ça n'a pas d'importance qu'il t'aime, ce qui importe c'est la manière dont il te traite. Hé, les maris qui tuent leurs femmes les aiment. Certains parents qui battent leurs enfants les aiment. L'amour est une question secondaire. Tout dépend de la manière dont on vous traite. »

Dinah acquiesça d'un air misérable. « Ouais. Mon père m'aimait et je ne le voyais jamais. Il aurait pu aussi bien ne pas m'aimer. Je suppose que je confonds amour et absence. Ce qui est parfait. Je peux construire toute une relation sans qu'il se passe rien. Quand ce rien suffit, tout ce qui est en plus devient inquiétant. Rudy est, d'une certaine façon, aussi attaché à moi que je le suis à lui, mais contrairement à moi, il l'est encore plus à la manière dont il doit être traité. » Elle soupira et hocha la tête tristement. « Mais je ne comprends toujours pas comment il a pu me traiter ainsi.

— Probablement parce que tu l'as laissé faire. Hé, qu'est-ce que ça change que tu comprennes pourquoi ? S'il te tuait, est-ce que cela changerait quelque chose que tu saches pourquoi ? Se savoir responsable, est-ce que ça rend les choses plus supportables ? Est-ce normal de faire souffrir quelqu'un ? Y a-t-il de bonnes raisons ? Et s'il l'a fait parce qu'il a un problème personnel dont tu n'es pas responsable... alors, il a une raison mais elle n'est pas forcément la bonne.

— Mon père dit que je devrais choisir quelqu'un avec ma tête, pas avec mon cœur, parce que mon circuit émotionnel est complètement déconnecté. »

Roy secoua la tête. « Non. Et si tu es comme le journaliste Garrison Keilor et qu'il te faut des dizaines d'années avant de savoir si quelqu'un est l'homme de ta vie ?

— Est-ce que j'ai l'air de Garrison Keilor ? Et puis tu crois vraiment que Garrison Keilor a trouvé l'amour ou bien simplement une liaison de dernière minute ?

— J'ai toujours peur, commença Roy sérieusement, d'épouser quelqu'un pour des raisons qui ne sont pas exactement les bonnes et puis le lendemain, de rencontrer la femme de ma vie. On ne peut pas renoncer à sa quête.

— Mais il *faut* bien à un moment, geignit Dinah.

— Non. Je n'y crois pas. Il y a des gagnants au loto.

— *Trois* personnes gagnent au loto.

— Hé, si tu aimes être battue, tu devrais... »

Dinah l'interrompit. « J'aime moins être battue qu'affamée. » Ses yeux se remplirent de larmes et elle baissa la tête.

Roy s'enfonça dans son fauteuil et reprit avec douceur : « Hé, rappelle-toi ce que dit Steely Dan : " N'importe quel grand mec qu'a du cœur te le dira, vieux, / Tous les p'tits mondes qui s'effondrent se remettent pour le mieux. " »

Dinah s'essuya les yeux et posa ses coudes sur la table, prenant son menton dans ses mains. Elle regarda Roy avec curiosité. « Est-ce que tu es heureux ? »

Roy sourit. « Entre autres choses, oui. Heureux est un des sentiments parmi tant d'autres que je ressens à un moment donné. Et tu le seras aussi à nouveau. Tu n'as pas besoin de me croire aujourd'hui, mais c'est vrai. »

Dinah sourit. « Tu es vraiment quelqu'un de gentil.

— Bien sûr. Exactement le genre d'homme qui ne t'attire pas.

— Eh bien, quand je me sentirai mieux et quand tu n'auras plus deux relations à mener de front, peut-être... » Elle haussa les épaules. « Qui sait ? dit-elle en souriant. Qui sait quoi ? Enfin, qui, peut-être, mais pas quoi.

— Pardon ?

— Rien.

— Laisse-moi te poser une question. Si tu rencontrais un type formidable qui ne t'aime pas, et un autre plus moyen mais qui t'aime, lequel choisirais-tu ?

— Le formidable, répondit-elle simplement. Et toi ?

— Moi ? » Il but une gorgée de jus d'orange en haussant les épaules. « Je me servirais de la moyenne en attendant de mettre la main sur la formidable. »

Epilogue

Au nord du fond des choses

Rose, l'air grave, se tient au chevet de Blaine. Des tubes qui tombent de poches de liquide transparent sont enfoncés dans ses bras. Une télévision est allumée dans un coin. Les Knicks, l'équipe favorite de Blaine, sont en train de perdre. Mais, les paupières closes, il ignore cette défaite imminente, ignore Rose qui se tient impuissante à son chevet et le regarde respirer, regarde sa poitrine se soulever comme une vague paisible. Une infirmière prend le pouls de Blaine, puis vérifie sur l'écran noir la ligne verte qui contrôle ses centres vitaux. Elle a l'air ennuyée et efficace. Au loin, on entend appeler des docteurs et un chariot passe lentement devant la porte.

« Comment va-t-il ? » demande Rose d'une voix tremblante.

« Vous êtes de la famille ? »

Rose se redresse légèrement. « Sa femme », dit-elle en croisant le regard de l'infirmière. « Son ex-femme », admet-elle avec réticence.

L'infirmière la dévisage d'un air sévère tout en lissant sa blouse blanche amidonnée. Quelque chose dans l'attitude de Rose l'incite cependant à se radoucir.

« Son état est critique, l'informe-t-elle d'une voix égale. Très honnêtement, je ne sais pas comment il a pu tenir si longtemps. » Les yeux de Rose se remplissent de larmes tandis qu'elle observe le profil pâle endormi de Blaine, ses cheveux blond clair tirés en arrière, la noble courbe de son front. L'infirmière vérifie la feuille de température et s'apprête à sortir de la chambre. « Les heures de visite se terminent dans dix minutes », annonce-t-elle en s'engageant dans le couloir et en laissant la porte ouverte derrière elle.

Rose se met alors à pleurer. Ses épaules tremblent, elle est agitée de hoquets convulsifs. « Blaine, dit-elle doucement, Blaine. »

Elle s'assied avec précaution sur le bord du lit à côté de lui, ses cheveux blond vénitien tombent en cascade sur ses épaules. Elle lui prend la main, la serre et l'embrasse. A la vue de son alliance, ses sanglots redoublent. Blaine s'agite légèrement et ses paupières s'entrouvrent, il essaie de se concentrer. « Rosie ? dit-il d'une voix rauque. Rose, c'est toi ? » Parler lui demande trop d'efforts et il est secoué par une quinte de toux, une toux effrayante qui vient des profondeurs. Rose a l'air étonnée, puis inquiète.

« Ne parle pas... Oh, je suis navrée... je pensais... » Elle recommence à pleurer, ils font une sorte de duo, mêlant leurs pleurs et leurs toux.

Blaine s'arrête le premier. « Je suis heureux que tu sois là, dit-il d'une voix faible. Tu... m'as manqué. »

Rose renifle, en regardant la main décharnée de Blaine qu'elle serre furieusement et sur laquelle elle verse de chaudes larmes. « Est-ce que tu te souviens du jour où j'ai préparé un dessert avec des bananes et où j'ai coupé les bananes sur l'une des tables en bois de la cuisine ? » Elle s'arrête pour essuyer son nez. « Le lendemain matin, tu m'as regardée sévèrement et tu m'as dit : " Tu n'as quand même pas coupé les bananes *directement* sur la table ? Bon Dieu, regarde ce que tu as fait ! " Effectivement, le bois était complètement entaillé. Je me sentais très, très mal et complètement idiote. Tu m'as dit : " Tu aurais pu utiliser une planche ", et j'ai répondu : " Tu ne peux pas poncer la table ? " Alors tu as éclaté d'un rire inquiétant et j'ai ajouté : " Je suis désolée, je pensais que ça n'avait pas d'importance puisque c'était du bois. " Et tu as conclu : " Ça n'est vraiment pas ton truc. " » Rose recommence à sangloter. Des sanglots hachés, sonores. Blaine a l'air interloqué et épuisé.

« Tu es venue me voir sur mon lit de mort pour me raconter ça ? »

Rose se penche vers la table de chevet et attrape deux Kleenex sans lâcher la main de Blaine. Elle se mouche bruyamment. Il détourne poliment les yeux. « Je suis simplement venue te dire que j'étais désolée... désolée des entailles dans le bois, désolée d'avoir laissé la terrasse ouverte. Désolée que ça n'ait pas marché entre nous. »

Blaine soupire et tousse légèrement pendant qu'elle parle. On entend le bruit d'un ascenseur dans le couloir. « Rose... » commence-t-il doucement, en lui serrant la main avec toute la force qui lui reste. Rose hoquette et s'essuie les yeux. « Rose...

— Je suis désolée d'avoir pensé que l'amour était une chose rare qui valait la peine de se battre tandis que, pour toi, c'était simplement un service que tu as remplacé quand il ne te convenait plus. »

Blaine se met à tousser, tousser et tousser comme s'il n'allait jamais s'arrêter. Seule la mort va lui permettre de reprendre sa respiration. De la reprendre et de ne plus jamais la perdre. Rose se lève, paniquée, et s'approche de lui, elle essaie de lui donner des tapes dans le dos. Blaine secoue frénétiquement la tête.

« Tu peux lever tes bras ?... Tu veux de l'eau ? » A toutes ces suggestions, Blaine fait signe que non. Rose, le visage décomposé, se tord les mains. « Oh, mon Dieu, murmure-t-elle. Non seulement je n'ai pas pu te rendre heureux, mais en plus je t'ai tué. » Blaine se met à rire tout en toussant, puis progressivement se calme et redevient silencieux. Rose reste à côté de lui, l'air désolée. Le visage de Blaine est maintenant livide, brillant de sueur. « Tu sais une des choses qui me réconcilient avec l'idée de la mort ? » dit-il d'une voix faible. Rose fait non de la tête avec humilité. « Je n'aurai plus à parler de mes problèmes de couple. »

Les yeux de Rose se remplissent à nouveau de larmes et elle baisse sa tête aux cheveux blond vénitien. « Ne meurs pas Blaine, supplie-t-elle. Ou, si tu ne peux pas faire autrement, reviens me hanter. Tu m'as hantée toute ma vie... Pourquoi ne pas continuer ? »

Blaine esquisse un pâle sourire et ferme les yeux. « Je te retrouverai un jour sur les landes enneigées dans l'au-delà des relations difficiles. Toi et moi, George et Martha, Heathcliff et Cathy. Là-bas, à Pedington Crag. Nous nous rendrons fous pour l'éternité. » Il la regarde un instant, épuisé, puis referme les yeux. Une mélodie mélancolique au piano se fait entendre en sourdine. « Tu te souviens de la fièvre de nos baisers ? » dit-il dans un murmure.

Rose s'assied près de lui avec beaucoup de précautions et prend à nouveau sa main. « Oui » ; elle le dévisage avec passion, comme si elle voulait inscrire son visage au fer rouge dans sa mémoire.

« Eh bien, c'est peut-être ça qui me fait mourir. La fièvre des baisers.

— De mes baisers », souffle-t-elle. La musique devient plus forte, plus lancinante, annonçant l'imminente publicité.

« Tu n'as pas pu te débarrasser de moi, même quand je n'étais plus là, murmure-t-il, les paupières closes. Qu'est-ce qui te fait croire que tu peux y arriver maintenant ? »

Une femme apparaît dans l'embrasure de la porte. Une femme très belle aux cheveux noirs, l'air étonné. « Blaine ? » appelle-t-elle d'une voix tremblante. Elle tient d'une main une petite fille et de l'autre un gâteau qu'elle a préparé.

Rose tourne la tête, ses cheveux blonds fouettent l'air tandis qu'elle croise le regard de la femme. « Leslie », dit Rose.

Les deux femmes se dévisagent un long moment dramatique tandis que la musique retentit et que le plan devient fixe.

« Coupez », dit la voix de Dinah dans la cabine du producteur.

« Coupez », répéta Nick, le directeur de plateau. Il mit la main sur ses écouteurs pour entendre les directives de Dinah, sous le regard anxieux des deux acteurs, Josh et Melissa. « D'accord, dit-il en hochant la tête. Je vais le leur dire. » Nick se dirigea vers les deux jeunes gens. « Ces dames trouvent que la scène est parfaite et que vous avez été formidables, dit-il d'une voix rassurante. Alors, si on passait dans la cuisine ? »

Dinah était assise dans la cabine de contrôle avec Connie. Elles fumaient et regardaient l'écran vide au-dessus de leurs têtes. Après le départ de Rudy, l'amour de Dinah avait continué de briller, comme une petite lampe de pilotage, un spot éclairant une scène vide. Elle était devenue une amoureuse désœuvrée. Dinah et son amour perdu. Battant des ailes comme un colibri enfermé dans une boîte à chaussures. Elle avait appris à accepter la situation sans l'admettre et sans la comprendre. Oh, bien sûr, elle l'admettait puisque quand elle se regardait dans le miroir, Rudy n'était pas à côté d'elle et elle le comprenait puisqu'elle n'était pas idiote ! Mais, en fait, cela lui semblait inconcevable. Aussi cultivait-elle son désœuvrement sentimental et retournait-elle dans le monde des amours perdues, espérant en trouver un qui lui conviendrait. Elle trimbalait son amour pour Rudy comme un vieux parchemin qui se désagrégeait lentement.

Connie se pencha et lui donna une petite tape amicale dans le dos. « Et si on commandait un repas thaï ? »

Dinah fronça les sourcils et haussa les épaules. « Pourquoi pas », dit-elle en tirant une bouffée de sa cigarette. « Quelque chose avec de la sauce aux cacahuètes et presque pas de calories. Une dînette. »

Connie se leva et composa le numéro de *Tommy Tang's* pour passer sa commande. « Une salade chinoise au poulet et quatre doubles portions de poulet au saté. Deux Coca Light. Oui. C'est ça. Sorkin et Kaufman. Second étage à NBC... ouais, parfait, vous vous souvenez, pas de problème, merci. » Elle reposa le combiné et regarda Dinah avec une expression de souffrance. « Est-ce que tu as du Tylenol ? » demanda-t-elle en poussant un léger gémissement tandis qu'elle se rasseyait sur sa chaise qui grinça bruyamment.

Dinah se pencha pour attraper son sac. « Je ne crois pas, dit-elle en fouillant dans son barda. Mais j'ai la mauvaise habitude de ne croire à rien. »

Connie s'appuya à deux mains contre le mur et baissa la tête. « J'ai mes règles. Enfin peut-être pas *mes* règles mais celles de *quelqu'un*, gémit-elle. Je suis déjà venue à bout d'un tampax Super et... »

Dinah tendit à Connie une plaquette de Tylenol. « Connie, je t'en prie, épargne-moi ces descriptions de ton cycle menstruel. »

Connie s'empara avec reconnaissance du Tylenol et avala plusieurs cachets sans eau.

« Roy Delaney sur la ligne deux, Dinah », annonça une voix mâle dans l'interphone. Dinah et Connie échangèrent un regard surpris. Dinah s'approcha du téléphone et prit la communication.

« Eh bien, aussi vrai que je vis, respire et produis des soap operas, dit-elle en souriant, ne serait-ce pas le grand Roy Delaney dont on avait entièrement perdu la trace ?

— Je suis peut-être perdu, l'assura la voix primesautière de Roy, mais je ne sais pas si je suis si grand que ça. Qui t'a dit que j'étais grand ? Je pense que je suis d'une taille moyenne. Si tu veux un homme bien monté, alors peut-être... »

Dinah l'interrompit. « Un homme bien monté n'a jamais été un de mes fantasmes. Pas plus que les joueurs de billard. Gros pénis, grand joueur de billard... Deux attributs qui ne figurent même pas au bas de ma liste de l'homme idéal. Elles entreraient plutôt dans la catégorie de “ Ce qu'il faut éviter dans la Quête pour un Compagnon Parfait ”.

— Comment vas-tu ? l'interrompit Roy avec sérieux. Tu as l'air... semblable. »

Dinah rit, regarda Connie, puis baissa les yeux. « Alors ça n'est pas très bon signe, dit-elle presque timidement. Nous nous sommes rencontrés à une mauvaise période. » Il y eut un silence presque imperceptible.

« As-tu parlé à Rudy ?

— Pas depuis neuf mois. Il a appelé une fois ou deux, mais... » Elle laissa sa phrase en suspens.

« C'est formidable qu'il ait reçu un *Tony*.

— Hein-hein, pour une pièce sur la fin du monde. » Dinah retira un fil invisible accroché à sa manche.

« Est-il toujours avec Lindsay ?

— Non. Sa sœur m'a appris que c'était fini. Lindsay a repris son travail. J'ai entendu dire qu'il est avec quelqu'un d'autre. Quelqu'un qui a des plans de carrière comme moi et qui ne vit pas à New York. Autant pour ses objections à mon sujet. Et toi, es-tu toujours avec... tout ton monde ? » Elle alluma une autre cigarette et aspira profondément la fumée, attendant sa réponse avec curiosité.

« Pas vraiment, non, répondit-il sur un ton vague. Donc, comme je suis relativement disponible, je me disais que si tu l'étais aussi, nous pourrions... Je pourrais m'occuper de toi de la façon que tu aimes. Nous pourrions prévoir de dîner ensemble et je pourrais arriver très en retard. Tu es bien la fille que les déceptions excitent ? »

Dinah éclata de rire. « Qu'est-ce que tu fais ici ?

— Ils produisent mon film et je hante le plateau.

— Je vois. Le fantôme du cinéma.

— Exactement, donc...

— Eh bien, nous avons essayé assez longtemps de vivre l'un sans l'autre.

— Cela faisait partie de ma stratégie. Te faire attendre.

— Je me demandais justement ce que je faisais.

— Maintenant, tu sais.

— J'ai passé la moitié de ma vie à attendre l'homme idéal. Et je découvre maintenant que j'attends sans même m'en rendre compte.

— C'est comme cette publicité. " Je nettoie mon four. "

— Eh bien... » dit-elle en posant sa cigarette et en attrapant le combiné de l'autre main, « je suppose que nos vies ont finalement marché.

— Quel soulagement, hein ?

— Rappelez-moi qui vous êtes ?

— Est-ce vraiment important ?

— J'imagine que non.

— Je passe te prendre à huit heures.

— C'est-à-dire à dix heures.

— Ça, c'est à moi d'en décider, toi, contente-toi de m'attendre.

— Que c'est merveilleux !

— Et tu n'as encore rien vu.

— Oh si, assura-t-elle ironiquement. J'ai tout vu. J'ai absolument tout vu. Je connais ça par cœur.

— Eh bien, tu sais ce qu'on dit.

— Quoi ?

— Je te le dirai plus tard. Mais en tout cas, je peux te le promettre, tu seras déçue.

— Oh, bébé, tu connais vraiment mes points faibles.

— Je ne te toucherai pas », affirma-t-il d'une voix chantante en raccrochant. Dinah posa le téléphone et regarda Connie.

« Il ne sait même pas où j'habite », s'émerveilla-t-elle. Connie hocha la tête, l'air incrédule, en tirant sur sa cigarette.

Au même instant, la porte s'ouvrit et le livreur apparut sur le pas de la porte, croulant sous le poids de deux sacs odorants de dînette. Dans le couloir, la radio jouait :

Tu m'as fait quitter mon foyer,
T'as pris mon amour et tu t'es tiré
Depuis que je suis tombée dans tes bras.
Je ne suis plus du tout la même
Depuis que je suis tombée dans tes bras.
Oh, c'est trop bête et c'est trop triste
Mais je suis folle de toi.
Oh, tu m'aimes, puis tu me snobes,
Que m' reste-t-il à moi ?
Je t'aime encore, tu vois.
Jamais j'en verrai le bout,
J'ai le blues pour presque tout
Depuis que je suis tombée dans tes bras,
Depuis que je suis tombée dans tes bras.

Connie et Dinah vidèrent le contenu des boîtes en carton dans leurs assiettes. Une odeur alléchante envahit la pièce. Dinah sortit une bière du frigo pour servir d'antidote à son Coca Light. Connie lécha voracement la sauce qui lui restait sur les doigts. « Est-ce que le monde devient plus petit, demanda-t-elle, ou est-ce que je deviens plus grosse ? Fais bien attention à ce que tu vas répondre. »

Dinah leva sa bière, ses yeux rencontrèrent ceux de Connie tandis qu'elle portait la bouteille à sa bouche. « Ça me rappelle ce jour où j'ai eu un sentiment de déjà vu », dit-elle en essuyant sa bouche avec le plat de sa main.

« Bonne réponse », dit Connie sur un ton appréciateur, en mordant dans son poulet au saté. « Prudente, mais bonne », continua-t-elle la bouche pleine, d'une voix presque inaudible. La sonnerie du téléphone retentit et Dinah croisa un instant le regard de Connie, elle détourna les yeux, embarrassée, et décrocha le téléphone.

« C'est moi », dit la voix au bout du fil. On prend toujours le dessert ensemble ?

— Oui, dit Dinah en tournant le dos à Connie, les yeux rivés au sol.

— Parfait. » Dinah reposa le téléphone. « Ne te moque pas de moi, Connie, promets-le-moi.

— Me moquer de toi ? » Connie se mit à rire. « Dinah, toutes les femmes devraient avoir une liaison avec un homme plus jeune avant d'être trop vieilles pour ça. Eh, il est superbe, il est amoureux et il tient en partie son rôle. Qu'est-ce qu'on pourrait demander de plus sans avoir une addition trop lourde à payer ?

— Je déteste avoir l'impression que je suis une sorte d'aventure pour lui.

— Ça n'est pas comme si tu devais lui acheter ses premiers pantalons longs et l'aider à faire ses devoirs. Vous avez seulement cinq ans de différence, non ?

— Mais où cela peut-il nous mener ?

— Oh, Dinah, profites-en, c'est tout. Et, si tu n'y arrives pas, profite de lui. Cela peut facilement tourner court, mais, en attendant, profite du voyage. »

Dinah termina sa bière, regarda Connie comme un bon petit soldat et fit le salut militaire. « Heil, Hippie », dit-elle et elle sortit majestueusement de la cabine.

Dinah avait commencé à acheter de la lingerie comme si elle se constituait un trousseau fantôme. Des chemises de nuit diaphanes et transparentes, des corsets à armatures, des porte-jarretelles et des bas noirs. Elle montait résolument à l'assaut de la féminité telle qu'elle se l'imaginait. Si elle devait devenir une femme d'affaires aux dents longues, alors elle serait aussi l'esclave pas-si-secrète-que-ça de l'amour pour quelqu'un.

L'excitation, qui semblait avoir déserté ses amours passées, brillait maintenant dans ses yeux. Sa personnalité s'exaltait, gagnait son regard, ses mains, sa bouche... envahissait tout. C'était une excitation prometteuse. Venez vous réchauffer à la chaleur de ma personnalité. Dinah avait adopté ce désœuvrement cultivé qu'elle arborait comme une lettre d'amour adressée à ses amants perdus et à venir.

Cette main chaude dans le creux de ses reins... mais ce n'était pas celle de Rudy, si ? Non, non, pas la sienne du tout, mais une main inconnue. Cela ne pouvait pas être Rudy et son pouvoir de provoquer l'incertitude. Cet homme-ci est presque assuré. Il lève le rideau de la certitude. Il a des yeux plus bleus, il me touche de manière plus hésitante, plus légère. Furtive. Dangereuse. Il m'oblige à deviner, mais je devine toujours juste. Rudy qui l'avait aimée sur le mode de l'absence, son complice du fantasme, Rudy qui lui en avait fait voir, Rudy qu'elle n'avait plus besoin de ne pas avoir, Rudy était parti.

Josh, l'acteur qu'elle avait fabriqué à l'image de Rudy, l'acteur qui tenait le rôle de Blaine MacDonald, avait pris sa place, et elle était allongée près de lui dans sa loge. Dinah portait la robe que Josh prétendait détester, Josh ne portait que son short, son short de va-nu-pieds, et sa plaque d'identification d'hôpital pour *Désir du cœur*. Des fugitifs échappés d'un monde télévisuel.

Il avait l'air perplexe, hors de son élément et jeté dans celui de Dinah. Elle lui ébouriffa les cheveux avec gentillesse. « Que se passe-t-il ? Tu as donné ta langue au chat ? La star est dans les nuages ? »

Il repoussa sa main, énervé, embarrassé. « Ça peut t'arriver de changer d'avis ? C'est-à-dire, peux-tu évoluer ? » demanda-t-il. Dinah se retourna et regarda le plafond, cherchant une réponse. « Sans doute. Et toi ?

— Ouais, moi aussi. Et c'est ce qui m'effraie. Plus pour toi que pour moi. Tu comprends, qu'est-ce qui peut t'empêcher de... Il laissa sa phrase en suspens et serra les lèvres.

Dinah l'attira contre elle. « Qu'est-ce qui peut m'empêcher de quoi ? »

Josh haussa les épaules. « N'importe quoi... de te réconcilier avec Rudy... N'importe quoi. Tu comprends, tout cela est si nouveau. »

Dinah l'interrompit. « Et qu'est-ce qui peut t'empêcher de rencontrer quelqu'un de ton âge ?

— Toi », dit-il simplement.

Elle sourit. « Donc, jusqu'à ce que nous sachions où nous en sommes, restons couchés. »

Ils s'embrassèrent. Un délicieux baiser classé X, le baiser de la rencontre. Cette pêche mûre, noire. Tandis qu'elle entrait dans ce baiser, elle se demandait si Roy la rappellerait, passerait la prendre, entrerait dans sa vie, mettrait un pied dans... l'importance... Est-ce qu'elle le laisserait devenir important ?

Elle respira les cheveux blonds, cléments de Josh. « Je vais te dire ce que j'aime », murmura-t-elle. Il sourit, la tête enfouie dans le cou de Dinah. « Tu es prêt ? » demanda-t-elle. Leur catéchisme commençait. « Ne pas toucher les parties cruciales avant que cela soit absolument nécessaire. Donne-moi aussi peu que possible jusqu'à ce qu'il soit presque trop tard. Je suis ta créature, ton petit Frankensexe. »

Le doigt de Josh courut légèrement sur ses hanches.

« Toute chaude d'avoir attendu, continua-t-elle d'une voix apaisante.

— Si moins est plus, tu es infinie », répondit-il.

Dinah sourit et se tourna vers lui, ils étaient maintenant face à face sur le divan. La main chaude de Josh se nicha dans le creux de ses reins.

« Ce que j'aime, murmura-t-elle. Non, pas ce que j'aime, mais qui j'aime. »

Elle n'était pas tant amoureuse que séduite par la lingerie, par une garantie émotionnelle. Pas tant mondaine que dans le monde. Dedans en tout cas. A l'arrière-plan, mais menant le jeu.

C'était peut-être parce qu'il avait joué Rudy pendant tant d'années qu'il était parfait pour ce rôle. Ou peut-être était-il né pour ça. Mais, quoi qu'il en soit, il était son homme, son dernier amant en date.

La main de Josh lui caressa légèrement le dos ; avec deux doigts, il suivit la ligne de la colonne vertébrale de Dinah sous sa blouse de coton. « Je déteste que tu saches que je t'aime.

— Pourquoi ? » demanda-t-elle en l'embrassant sur le menton, en pressant son corps contre lui, se sentant toujours comme une voyeuse.

« Oh, parce que, commença-t-il, je ne sais pas. D'habitude, je fais en sorte, tu comprends, je fais en sorte qu'elles ne sachent pas — les femmes — que je les aime. Mais avec toi... Eh bien, d'un seul coup, il était trop tard, tu savais. » Il se déplaça légèrement, Dinah se redressa pour le regarder.

Josh évita son regard en avouant : « J'ai l'impression que je devrais courir à l'autre bout de la pièce pour me cacher.

— Et pourquoi est-ce que je ne devrais pas *moi* courir me protéger ? »

Josh leva les yeux vers elle. « Parce que tu peux te protéger de l'endroit où tu es », expliqua-t-il en posant son index sur la lèvre de Dinah. « Tu peux traverser la pièce sans bouger. »

Les yeux de Dinah s'adoucirent et elle eut un demi-sourire. « Tu es si... » Elle passa pensivement la main dans les cheveux clairs de Josh. « Tu es si *agréable,* dit-elle.

— Mmmmm, murmura Josh. Hummmm. Il secoua lentement la tête.

— Quoi ? interrogea Dinah.

— Rien.

— *Quoi ?*

— Rien, reprit-il en la serrant contre lui. J'avais justement peur que tu dises quelque chose comme ça.

— Comme quoi ?

— Laisse tomber.

— Pourquoi crois-tu que je sois avec toi ? » demanda-t-elle. Une question de pure rhétorique.

Josh hésita un instant et dit d'une voix calme : « Pour faire des recherches. »

Dinah recula brusquement la tête, comme si elle avait été prise la main dans le sac. Elle rit, étonnée et exaspérée. « C'est bien moi, dit-elle en rougissant. L'animal de laboratoire sacrifié à l'expérimentation du romantisme humain. »

Avec Josh, elle avait le sentiment d'avoir été graciée à la dernière minute, d'avoir obtenu le pardon du gouverneur. Une liaison reposante après ses champs de bataille habituels. Quand l'esprit de Dinah faisait mine de disséquer Josh dans son atelier critique, elle l'arrêtait tout de suite. Il avait prétendu si longtemps être sa version de Rudy que c'en était peut-être devenu une réalité, qu'il était devenu réalité, qu'il était arrivé au port. Avec son beau visage impassible et sa manière fuyante de s'exprimer, son côté *goy* indéchiffrable. Elle avait échangé une sorte d'indifférence pour une autre, et avait été guérie pendant la transaction. Josh leva le bras pour éteindre la lumière, et se tourna vers elle, il l'embrassa avec passion, lui ôta sa robe et la lança à l'autre bout de la pièce.

Dinah retint son souffle, attentive. Les étreintes de Josh étaient si émotionnelles. Comme s'ils faisaient l'amour dans un abri, survolés par des avions ennemis. Ensemble passionnément, tendrement, comme si chaque fois était la dernière. Après, elle n'arrivait pas à se rappeler exactement son visage. Il était une entité. Une entité amoureuse et bienveillante, qui respirait avec elle dans l'obscurité, après que le danger fut passé. L'attaque aérienne était terminée.

« Combien de temps nous reste-t-il ? » demanda-t-elle, haletante.

Josh sourit en glissant ses mains sous sa jupe, dangereusement proche de son intimité. « Pas assez de temps, juste comme tu l'aimes. »

Dinah prit une profonde inspiration et mit une main sur son front. « Il ne t'a pas fallu longtemps pour comprendre mon numéro », dit-elle en souriant, la tête légèrement penchée, les yeux fermés.

« Oui. » Josh frôlait de sa bouche le cou de Dinah, puis son oreille.

« Maintenant, si tu pouvais trouver mes sept autres chiffres, tu pourrais m'appeler, continua Dinah. Nous pourrions faire l'amour par téléphone, mais en attendant... »

Josh lui donna un baiser profond, bref. « Il faudra que nous le fassions en personne », conclut-il en commençant sa descente le long du corps de Dinah, se traçant un chemin de baisers haletants. Dinah résistait, arquant le dos.

« Qu'est-ce que ça veut dire " en personne " ? » demanda-t-elle d'une voix rêveuse, en envoyant son esprit faire un tour, en se préparant à son voyage pour la soumission.

Josh s'arrêta quelque part à droite de son sein. « Tu es en plein dedans », dit-il avant de reprendre ses baisers, son sein, sa respiration. Un expert sur le terrain.

La tête de Dinah roula sur le côté, attentive. Elle posa une main sur sa bouche et se suça un doigt. La caresse — ce vieux papillon de nuit — voleta près de sa flamme. Elle soupira, une main délicatement posée sur son front. Elle se délectait de ce bain chaud du *Je veux être avec toi.* Cet homme voulait être avec elle. Et pour l'instant, elle n'y voyait rien à redire. Derrière la porte, dans le couloir, elle entendit une voix masculine incompréhensible annoncer quelque chose, appeler quelqu'un. Josh continuait sa descente. Dinah ouvrit les yeux un instant, puis les referma. Choisir quelqu'un et faire marcher la relation. « Entité », murmura-t-elle aux cheveux blonds de Josh, dorés comme ceux de Lindsay. La bouche de Josh descendait doucement le long de son corps, titillante. Elle frissonna, son esprit se perdit, prit la route du rêve. Que se passait-il ? Qui était cet homme ? Ou bien est-ce que tout était un tout ? Roy ? Non. Rudy ? Hummm.

Elle était en voiture avec Rudy ; il conduisait. C'était une belle journée. Le soleil brillait dans les arbres. La main de Dinah était posée sur celle de Rudy, entre eux deux, tandis qu'il fonçait le long d'une route qui montait vers une colline. Elle n'avait pas de sparadrap sur ses pouces et elle portait une alliance en or. Le ciel s'assombrissait au moment où la voiture s'arrêtait à un péage. Une rivière clapotait au loin. Dinah comptait 39,50 $ et les tendait à son père, assis dans la cabine du péage. Elle trouvait normal de le voir là et remarquait seulement que la cabine était placée du mauvais côté. Pas du côté du conducteur, mais de celui du passager ; pas sur la gauche mais sur la droite. Tandis que la voiture passait lentement le pont, la main de Rudy se dégageait de la sienne et elle regardait par la fenêtre l'eau qui coulait au-dessous d'eux.

La voiture traversait le pont et se retrouvait sur la terre ferme, ils pénétraient dans une forêt. Une forêt sombre. Soudain, ils perdaient le contrôle du véhicule et fonçaient à travers les arbres. Dinah se tournait vers Rudy et découvrait qu'il n'était plus là, personne ne conduisait la voiture. Elle attrapait le volant, évitait un arbre et se mettait à la place du conducteur en se demandant où avait bien pu passer Rudy et comment elle allait retrouver la route principale. Elle conduisait à travers les arbres, se guidant à la lueur des phares le long du chemin cahoteux, perdue. Perdue dans la forêt amazonienne. Elle remarquait un grand arbre dans une clairière. En se rapprochant, elle apercevait un homme. Un Noir. Dinah allait vers lui, arrêtait la voiture et l'homme montait à côté d'elle. Il lui disait qu'il s'appelait Shakespeare, qu'il l'attendait depuis longtemps. Bien avant que le ciel ne se soit rempli d'ombre, il l'avait vue et était prêt à l'attendre pour l'éternité. Il la conduisait jusqu'à la route, le ciel était plus clair et la route semblait s'étendre à perte de vue. Dinah et Shakespeare se dirigeaient vers l'horizon, en regardant droit devant eux. Le soleil était bas et rouge dans le ciel. En travers étaient inscrits les mots « Désir du cœur ».

La relation que Rudy et Dinah avaient eue continuait maintenant sans eux, les laissant derrière elle. Le bateau manqué, le paquebot raté, le bus entêté qui poursuivait sa route, toujours plus loin, vers le soleil, soulevant derrière lui un nuage de poussière. Et cette poussière se déposerait sur leurs compagnons à venir, faisant pleurer Dinah et éternuer Rudy.

Ils avaient renoncé à leur compagnie mutuelle, un temps si précieuse. Ouaip, pourtant et plus étrange encore, ce qu'ils avaient partagé ne pouvait pas complètement disparaître. Cela continuait à exister quelque part, une forme lointaine et pourtant indéniable. Passée, mais toujours imposante... Le Ceylan des amoureux, de l'amour. Même si on transformait les cartes, on altérait les tracés, il fallait toujours d'une certaine manière se diriger à la lumière de cette étoile-source. Ils naviguaient sans danger sur ces eaux autrefois infestées qui clapotaient dans leur sillage. Loin d'eux, même brisé, ce qu'ils avaient partagé s'était transformé et avait pris une nouvelle apparence. La bête poussiéreuse des marais, le noir Ceylan, ce monstre autrefois impitoyable, était aujourd'hui dompté, pelé et sans défense... Une pâle image de ses jours glorieux.

Parce que, après tout, rien n'est jamais vraiment fini. Seulement renvoyé à l'infini.

L'être humain femelle, dont l'enfance a été caractérisée par l'absence de parent mâle, a tendance, arrivée à l'âge adulte, à choisir des partenaires qui ne sont pas disponibles et à se languir tristement pour eux jusqu'à sa mort. Certaines guérissent en épousant des amis et en apprenant à les « aimer ». Les autres font de brillantes carrières dans les soap operas.

Remerciements

Je voudrais remercier ma mère qui prend tellement bien tout ce que les gens pensent de mes livres et qui est la source de toutes les bonnes choses de ma vie ; Todd, mon voisin occasionnel et mon frère à plein temps ; mon père pour « ce côté juif » ; mon ami et, par une étrange coïncidence, mon agent et double maudit, Elvis ; Kevin Huvane, qui a épaissi mon roman en le raccourcissant. Pour mon directeur littéraire, Trish Lande, qui m'a soutenue en chemin comme seul pouvait le faire quelqu'un de moins de trente ans, pour mon directeur littéraire en chef, Micheal Korda, qui m'a soutenue en chemin comme seul pouvait le faire quelqu'un de plus de trente ans. Pour mon éditeur, Charles Hayward, qui m'a dit de prendre mon temps et qu'il me donnerait une partie du sien si cela ne suffisait pas. Pour mon avocat bouddhiste et joyeux compère, Michael Gendler — il n'y a pas de mots (mais éventuellement quelques tatouages). Pour ma confidente, Gloria Crayton, qui me tient compagnie et m'empêche de grossir. Pour mon assistante, Cindy Lee Rogers, qui me protège des trépidations d'un monde hostile et me donne une vision irréaliste des événements. Pour mon assistante de recherche, Bonnie Wells, qui m'a aidée à explorer les comportements amoureux des animaux et à mener un combat victorieux avec l'imprimante de mon ordinateur. Pour le médecin de mes arbres et expert en religions orientales, Harper Simon ; pour mon dermatologue, Arnold Klein ; mon super agent, Owen Laster ; pour mon conseiller financier, Les Kaufman ; pour mon *alter ego* et *alter kecker,* Merle Obelesque ;

pour mon mercier (côte Est) Daniel Melnick; pour mon mercier (côte Ouest) Buck Henry; pour mon équipe de mécaniciens : Richard Dreyfuss, J. D. Souther, Dave Sandborn, Dr Michael Gould, Ed Moses, Charles Wessler et Julian Ford. Pour mes infirmières de choc : Penny Marshall, Barbara Hershey, Beverly d'Angelo, Seven MacDonald, Betty Bacall et Angelica Huston, merci de leur soutien inconditionnel. Et pour ma tribu d'amis dévoués et magiques : Bruce Wagner, Meg Wolitzer, Chana Ben Dov, Beatriz Foster, Chaik et Melissa Chassay North, Jack *froggy* Winter, Arlene Sorkin, Mary Douglas French, Rosalie Swedlin, Maggie Schmidt, Sidney Prince, David Geffen, Rightbrained Steven, Anne Howard Bailey, Mary Wynn, Malcolm Ford, Shelley Wanger, Hannah Dunne, Chloe Malle, May Quigley, Mike Nichols, David O'Connor, John Calley, Jim Borelli, Romanelli, les Scott, les Iddle, les Ostin, Andrea, Howard, Reigo, Poddlecut, Linda, Bob, Dana, Lucas, Begley, Don Hendley, Albert, CAF, Sean, Carin, Ilene, et Mister Snickles. Pour Gavin de Becker sans qui je n'aurais pu rédiger ces remerciements et pour Bryan qui aurait préféré que je ne les écrive pas.

DU MÊME AUTEUR

Bons baisers d'Hollywood
J'ai Lu

La composition de cet ouvrage
a été réalisée par l'Imprimerie BUSSIÈRE,
l'impression et le brochage ont été effectués
sur presse CAMERON dans les ateliers de B.C.A.,
à Saint-Amand-Montrond (Cher),
pour le compte des Éditions Albin Michel.

Achevé d'imprimer en avril 1994.
N° d'édition : 13497. N° d'impression : 2918-93/810.
Dépôt légal : avril 1994.